匪我思存——著
樂遊原
下之一

第五章　上巳

春日和煦，太液池畔，垂柳依依。正是仲春之末，季春之初，柳色如同碧絲條一般，何止千條萬條，層層疊疊，掩映著太液池水，碧波蕩漾。無數柳絮被東風吹起，飄飄揚揚，散在半空，一團團，一球球，被風吹得撲在那太液池畔的玉欄杆上，更有星星點點，墜落於太液池水之上。

「畫堂三月初三日，絮撲窗紗燕拂簷。蓮子數杯嘗冷酒，柘枝一曲試春衫。階臨池面勝看鏡，戶映花叢當下簾……」[1]

婉轉的歌聲，按著樂部新排的曲譜，和著絲竹的伴奏，從太液池畔的水殿中，嫋嫋地傳出來。這水殿名爲放春台，原有一半凌空在湖上，另一半卻被堆疊的山石掩映。山石前築著花台，遍植牡丹，春日之下，千百朵牡丹正當怒放。花台四周又張了錦幄，掛了驅雀鳥的金鈴，被日頭照在那錦幄與盛放的牡丹之上，如雲似霞，燦爛流絢。

一曲唱罷，樂部又奏起新排的樂曲，一隊舞伎在水殿之中翩然起舞。舞伎們身姿綽約，只舞得花鈿搖搖，衣袂飄飄，長袖如同迴風流雪一般。舞者人人珠玉滿頭，髮髻

1　出自唐．白居易《三月三日》。

間偏又點綴著雀翎之類閃爍之物，殿中便如同有千萬隻蝴蝶翻飛。殿中遍插著牡丹、芍藥等春日之花，被殿中脂粉的香氣一烘，花香馥郁，更是中人欲醉。

如此富麗已極、繁華已極的春日宴，前太子妃——如今被闔宮稱作「蕭娘子」的蕭氏，坐在案後，斜倚著憑几，似有些心不在焉。但樂部裡一個新來的樂工緊張之餘奏錯了一拍，她卻轉過頭來，瞥了那吹笙的樂工一眼，只嚇得那樂工又奏錯了一拍。她微微皺了皺眉，並沒有發作那戰戰兢兢的樂工，只是舉起案上的金杯來，似是無情無緒地飲了一杯酒，然後起身，徑直往屏風後的後殿去了。

那後殿藏在山石一側，殿宇背對著太液池，偏又有一列長窗開在水畔，今日天氣晴和，那一列凌波的長窗皆支起了窗扇，碧水映著窗扇上新糊的淺緋色窗紗，遙遙望著，便隱隱如同霞光一般，又好似窗上盛開著簇簇桃花，映在那碧波漣漪的倒影裡。

她起身入後殿，心腹女官錦娘以爲她要更衣，連忙跟過來伺候，待轉入殿中，卻聽見她說：「吃了兩杯酒，臉上熱熱的，要不咱們出去逛逛吧。」

春光正好，正逢三月初三上巳節，宮中於臨水處歌舞祓禊，又架起了繫著彩繩的鞦韆。宮中舊人倒也罷了，那些入宮不久、年歲尚小的宮女哪裡耐得，早就三五成群，打起了鞦韆。隔著一帶粉垣，都能隱隱聽見牆內歡聲笑語，還有鞦韆上繫著的金鈴，隨著起落發出叮叮啷啷的聲音，甚是好聽。

蕭氏扶著錦娘，慢慢從那一帶殿宇中穿過，又沿著夾岸花台間的小路，繞過堆疊的假山，然後依次路過扶荔台、鏡思殿、自雨亭等亭榭宮殿。不知行了多久，上得數級石砌，忽然路徑一轉，眼前豁然開朗，乃是引入太液池水、被稱爲御溝的水渠。此處已經臨近御馬監，渠邊堆著捆紮整齊如牆垣一般連綿百丈的高高的草垛，盡是給御馬的草料。再往前去，卻就是宮牆之外了，因此甚是僻靜。

上巳祓禊，宮中舊俗必有飲宴踏歌、鬥草百戲等諸多遊耍之嬉，那些宮娥阿監，自不知躲到何處去玩耍了。此處四下靜靜，渠水流出宮牆而去，而渠水之側，草垛之前，正有一樹梨花開得似雪般簇白，引得無數蜂蝶，在那花間流連。一陣風過，梨花片片被吹得落入水中，隨著那水流，無聲地流到宮牆外去了。

一時春日寂寂，只看到晴光下，蛛絲偶爾一閃。

蕭氏定了定神，說道：「這裡甚好，把風箏拿出來放吧。」

錦娘會意，從袖中取出一只風箏。那風箏做得甚是精巧，竹製的骨架收攏起來，不過如幾枝竹箸疊在一起，打開來卻是極大一副骨架，將薄絹製成的箏面撐開，便是一隻光華燦爛的鳳凰。

當下錦娘將風箏乘著東風慢慢放上天去，只見風箏迎風而起，不過片刻，便飛得極高，遠遠看去，眞似彩鳳翱翔於天。風吹得風箏下繫著的鳴箏發出鳳鳴般的清唳，極是悠揚動人。

錦娘放著風箏，蕭氏見那梨花開得雪白可愛，玩賞了一番，又見梨花樹下水渠畔生得幾叢蘆葦，便折了一片蘆葦的葉子，折起後，將葉尖從葉尾柄中穿過，放置在渠水中，如同一艘小船，晃晃悠悠，漂在那渠水之上，沿著那渠水，也流出宮牆去了。

蕭氏見此有趣，便又折了一艘蘆葉船，這次卻命錦娘拿出隨身所攜的螺子黛來，就在折好的蘆葉小船上，題了一首詩，乃是：「打起黃鶯兒，莫教枝上啼。啼時驚妾夢，不得到遼西。」[2]

寫罷，便將寫著詩句的蘆葉小船，又放在渠水之上，看著那小船悠悠蕩蕩，順著渠水流出宮牆去，方嘆息一聲。

她正兀自出神，忽地不遠處宮牆下忽然斜刺裡閃出一個人來。那人身著青衣，似是宮中的一名寺人，他走到蕭氏的面前，以手加額，卻是恭恭敬敬，深深行了一個禮，方才道：「小人見過太子妃娘娘。」

蕭氏不動聲色打量此人，只見他不過三十餘歲年紀，雖是寺人，但身形敏捷，虎口更有薄繭，似出自行伍，當下便輕輕點了點頭，說道：「是你往我宮中遞信，約我在此處相見？」

「是奉鄗上之命，」那人仍舊神色恭敬，低聲道，「鄗上排行十七，冒昧約了娘娘至此，正是因為有關於太孫的要緊消息，想要告知娘娘。」

蕭氏沉吟片刻，問道：「可有信物？」

那人卻從懷中取出一封書信，說道：「此為鄗上親筆書信。」

蕭氏示意，錦娘連忙上前接了過來，拆開信箋遞與蕭氏，蕭氏一目十行匆匆看過，底下正是李嶷的花押，並「平叛大元帥」的帥印。那寺人又道：「十七殿下平安迎得太孫回營，喜不自勝，便千方百計，想將這好消息告知娘娘，與娘娘聯手誅殺孫賊，若娘娘願意，還請給予一件信物，令我帶走回覆殿下。」

蕭氏笑著點了點頭，說道：「那是自然。」便朝錦娘使了個眼色，錦娘從袖中取出一只十分精緻的金香囊來，遞與那寺人。那寺人見此物，不由微露喜色，原來這金香囊極是精巧，外層鏤空，中間卻又另有機括，內中的半圓懸於機括之上，不論怎麼翻轉，其中的香料都不會灑出來。

從前宮中只有一名巧匠擅做此物，後來這匠人因故觸怒先帝，被刺瞎了雙目，此技從此失傳，所以即使是宮中貴人，也甚少能有此物，而且這只金香囊上，用金絲巧妙累得一個「蕭」字，顯是蕭氏隨身之物。

那寺人剛接過香囊，忽然草垛之後轉出一群人來，爲首之人豐容盛鬋，滿頭珠翠，衣衫華貴，正是孫靖的正妻魏國夫人袁氏。扶著袁氏的乃是一名貴婦，蕭氏亦識得，正是袁氏的弟婦，袁鮮之妻柳氏。

袁氏氣勢洶洶，指了指蕭氏，卻是橫眉冷笑。「將這賤人拿下！」

左右早就一擁而上，擘住蕭氏的胳膊，錦娘阻止不及，更有人劈手奪過她手中的書信。那寺人默不作聲，上前朝著袁氏一躬，卻是雙手奉上那枚金香囊。袁氏冷笑道：「妳裡通外敵，與李嶷那逆賊勾結，如今還有什麼可說？」

原來這寺人乃是袁氏暗中安排，特意送了一封無名書信，以隱語相約蕭氏在此處

2　出自唐．金昌緒《春怨》。

相會。蕭氏果然赴約而來，不僅看了僞造的「李嶷手書」，竟然還給予金香囊作爲信物。袁氏喜出望外，連忙與柳氏帶著人現身，當場拿住蕭氏。

蕭氏看了看被制住的錦娘，又看了看那「李嶷手書」和那枚金香囊，不由長嘆一聲。袁氏見她這般，以爲她敗露之後十分沮喪，不由得意洋洋。柳氏忙道：「夜長夢多，夫人，還是快些行事。」

左右早有人捧了白綾上來，原來竟是打算就此縊殺蕭氏。

袁氏見了白綾，偏又猶豫起來，心道好容易拿住了這賤人勾結李嶷的鐵證，若是去孫靖面前當面揭破，令他知道這狐媚子的眞面目，看那老賊深悔不該，那才叫痛快。偏那柳氏見她猶豫，便又低聲勸道：「夫人，趁著大都督今日出宮去了，速速了結。若眞讓她有機會到大都督面前，不知道她是否又花言巧語，矇騙了大都督，到那時候，悔之晚矣。」

袁氏聽她這般說，恨不得銀牙咬碎，心想不錯，老賊八成會被這狐狸精的話給騙得暈頭轉向，搞不好她眞能脫罪，還是先縊殺了她以解心頭之恨，當下便點了點頭。

幾名宮監上前，不由分說將白綾套在蕭氏脖頸中，又有兩人各自拉住白綾一端，便要當場勒死她。錦娘見狀奮力掙扎，口中直呼「娘娘」，一時急得眼淚都流出來了，但她被好幾個人按在地上，又哪裡掙脫得開。

便在此時，忽然有人大喝一聲：「住手！」這一聲直如驚雷一般，在所有人耳畔炸響，袁氏柳氏更是一驚，旋即有人大步而來，身形高大，寬袍窄袖，正是孫靖。

袁氏一見他匆匆而來，不由又氣又妒，尖聲大叫：「你如今還要維護這狐狸精嗎？」柳氏見她失態，忙忙上前，細語輕聲，講述事情首尾，然後道：「大都督，如今人證物證俱全，這蕭氏確實想與李嶷勾結。」

孫靖冷冷地道：「妳不就是不忿蕭氏勸我，勿以梁王去換袁鮮，因此記恨蕭氏。」

原來早先時日，陶昝依孫靖之命，先誘李峻李崍二人過江，後果然將李峻李崍困在興陽，眼看便能生擒此二人以換回袁鮮，不想李嶷帶了一支人馬沿江而下，千里奇襲，打得陶昝落花流水，李峻和李崍也被李嶷救了。孫靖沒想到李嶷如此本事，以客軍奔波千里，竟能殺得陶昝不敵，當下便遣人去李嶷營中，以梁王的性命威脅李嶷。

誰知李嶷竟然回信道：「吾非嫡長，如殺父王，吾必稱帝謝之。」只差沒有同漢高祖那般，公然說：「分我一杯羹。」

孫靖當下便將這回信扔給李桴，而那梁王李桴看了這般回信，只嚇得痛哭流涕，又哭得厥了過去，卻是毫無用處。那李嶷過了數日，公然遣使入京，說思量再三，生為人子，不當不孝，願意用袁鮮換回梁王。孫靖明知此乃挑撥離間，當然置之不理，蕭氏也百般安慰，說道：「豎子無賴，大都督切切不要上了他的當，袁鮮，鴻毛也，萬不可以梁王易之。」

袁鮮之妻柳氏，得知此事，憂心如焚，數次懇求魏國夫人袁氏在孫靖面前求情，想用梁王李桴去換回自家夫婿。孫靖自失江淮，滿心煩亂，哪肯聽袁氏如此荒誕言語，被她啼哭糾纏不過，拂袖而去，卻是好久都不曾再踏入袁氏所居的長秋殿。

袁氏見丈夫如此無情，聽信蕭氏蠱惑，連自己的親弟弟都不肯救，便在柳氏面前哭道：「實是阿姊無能，老賊只聽信蕭氏那賤人的言語，如之奈何？」

柳氏原是個頗有心計的婦人，何況又是陳郡袁氏的塚婦[3]，素來有幾分急智，當下便給袁氏出了一個主意，令人僞作李嶷的細作，與蕭氏聯絡，若是能誘得蕭氏上鉤，就此拿住蕭氏與李嶷勾結、裡通消息的證據，那自是不由分說，可以一勞永逸，斬草除根。

袁氏聽了這計策，不由喜出望外，撫著柳氏的背，說道：「好弟妹，果然妳是個聰穎的，怨不得爹爹當初非要親自去河東，替阿鮮求妳爲婦。」

當下兩個婦人密議再三，安排妥當，專挑了孫靖離宮的那幾日，遣人僞作細作，與那蕭氏相約。蕭氏果然上當，今日不僅來赴約，竟還交出金香囊爲信物，只是沒料到，就要縊死蕭氏的關頭，孫靖卻忽然回宮，喝住了眾人，又如此質問柳氏。

柳氏見他如此言語，當下眼圈都紅了。袁氏見狀，冷笑道：「你此話是何意，竟然是不分青紅皂白，定要回護這賤人了？」

那柳氏又跪在地上，哭著說道：「妾不敢求大都督徇私相救鮮郎，但如今蕭氏既與李嶷勾連，大都督如何卻能徇私回護？自大都督起事以來，我陳郡袁氏傾其所有，大都督忍心以此欺之？」

孫靖冷笑一聲，卻從袖中擲出一物，正是柳氏謀劃、令人僞作的那封送到蕭氏宮中的隱語書信。原來蕭氏見到此信，卻是毫不猶豫，就交與了孫靖，說道：「妾處境尷尬，想李嶷抑或有心試探，但不知眞僞，妾願爲餌誘之。」

當下便與孫靖商議好了，他故意裝作有事出宮，而她前來這僻靜之處赴約，並依信中所言，放出風箏爲訊，實則孫靖早帶了人藏身在靜處，等她誘出李嶷遣來的細作現身，好拿住了再拷掠細問。

孫靖煞費苦心，安排了人手，親自在這裡守株待兔，沒想到壓根不是什麼李嶷的細作，竟然是袁氏與柳氏自作聰明設下的圈套。

柳氏聽孫靖說出這般原委，早如同五雷轟頂，身子不由一軟，幸得身後侍女扶住，孫靖卻大發雷霆，命人將柳氏立時逐出宮去，從此不許柳氏再私自進宮。至於袁氏，她又羞又氣，還要與孫靖哭鬧，孫靖哪裡理會，只是一拂袖，命人將她送回長秋殿，又令將她的長子元郎帶到自己宮室去，讓她閉門思過，不許她見兒子元郎。

他恨聲道：「只怕元郎都叫妳這般蠢物給教得壞了。」

那袁氏見弟婦被逐，兒子要被帶離自己宮室，更兼孫靖當著蕭氏的面，竟然罵自己作「蠢物」，一時急怒攻心，便一頭頂撞向孫靖，說道：「與你這老賊拚了！」

左右哪裡敢讓她眞撞到孫靖，連忙上前架住她，連哄帶勸，硬是將她給架走了，一直行得老遠，還聽見她的哭罵之聲。

這一場亂哄哄的鬧劇，蕭氏卻是站在一側，冷眼旁觀，並沒有半分言語。等到柳

3　編按：嫡長子的妻子。

氏、袁氏盡皆被帶走，孫靖這才上前，親手解開她頸中纏繞的白綾，嘆了一口氣，想說什麼，卻又覺得滿腹牢騷，竟無一語可以告之眼前人。

蕭氏卻是微微一笑，握住了他的手，軟語相勸：「大都督，袁氏乃是你的嫡妻，生有元郎那樣出色的好孩子，又出自陳郡袁氏，不可輕易發作她，但給她存幾分顏面吧。至於柳氏，今日這罰的，也盡夠了。後宅婦人，見識淺薄，包藏私心，亦是有的，不值得與她們一般見識，更不值得動怒生氣。」

孫靖反手握住她的手，又是長嘆一聲，心想妳也是後宅婦人，怎麼就如同解語花一般溫存可人，偏那袁氏半分也及不上妳呢？但這話，也不宜說了，於是只攏了蕭氏的手，分花拂柳，款款而歸。

這一場大鬧，雖然孫靖令人悄悄行事，封鎖消息，不令外傳，但柳氏被遣歸袁府，顏面盡失，嚇得袁氏與袁鮮的母親——老鄭國公夫人——顫顫巍巍，親自入宮來請罪，只哭訴自己教子無方，再不敢以袁鮮一人的性命，耽誤孫靖的軍國大事。

既然她入宮請罪，孫靖自然要給這位岳母幾分薄面，當下便解了袁氏的禁足令，但還是不曾將元郎送回長秋殿去。袁氏雖心有不甘，但得了母親教訓，只好忍氣吞聲，心想此番被蕭氏設計，吃了這樣一個大虧，只恨得銀牙咬碎。

又過了數日，正逢那老鄭國公夫人六旬大壽，老夫人藉著壽辰，特意在府中設了私宴，請孫靖夫婦登門赴宴，也是存心拉攏女兒與女婿。

柳氏含羞忍辱，卻是好生侍奉婆母，張羅鋪排了這場大宴。老夫人嘆道：「妳這是經歷得少了，人家說貴婿，如今阿靖又何止是貴婿。雖是妳姊夫，亦是咱們袁家應該恭謹侍奉的主上，便教他罵幾句，那也因爲是自家人，不算給妳沒臉。妳沒見過蕭氏當年做太子妃時，先帝的武貴妃盛寵，幾欲易儲，太子妃又無所出，朝野之間，議論紛紛，這般凶險，她皆是一一安然度過。待得阿靖起事，她又捨了顏面，令阿靖心甘情願將她視若珍寶，日日流連在她處。這種本事，這般手段，哪是妳這般年少無知婦人可以撼動的。」

柳氏定一定神，說道：「婆母，我眞的知道錯了。」

老夫人嘆了一聲，說道：「不是我倚老賣老，妳們啊，還是見識得少了，以後莫再做這等落人把柄的事了。」

婆媳二人正說著體己話，奴僕進來奏報，孫靖夫婦，帶著兒子——亦是老夫人的外孫——元郎，已經到了門外。柳氏連忙吩咐大開中門，老夫人起身，卻是扶著拐杖，顫顫巍巍親自迎將出去。

孫靖給足了這位岳母面子，親自扶了她上座，又在庭中拜舞獻壽，命人呈上無數奇珍異寶，給老夫人做壽禮。袁氏見丈夫如此，頓時轉嗔爲喜，當下摟著兒子元郎坐在主賓的座位上，只覺得心滿意足，只恨自己母親不能每日做壽，讓自己這般顏面有光。

一時筵開玳瑁，褥設芙蓉，闔家子孫簇擁在老夫人膝下，各種壽禮堆疊如山，錦繡遍地，更有絲竹樂部歌舞鼓吹、俳優雜耍等等，繁華富貴，乃是一等一的熱鬧。

老夫人是想藉此壽宴拉攏女兒女婿和好如初，孫靖又何嘗不是藉著這壽宴拉攏陳郡袁氏。正在歡聲笑語之時，忽然門外奏報進來，道是十七皇孫李嶷特意遣人送了壽禮來。

聞得此言，孫靖忽然臉色大變，老夫人似未聽清，還懵然未知，他便厲聲道：「叉出去！」

庭中樂部急管繁弦，正奏到要緊處，他驟然如此大喝一聲，樂部的絲弦就此一滯，旋即驚惶地停了下來。席間有人正與身邊人說笑，忽然發現周圍瞬間安靜，說了一半的話也不由停住，庭中頓時靜得連掉根針都能聽見，袁家諸人猶不知出了何事，很多人都在茫然四顧。

老夫人卻是終於弄明白了那句奏報，過了片刻，忽然顫顫巍巍站起來，說道：「既然是李賊送了禮來，老婆子也不怕，呈上來！」

孫靖臉色鐵青，咬牙叫了一聲：「岳母。」便被她擺手止住。

柳氏已然覺得不對，但袁氏還是全然未知，只知道孫靖在發脾氣，於是仍摟著兒子元郎，一臉茫然扭過頭問身邊的奴僕：「說是誰送了禮來？」

孫靖臉色鐵青，不發一言，袁家奴僕見老夫人發話，不敢耽擱，立時捧著一個匣子，呈到老夫人面前的案几之上。那案上本來擺滿了美酒佳餚，立時被挪走，騰出地方來好放這匣子。

老夫人伸出手，手指微微發顫，便要去揭開那匣子，孫靖又叫了一聲「岳母」，上前一步，便要阻止，老夫人卻是像下了決心一般，指上用力，已經揭開那匣子，只看了一眼，便仰面跌倒。席中眾人譁然，奴僕擁上去扶住老夫人，原來匣中正是袁鮮的頭顱，卻是用石灰護住，宛然如生。

袁氏看到此物，也嚇得雙眼翻白，往後仰倒，卻是連椅子帶人，「咕咚」一聲，翻倒在地，庭中頓時又是一陣大亂。孫靖額頭青筋迸起，知道李嶷此舉，專為誅心。

老夫人受了這麼一激，氣血上湧，更兼上了年紀，當晚便不行了，藥石罔靈。袁氏哭得死去活來，柳氏也哭得不能理事。老夫人嚥氣之前，只以目視孫靖，孫靖無奈，只得上前，當著室中袁氏諸人的面，朗聲道：「岳母，阿鮮是為我而死，我窮盡此生，必善待袁氏闔族，不論我居何位，皆以元郎為嗣子，將來元郎長大，必令他中表作親，娶袁氏女為婦。」

老夫人等到他說完這些話，方才瞑目而逝。

袁府上下，壽宴變喪事，還是兩樁喪事，闔府哭泣舉喪不提。

話說袁氏哭昏過去好幾次，待得醒來，咬牙切齒，必要將梁王李桴殺了給自己弟弟和母親報仇。孫靖哪裡肯答應，倒是柳氏，拭了淚上前，細聲細語勸了一番袁氏，又對孫靖道：「大都督，如今絕不能為了我們袁氏一己私仇，壞了大都督的大事，只是母親今日是活活被李嶷氣死的，必要那李賊之父，披麻戴孝，跪在母親靈前懺悔贖罪。」

她一說完，廳中諸人群情激憤，皆紛紛言是，孫靖亦知今日必得安撫袁氏，當下便遣人去宮中監牢裡提取梁王。

話說那梁王李桴，晚飯吃了三個包子，據說是因爲袁老夫人今日做壽，魏國夫人袁氏爲了替母親修德積福，特意下令遍賜宮人壽餅等物不說，更另賜了獄中各等罪人一頓飽飯。獄中難得有如此精細肉食，梁王久不見葷腥，難免狼吞虎嚥，吃得急了些，等吃完了，又喝了半碗涼水，便覺得胸悶氣短，十分不適。他身體孱弱，常年生病，從前自有良醫精心調養，自從孫靖謀逆之後，他被關在這不見天日的大牢裡，每日饑飽尚且不能顧，哪裡還顧得上什麼別的。

他又挨了片刻，只覺得氣促難耐，一顆心跳得幾乎快要迸出腔子來，四肢厥冷，眼前一陣陣發黑。偏在此時，忽然幾名凶神惡煞的壯漢闖進牢中，一見了他，便如同老鷹抓小雞一般，給他裹上一件素色麻衣，又孝帶諸物給他披戴好，梁王驚恐萬分，不知這是爲何。

他戰戰兢兢，那爲首的獄卒卻喝道：「你兒子李嶷殺了鄭國公，又氣殺了老鄭國公夫人，你到了老夫人靈前，老實跪著懺悔贖罪罷！」

梁王只聽了頭半句，便已經嚇得魂飛魄散，再又聽得氣死了老鄭國公夫人，那可是孫靖的岳母，只怕孫靖折辱自己一番，便要將自己千刀萬剮。他本來就身體不適，胸悶氣短，頓時全身一顫，就此嚇得昏了過去。

話說那袁氏雖聽了柳氏的勸，但急痛攻心，哭了一場，又想了一遍，又號啕大哭了一場，想來母親臨終之前，仍舊放心不下自己，要替自己謀算，逼得孫靖立下以元郎爲嗣之言，可憐天下父母心。

她哀哀戚戚哭了半晌，忽然奴僕奏報，乃是梁王被帶到了。

她立時便止住了哭泣，起身出去靈堂前，卻見四名獄卒，抬著梁王進來。原來梁王被那麼一嚇，卻是進氣多，出氣少，一抽一抽，奄奄一息，看著竟然是不行了的樣子，獄卒無奈，只得將他抬到了袁府靈堂前。

柳氏見此情況，恨得眼中幾乎出血，孫靖卻還命人去請良醫，必不令梁王死了。袁氏是個粗疏性子，見了李桴這等仇人，哪裡還忍得住，聽到孫靖還要請良醫，立刻撲上去便掐住了梁王的脖子，口口聲聲罵他裝死，今日便掐死了他，看他還是不是裝死。

柳氏忙上前拉住袁氏，誰知那梁王本來就奄奄一息，被袁氏這麼一掐，頓時掙都沒掙，立時氣絕。柳氏大驚。孫靖久在軍中，親自上前一試梁王頸中脈搏，知道他確實死了，立時便沉著臉，命人封鎖消息。

袁氏還要下令折辱梁王的屍體，孫靖卻揮手一巴掌扇在她臉上，說道：「妳鬧夠了沒有！」指著她的鼻子罵道，「若不是袁鮮那個蠢貨，洛陽固若金湯，符元兒何以至死！令我大將枉死，袁鮮便掉了腦袋也是活該！今日妳弟死母喪，我原本忍讓再三，但妳竟然扼死李嶷之父，壞我大事！蠢笨如斯！」

他說到蠢笨如斯的時候，幾乎已經氣急敗壞。

袁氏被他打得懵了，捂著火辣辣的臉頰，過了片刻才哇一聲哭出聲來。柳氏見實在不成樣子，連忙上前勸慰，又命僕婦送袁氏到後堂休息。自己返身出去了片刻，復又回來，卻是向孫靖正色相稟：「大都督，適才已經清點過了，靈堂之中伺候的奴僕一共二十六人，皆是有賣身契的家奴，名冊隨後奉上，大都督如果不放心，怕走漏消息，盡皆殺了便是。」

她自從得知夫婿身死，婆母又驟亡，知道這府中必得由自己來支撐了。自己只生了兩個女兒，且年歲尚幼，幸好袁鮮的小妾生得有兒子，才不過兩歲，到時候去母留子，抱來養在自己膝下便是。何況婆母臨終之前，迫得孫靖許諾以元郎爲嗣，且令元郎將來中表作親，娶袁氏爲妻，將來把自己的女兒嫁給元郎便是了，這是她轉瞬便已經想明白的事。

如今魏國夫人袁氏又失手掐死了梁王，本來孫靖對袁氏有幾分愧疚之心，此刻只怕也抵消了不少。她其實覺得孫靖罵得對，自己這位阿姊，確實蠢笨，袁鮮已死，婆母亦死，此刻殺了梁王有何益處？兩條人命才換來孫靖承諾永保袁氏富貴，竟然差點讓她這一掐又給掐沒了。爲今之計，只有極力封鎖消息，不令外界得知梁王已死。因此適才她不聲不響，出去釐清堂中有多少奴僕，好預備殺人滅口。

孫靖聞言不由長嘆一聲，心想可算還有個明白人。

他說道：「既是家奴，那便都賞全屍吧。」停了一停，他看了看地上梁王的屍首，皺眉道：「將他也混在家奴那些屍首裡抬出去，然後一把火燒了，不要露出半分破綻。」

柳氏點點頭。

老鄭國公夫人既死，二十六名奴僕殉主，忠義得令人嘖嘖讚嘆。只是後半夜袁府中卻抬出了二十七具棺木。二十六具棺木抬到城外鐵蓮寺暫時停靈，要等七七四十九日後，老夫人出殯，再附葬於墓園。而那第二十七具棺木，卻是由孫靖遣出的親信，扮作袁家奴僕，悄悄抬到城外僻靜之處，一把火燒了。

話說那二十六具棺木既送到鐵蓮寺，送棺木的奴僕便回轉府去。夜深人靜，寺中忽悄然潛入數人，打開一具棺木，將其中的屍首抬出，又換入一具屍首，這才重新闔上棺蓋。

這數人將抬出的那具屍首背到寺外里許，這裡卻停著一輛騾車，這些人將屍首放上騾車，駕車飛速疾馳。天亮之時，便到了渭水之側，由此換船，張起風帆，不過數個時辰，便由渭水入涇水，一日千里，順流而下，疾若飛鴻一般。

不過一日一夜，船已經到了葭州，李嶷等人早就等在碼頭上，此時船上諸人，小心地以軟榻抬下梁王，只見他氣息早絕，身體僵硬，似死了多時。李嶷親自帶人接了軟榻，送入充作軍營的葭州郡守府，這裡早就布置妥當，當下將梁王移上床榻，又蓋好被子。

李嶷親自守在榻前，直到半夜時分，梁王果然悠悠醒轉。梁王睜開眼睛，只覺視線模糊，恍恍惚惚，氣息未穩，又過了片刻，方才看到青色的帳頂，心想難道這是在地府之中？

李嶷早就察覺，立時上前，扶起梁王，方叫了一聲：「父王……」

梁王見到他，眉目依稀可辨，再細看了看，可不是李嶷！他父子多年未見，如此情形之下驟然相逢，梁王更以爲自己是在陰曹地府，不由心頭火起，揮手就打了他一巴掌，罵道：「好你個小孽障，你自己死了不夠，還非得要害死我！」

李嶷挨了這麼一巴掌，怔了一怔，卻是苦笑一聲。梁王喘著粗氣，罵道：「我便知道你遲早剋死我，到了陰間你還不放過我，你剋死了你娘，卻還非要剋死我！怎麼生得你這樣一個逆子，眞是我命裡的劫數！」

李嶷聽他聲音漸漸響亮，知道他身體無礙，便道：「父王，您沒有死，是我想法子讓人將您藥倒，裝作假死，從孫靖那裡救了出來。您醒了就好，我去叫郎中來替您號脈，這藥微有毒性，才能令心脈俱停，只怕還要調養調養。」

梁王聽了他這番話，越發氣得破口大罵：「是你寫信給孫靖，說什麼吾非嫡長，如殺父王，吾必稱帝謝之。你怎麼不乾脆說分你一杯羹！」想到此處，越想越氣，但只恨李嶷已經長得高大，此刻雖俯身半跪在自己床前，卻是皮糙肉厚，打他反倒害得自己手疼。

他呼哧呼哧連喘帶罵，到底忍不住，又踹了李嶷一記窩心腳，李嶷就這一踹之勢起身，卻是出去尋郎中了。梁王罵了半晌，一時喘不上氣來，只得挨在枕上，等郎中進來號了脈，又開了方子，令他靜養。梁王愛惜自己性命，這才不發作了。

等到第二日，梁王已經恢復如常，李嶷這才請了自己兩位兄長來，李峻李崍本來聽說他已經將父親救出，百般不信，等到親眼得見，這才又驚又喜，恍然如夢。父子三人，抱頭痛哭，互述別來情狀，李峻是長子，素來得梁王倚重，李崍又得他偏愛。當下梁王攬著兩個兒子，說一陣哭一陣，李峻與李崍也跪在榻前，各自抱著梁王的膝蓋，哭得一塌糊塗，口口聲聲，當再也見不著父王了，只疑身在夢中，又說父王被困京中，兩人如何憂心如焚，只恨不能以身代之。哭得梁王心痛不已，連連誇獎他們的孝心。倒是李嶷，無人理睬，在旁邊站了一會兒，見他們哭得沒完沒了，甚是無聊，便轉身出去了。

李嶷回到自己所居的院子，便研了墨，提筆寫信，方才寫好，便喚過謝長耳，令他去送信。裴源恰好走進來，見此情況，便道：「又給那何校尉寫信？」

「那假死之藥十分珍貴，我只聽說崔家有此祕藥，寫信問她討要，沒想到她竟然眞的派人將藥送來了，也因此，才能順利救出父王。」李嶷說道，「難道我不該謝謝人家贈藥之誼？」

裴源不免無語。起初得知李嶷想出這般計策的時候，裴源便十分反對，覺得太過冒險，尤其假死之法，還得仰仗崔家祕藥，萬一那何校尉不給呢？或者在那藥中做手腳，竟然是毒藥呢？那豈不萬悔莫及。

李嶷道：「我寫信跟她說，是我想用這種藥自己假死，詐一詐敵人，她頂多不給，總不會將毒藥給我吧。」

裴源當時就氣得說不出話來，他實在不明白，李嶷怎麼就敢這麼胡鬧；而那何校尉聽說他要如此祕藥，竟然就立時派人送來了，簡直就是跟著他一起胡鬧。

要依著裴源，事先無論如何，都要試一試那藥，但也不知道是不是這藥太過珍貴之故，或是那何校尉十分促狹，竟然只送來了一顆。裴源心下鬱悶，不敢試，也不敢不試，心裡十分不願意，但又不甘心攔著李嶷，最終還是依著李嶷，在西長京中布置人手，並與深宮中的蕭氏協力，動用各種法子，齊齊做成了這場偷天換日的大局，終於將梁王解救出來。

此次驚險萬分，中間確實也有種種意外之處，比如原本謀劃令梁王在宮獄中便假死，將之換出來，誰知道梁王直撐到袁府，才徹底藥性發作，也幸得如此，孫靖目睹他斷氣，不疑有他，又幸得袁府早有前太子妃蕭氏埋下的心腹死士，此番為調包出了大力。只是種種驚險，其間或有一環失誤，只怕就要全域崩壞，但李嶷胸有成竹，只道父王陷在京中，我既領兵，孫靖頻頻以父王性命相脅，將來終有一日，只怕要害了父王性命，與其坐以待斃，不如鋌而走險。

這鋌而走險，真如蛛絲上行走，實實令人捏著一把冷汗，沒想到最後竟然成了。那何校尉送來的那顆祕藥，竟然也是真的，梁王蘇醒，安然無恙，只要調理休養，便可如常人一般。

話說那後院之中，梁王父子抱頭痛哭一場後，李崍擦乾了眼淚，忽想起一事，道：「父王，李嶷如今好生威風，竟然自封平叛大元帥，統領十萬鎮西軍，連裴源在他面前，都恭敬得很呢。」他被困興陽，爲李嶷所救。這個生母卑賤、在府中又十分討人厭的李嶷，素來被他瞧不起，偏自己又差點被陶眢殺了，自己和兄長皆仰仗他所救，大大失了顏面，每每想到此事，便銜恨不已。但李嶷手握重兵，他無可奈何，此番見了梁王，當眞喜出望外，便提起這事來。他本就有幾分小聰明，也不提自己，只說道：「大哥居長，按理說，這平叛大元帥，應該大哥來做，可是李嶷見了大哥，十分不客氣，還嘲笑他打不過陶眢。」

其實李嶷壓根沒有嘲笑過李峻，但李峻想到李嶷，也是十分不舒服，因爲救了他們出來之後，李嶷便將他們安置在下房，明明院中有上好的房子，李嶷卻說那都是給傷兵住的。因爲李嶷自己也住在下房，李峻便忍了，但李嶷與裴源都各自有一間屋子，李峻卻須得和李崍住在一間屋子裡，那屋子又甚是狹小，下雨的時候竟然還漏雨，李峻便認定李嶷此乃挾私報復，因爲當初在王府的時候，自己對他不怎麼好。但女奴生的兒子，又生在五月初五，最是不祥，生出來沒扔進馬桶淹死，已經是父王慈悲，憑什麼如今他高高在上，做什麼大元帥、節度使？

每次想到此處，他心中就泛起酸來，明明他才是父王的長子，又是嫡妻所生，出身尊貴，如今竟然叫一個女奴生的小子壓他一頭，他委實不服。

也因此，他便點了點頭，說道：「父王，是啊，李嶷打仗，確實有模有樣，但這平叛大元帥之銜，事關重大。父王，依我說，如今您是先帝唯一的兒子了，該由您來做這平叛大元帥，便是裴獻，也應該趕緊來拜見您，奉您做君主。」

梁王連連擺手，裴獻他聽說過，那是國朝三傑，據說在西北邊陲，提起他的名字來，小兒都不敢啼哭，那是何等的凶神惡煞，他才不要見那樣的殺神。

李峻又喋喋不休，說來說去，就是對李嶷和裴源不滿，但李崍更知道如何打動梁王，說道：「父王，你身子不好，還須得靜養。俗話說，打虎親兄弟，上陣父子兵，李嶷如今也忙不過來，父王，不如你吩咐李嶷，讓我和大哥，皆去軍中幫他吧。」

梁王聽了這話，方才道：「咱們都險些喪命，如今好容易相見，父王可捨不得你們去打仗，聽說打仗可危險了，上陣搏殺，那可不是鬧著玩的。」

李峻朝李崍使了個眼色，李崍心領神會，便說道：「主帥哪有上陣搏殺的，就是李嶷，打仗的時候，他也安安穩穩待在後頭，總不會親自上陣。」

這便是睜著眼睛說瞎話了，李嶷當時親冒矢羽，衝到陶昝陣中，才將他和李峻救了出來，但他們只是假作不知罷了。

李峻道：「父王，我與崍弟也是想替李嶷分擔一二，絕不上陣搏殺，也絕不會有什麼危險的。」

當下花言巧語，又說了一些騙人的鬼話，說要歷練一番，將來要親自帶兵，護衛梁王。梁王被他們聒噪不過，且這兩個兒子，素來爲他心愛，哪禁得起他們糾纏，當下便答應了。

等到晚間，梁王趁李嶷來暮省的時候，便將此話說了，李嶷卻是默然片刻，說道：「兩位兄長不宜帶兵。」

梁王本來就不喜歡他，聽了這話，頓時大怒，當下就又踹了李嶷一腳，將他逐出房去。

李嶷走出梁王的屋子，拍了拍腿上被踹的鞋印，心想自己這個父王，最是糊塗耳根子軟，一來就被兩個兄長攛掇，只怕天長日久，必生事端。還是令他們不要在軍中前線，以免擾亂軍心。

因此又過了兩日，見梁王調養得氣色如常，甚至看著比之前還康健了幾分，李嶷便說這裡乃要與孫靖接戰，爲了保險起見，便遣出一隊人馬，將梁王及李峻李崍一起，送到蔡州去了。

裴源的兄長裴湛本就是蔡州牧，現下正在蔡州替鎮西軍籌措糧草。蔡州乃是魚米之鄉，豐饒之地，孫靖一直鞭長莫及，甚是安全。梁王到了蔡州，見裴湛給自己父子三人預備了高房大屋，甚至還有花園，並有奴僕伺候，比之在葭州舒適得多，也樂得逍遙自在。

話說阿螢自給李嶷送出假死之藥，日夜懸心。桃子數次打趣，說道：「皇孫要假死唬人，怎麼別人沒唬到，倒先唬著校尉妳了。」又說，「依我說，就不該給他那假死之藥，那藥何其寶貴，煉製又何其不易，實實乃是萬金難求之物。他寫信來要，校尉妳居然就給他了。叫我說，就算要給，也要在裡面多多摻上些黃連，好生教他吃一番苦頭。」

阿螢聽憑桃子如何說來說去，甚至說要摻上些黃連，也只是微微一笑，並不答話。直接到李嶷遣謝長耳快馬送來了密信，方才鬆了一口氣。她來不及看信，便上下打量謝長耳，只見他風塵僕僕，雖然辛苦，但精神奕奕，便問道：「殿下還好嗎？」

謝長耳叉手行禮，說道：「多謝校尉相問，十七郎甚好。」

她微一躊躇，又問道：「那梁王殿下還安好嗎？」

謝長耳遲疑了一下，梁王被救之事甚是機密，在鎮西軍中知道的人也甚少，但見她神色泰然自若，想必十七郎早就寫信告知她了，於是道：「梁王殿下亦十分安好，脫險以來，還更康健了呢。」

阿螢這才點了點頭，知他一路辛勞，便命桃子陪著謝長耳下去用些飯食，這才隨手拆開書信。只見李嶷在信中語言客氣，終於向她明言，索要假死之藥，原是爲了相救父親梁王。如今梁王已安然脫困，因此十分感激，滿篇的道謝之言，信的最末卻寫了幾句閒話，道：「昨夜月色甚好，忽憶太清宮清池如許，亦宜玩月。」寫到此處，他彷彿遲疑了片刻，因爲信箋上滴落了一滴墨汁，明顯是停筆在此處頓了片刻，後面又寫著「盼覆」，這兩個字之後，似有無窮的未盡之意，但卻也戛然而止。

看到此處，她唇角微彎，心想這個人真是，明明紙上東扯西拉，想說兩句私情話，偏還怕自己不懂，又寫了盼覆兩個字，非要讓自己給他回信，這信可怎麼回，真是促狹淘氣。想到此處，不由臉頰微熱，抬眼望去，只見窗外一樹桃花，正開得燦若雲霞，映在眼底一片緋紅，正是春光明媚，春意最盛的時候。

謝長耳騎著快馬，奔波數百里，帶回了她的回信。李嶷拆開看時，只見她在信中也客客氣氣，說猜到了皇孫索要此等藥物，必是有大用，今既救出梁王，恭喜殿下憂患已除。寫到最後，卻是也有一句閒話，說道：「窗外桃花灼灼，惜不能同賞玩，擷花數瓣，聊贈。」信箋中果然夾著幾片桃花花瓣，只是隨信在途中這麼多日，早就被風乾得薄如蟬翼。只是那花瓣雖被風乾，但其色殷紅。他小心地拈了一片在手中，只覺鼻端一陣陣幽香，原來花瓣上都是胭脂。他忽地明白過來，不由得拈著花瓣，笑了片刻，方才又小心地將那些花瓣，一一用心收好。

自此以來，兩人雖然耽於戰事，但偶爾鴻雁傳書，卻是忙中有暇，信中各有一二句閒話，互訴衷腸。

第六章　寒食

季春時節，斜風細雨，道路兩側原本皆是良田，但戰事連綿不絕，農人皆棄家逃難，因此田園荒蕪。田中生滿了野草，野草間疏疏落落，開著幾杆芥子花，想必是去年收芥子時撒落，因此今春復又生，綿綿細雨，澆得那芥子小朵小朵的黃花，也伶俜搖曳。

傳令的騎手一路疾行，搖著旗幟在行軍的佇列中從前往後馳去，傳遞著令全隊暫停、坐下來歇息進食的訊號。鎮西軍素來軍紀極嚴，便是道路兩側皆爲荒蕪的良田，卻未有一兵一卒踏入田地裡，只是人人皆下了馬，坐在路邊的田埂上，翻出包裡的乾糧，迎著綿密的細雨，就大口咀嚼起來。

老鮑在路邊的草叢裡逮著了隻螳螂，小心地撕下兩條大腿，放進嘴裡津津有味地嚼著。錢有道看他吃得有趣，便向他請教，怎麼逮螳螂，當下張有仁、錢有道偏又爭執起來，一個說蟋蟀好吃，一個說螳螂好吃，難分難解。

李嶷靠在馬前，剛啃了兩口乾糧，忽然哨騎來報，前方十餘里開外，有一隊兵馬正自東而來。

裴源皺眉道：「不會是孫靖從河間另派了兵馬吧？」

李嶷搖頭：「若河間兵出，崔家定勝軍必然會擋一擋的。」

裴源哼了一聲，並不言語。裴獻率大軍在隴右節節大勝，孫靖諸部連番敗退，眼見局勢岌岌可危，孫靖生出一條詭計，不知從何處弄來個與太孫年紀相仿的孩童，大肆宣揚自己已迎回太孫，即奉太孫登基爲帝，旋即以新帝的名義詔告天下，斥責李嶷諸人爲逆軍。李嶷則發檄文聲稱太孫早就被雲氅將軍韓暢救出京城，孫靖奉著登基的是假太孫，不僅如此，自己的父親梁王也早就被救出，再無後顧之憂，必全力勤王，早日收復西長京。天下譁然。他們爭執不休的時候，正在蔡州安養的梁王忽然被李峻和李崍攛掇，就在蔡州登基稱帝。李嶷又驚又怒，蔡州的裴湛卻遣人快馬送了密信來，苦勸李嶷，說當此時機，與其讓孫靖挾假太孫名義欺騙天下，不如搶占天下正朔之名。

因爲裴家父子忠心耿耿，裴湛又在蔡州護衛著梁王，李嶷不便再多說什麼，只是立時遣了快馬回信，讓裴湛多加留心，而自己則提兵北上良山關，去防患未然。果然孫靖聞得梁王竟然被救出，還在蔡州登基爲帝，氣得一佛出世，二佛升天，一邊用新帝的名義發詔書駁斥梁王爲篡位的僞帝，一邊親自率軍出西長京，氣勢洶洶，討伐李嶷等「逆軍」。

就在李嶷與孫靖的前鋒大將孟鑄迎面交戰的時候，崔倚卻帶著大隊兵馬南下，崔琳則趁著李嶷迎擊孟鑄，淮河北岸空虛，占據淮河重鎮壽州，率定勝軍渡過淮水之後，更是接管了廬州。

孫靖的心腹大將段兗本是淮南人，地勢極熟，親自率了數千原籍淮南的精兵，日夜兼程，千里突襲，趁著春雨霧濃，仗著地勢與人和，在崔家定勝軍的眼皮底下，竟安然渡過淮水，繞到蔡州城下。

蔡州就此告急。李嶷雖憂心李桴安危，但知道裴湛得力，蔡州城池又堅牢，固可一守。段兗此舉本來就是引誘李嶷回援，哪知李嶷絕不肯上當，直接與孟鑄打了一場硬仗。段兗咬牙又令兩萬餘精兵渡過淮水，意欲圍攻蔡州。李嶷尚未如何，蔡州城中的李桴早就嚇壞了，不僅逼著裴湛寫書信令李嶷回援，更以天子的名義下詔給就在廬州的崔倚，令他速速到蔡州來救駕，但這些詔書便如石沉大海一般。最後迫於無奈，李桴遣人去問崔倚，崔倚只佯作不知，說道：「天子早就被孫靖那個大逆不道的賊子弒殺，又哪裡來的天子詔書。」話裡話外的意思，是不承認梁王李桴繼天子位了。不僅對蔡州的危局不聞不問，而且趁著孫靖諸部一些被李嶷攔在良山關，一些急著圍攻蔡州，崔倚率著定勝軍，不費吹灰之力，將整個淮南收入囊中。

因此提到崔家定勝軍，裴源不免滿腹牢騷：「說是勤王，他們哪裡是勤王了，我看崔倚是想趁機自立爲王。」

李嶷不由嘆了口氣，崔倚其人他並沒有親眼見過，亦不知人品性格如何。但國朝的宿將，哪一個是好相與的？孫靖自不必說了，就是崔倚，統領著國朝最爲精銳之一的定勝軍，偏又養得崔琳那樣文武全才的兒子，如今天下大亂，李桴繼位又有三分勉強，難免崔倚會滋生野心。

說話之間，又有哨騎回報，前方行進的不是孫靖的人馬，看旗號，應該是定勝軍。對方亦哨探到這方有大隊兵馬，待發覺乃是鎮西軍，便不再遲疑，大隊朝這邊從容行來，又另遣了快馬先來聯絡。畢竟，兩軍名義上乃是友軍，皆爲勤王之師。

來的竟是陳醒，他見到李嶷，也甚是意外，上前拱手行禮。「見過皇孫殿下。」因著崔家不曾承認李桴繼位一事，所以這陳醒見著李嶷，還是仍舊稱他作皇孫殿下。

李嶷見是他，也不由一怔，旋即心中便是一喜，問道：「你是跟你們公子行軍至此？」

「不是，公子還在廬州。」陳醒恭聲答，「我是隨校尉奉崔璃公子返回東都，行軍至此。」

李嶷本來隱約猜到阿螢或許會在這隊人馬之中，但聽到陳醒親口說出她就在不遠處，頓時欣喜若狂。

洛水離別，他與她分開已經五月有餘。少年愛侶，一日不見，尚且如隔三秋，何況這已經足足小半年未見，雖偶有書信往來，但哪能抵相思如狂。當下不假思索，翻身上馬，方策馬朝前奔了兩步，忽又想起來，回頭對裴源道：「我先迎上去看一看。」

不待裴源說話，快馬加鞭，已經徑直朝東去了。

只奔了里許，已經隱約聽見蹄聲如急雨越來越近，他拉住了馬，方正凝神細聽，忽然山林中轉出十餘騎，當先的正是阿螢。她穿著軍中的服色，風塵僕僕，細雨打濕了她的鬢髮，但她的眼睛晶瑩閃亮。一見了他，她便勒住了馬，笑意從嘴角一直洇開來。或許是因爲馳得太快，用了力氣之故，一點點暈紅也從她臉頰上洇開來。兩個人四目相對，皆有千言萬語，但一時竟也不知從何說起。

倒是小黑見了小白，哪裡還耐得，當下撒歡似的，也不管李嶷如何拉緊了轡繩，徑直衝上去，就要去咬小白的脖子。小白連忙轉身避開，兩匹馬一追一咬轉著圈，馬上的人卻沒有心思再理會。

他心中歡喜，打量著她。數月不見，她彷彿又瘦了一些，也或許是因為在馬背上，看不真切。不過，氣色還是好的，細雨淋得衣裳微濕，倒越發襯得青鬢朱顏，明眸皓齒。

他明明有很多話想同她說，但最後只是說：「妳怎麼連件油衣都不穿？」

她抿嘴笑了一笑，說：「你不也沒穿油衣。」

雨下得太小了，春雨綿綿，如牛毛，如細芒，沾衣欲濕。素來他都嫌油衣氣悶，但此刻心裡頗有些後悔，早知道會遇見她，自己就該穿油衣的，此時便可以將油衣解下來讓她披著了。這等細雨，浸濕了衣裳，只怕她會著涼的。

這樣的念頭還沒轉完，定勝軍大隊人馬已經追上來了，鎮西軍的大隊人馬，也都漸漸跟上來了。

兩軍相見，那些客套禮數，盡歸裴源崔璃等人。鎮西軍本來是往西行軍，而定勝軍亦是往西去，兩軍同路而行數十里，待得黃昏時分，幸得雨停了，便錯落開三四里，一併紮營。

待忙完紮營的諸事，阿螢便將濕衣脫了，換了一身利索的衣服，擦乾了頭髮，想了一想，又跟桃子說了一聲，這才悄悄出營而去。

兩軍雖然一併紮營，但中間隔著一片極大的池塘。時值暮春，池塘中生滿了春草菖蒲之屬，更有一片片嫩綠色的水草浮在水面，正是荇菜新生的嫩葉。

她在塘邊獨自站了一會兒，暮色越發濃重，四周漆黑，天上無星無月，她心裡猶豫不定。正在此時，忽然聽到一陣急促的馬蹄聲，她方想回過頭去看，突然身後一陣疾風似的，腰間一緊，竟然已經被人摟住了腰，旋即身子一輕，被人就那樣攔腰整個人抄起，放在了身前的鞍上。

小黑長嘶一聲，極力收住蹄子。暗夜裡漆黑一片，幸得小黑機靈，否則這一衝之勢太快，就要馱著兩人直衝進池塘裡去了。黑夜之中，不知草叢裡是什麼蟲子，正在那裡沙沙地鳴叫。他的胳膊似鐵一樣，還箍在她的腰上。

她埋怨道：「突然衝過來，嚇一跳。」

他在她身後輕聲地笑，呼吸噴在她的髮頂處。他還是比她高太多，雖然她的身量在女郎中算是高挑的了，但是數月不見，他好似又長高了。不過他緊一緊手臂，將她摟得更緊些，心滿意足地在她耳邊嘆了一聲。

她扭過臉去，想同他說句話，不想他正低頭想同她說什麼。她這麼一回頭，他的嘴唇正好擦過她的臉頰，柔軟滾燙的觸感，令兩人都是一怔。

小黑靜靜地垂頭，吃著池塘邊新生的嫩草。

天上的烏雲漸漸薄散，透出朦朧的星光。

馬上的兩個人，不知四目相對了多久，最終她輕輕笑了一聲，回身伸出手，摟住了他的脖子。

灼人的吻終於落在唇上。

池塘裡，荇菜星星點點，柔嫩的葉子舒捲著。雖是暮春，但時氣暖和，已經有一朵小小的黃花，在荇葉間綻放開了。

也不知過了多久，她整理鬢髮，埋怨他：「怎麼能咬人呢，明兒帶個牙印，我怎麼見人？」

他笑了一聲，指了指自己的唇角，說：「要不妳咬回來，讓我明兒也不用見人了。」

她嗔怒地推了他一把，跳下馬去，走到池塘邊，看到那朵小小的荇花，便想伸手去摘。

「妳掉下去了我可不撈妳。」話是這麼說，他卻走過來，將她腰一摟，把她往自己身後一挪，然後伸長了胳膊，將水中那朵小荇花摘下來，很仔細地給她插在了鬢邊。

小黑信馬由韁，藉著朦朧的星輝，一邊吃草，一邊漸漸走得遠了。

池塘邊的兩個人，並肩坐著，喁喁細語。

她問起如何救出梁王李桴，他說起彼時種種情形，眞乃驚險萬分，幸得周全。

他再次謝過她送的藥，她卻哼了一聲，說道：「你口口聲聲說要自己假死，我就知道，你定然是拿這藥去救你父親。」

他說道：「阿源憂心忡忡，既怕妳不給藥，又怕妳給的是假藥，妳偏又只給了一顆，急得阿源心裡七上八下，抓耳撓腮。」

她便笑道：「你就這般信我？」

他說道：「自從太清宮之後，我想妳總不會騙我。」

他脫口說出太清宮三個字，她臉上不由一熱，想起他信裡那句閒話，心中甚是甜蜜。他也想起那些印滿了她唇上胭脂的桃花花瓣，不由得心中一蕩，攬住她的腰，又俯身欲朝她吻去。

她輕笑一聲，用手指抵住他的唇，問道：「那些花瓣呢？」他道：「我本收好了帶在身上，可是春天濕氣甚重，漸漸那些花瓣就都化了，沒有了。」她見他神色懊惱沮喪，便仰起臉來，在他唇上輕啄了一下，說道：「那下次送你一些牢靠的東西。」

他笑了一聲，低聲道：「什麼都比不得妳就在我眼前。」

這般甜言蜜語，她也不過嗔怪似地斜睨了他一眼，說道：「我倒是沒騙你，但未見得天下人都肯相信，孫靖所立的乃是假太孫。」

他不由得苦笑一聲。李桴登基爲帝，崔家定勝軍卻是不肯承認這位天子，所以她才拿這話打趣。但眞正的太孫其實早就被韓暢護衛著藏匿民間，安然無虞。這是他與先太子妃蕭氏能通音訊之後，就想明白的事。若非如此，蕭氏定不會如此從容與孫靖周旋。但這些話，他也並不想說與她聽，畢竟事關太孫。

他忽然想起一事，問：「妳怎麼獨個兒從廬州回來了？」

「哪裡是獨個兒，我明明是跟隨璃公子一起，牽著總有萬人。」她也斜睨了他一眼，「那殿下你呢，怎麼帶著人馬往西去？」

「剛剛還叫我十七郎呢，」他抱怨，「現在就叫我殿下了。」

她笑吟吟地道：「那有些事你不想說，我也不想說，你就別問了。」

他卻從懷中取出一個布包遞給她。她打開，裡面又是一層細白棉紙，再打開，忽聞得一陣甜香，原來這樣被他仔細包裹的，竟然是一包松子糖。她掂起一塊糖放入口中，只覺清甜無比。

她喜滋滋地問：「哪裡來的？」

「路過許州，說許州出得好飴糖，想著妳愛吃糖，就買了一包，一直帶在身上，沒想到那麼久一直沒能再見著妳。」他不由得有幾分悵然之色。

是眞的好久了啊，足足有五個多月了，從秋天到冬天，從冬天再到春天。

他伸手摟住了她，低聲道：「我眞的好想妳。」

她甜甜一笑，也伸手摟住了他，兩個人靜靜地依偎了片刻。

露水漸漸降下來，浸濕了衣裳。

她說：「該回去了。」

他嘆了口氣，她說：「明日再見吧，明日我還有正事跟你說。」

今晚確實不宜說什麼正事，他心中一蕩，說道：「那行，但是明日晚上，妳再出來見我吧？」

她微微一笑，說道：「那等白天裡咱們說完了正事再說。」

待得第二日，他才知道她說的正事是什麼——原來是要借道並南關。

白日裡兩軍相見，是在他的中軍大帳，崔璃親自來見他。崔璃比不得崔琳，眉宇間掩飾不住一種驕矜之態，說道：「既是友軍，還望殿下給予方便則個。」

崔家既不承認李桴為帝，此時偏又有求於李嶷，因此崔璃並不以皇孫稱呼李嶷，只含含糊糊叫一聲殿下。

李嶷絲毫不以為忤，笑道：「既是友軍，自然是要給予方便的。」但話鋒一轉，便要身在廬州的定勝軍北上，以包抄正在蔡州圍城的段兗諸部。

崔璃十分沉不住氣，說道：「殿下這未免強人所難了，我軍遠在廬州，未能休養，便亟須千里疾馳，去包抄段兗？」

李嶷點了點頭，說道：「既然說到廬州，若不是我鎮西軍擊潰孟鑄，定勝軍如何能過壽州？更遑論廬州。而我鎮西軍之所以按兵不動，讓定勝軍從容渡淮水，不正因為定勝軍同是勤王之師，實乃友軍。既然定勝軍亦是勤王之師，那如今配合我鎮西軍擊退孫靖諸部，不正是理所應當嗎？有何強人所難？」

崔璃被噎了一噎，心道什麼按兵不動，明明彼時李嶷正在全力與孟鑄接戰，無暇他顧，連蔡州被圍都顧不上，何有餘力去管他們定勝軍，麻煩在於吃虧在名分二字。誰教這天下原是姓李呢？就不論梁王是不是已然登基稱帝，這李嶷乃是先帝的皇孫，崔家捏著鼻子都得承認，李嶷乃是正當名分上的勤王主帥，按理說，定勝軍該聽從他的分派調遣。

帳中一時靜悄悄的，氣氛十分尷尬。

最後還是何校尉上前言道：「殿下，並南關當初依約交由鎮西軍，殿下便答允過，可以借道與定勝軍。正如當初並南關由定勝軍鎮守時，定勝軍亦曾讓鎮西軍借道而過。」

李嶷本不忍逼迫她太甚，但此刻乃是正經軍事，當下只是微微一笑，說道：「何校尉，咱們都是友軍，既然如此，當此局勢急迫之時，友軍馳援，總是應當。」

當下命人取了輿圖來，將地勢指點分說給諸人看。

「若是定勝軍從廬州出兵，我等從並南關下襄州，兩面夾擊，便可一舉擊潰段兗。如若不然，放段兗再往東，並南關倒也罷了，只怕洛陽未見得好守住吧。」

崔璃不由看了何校尉一眼，她微一凝神，說道：「須得想想。」

待得到晚間，李嶷收拾停當，這次卻沒有騎馬，徑直出營帳而去，在定勝軍營地旁的野地裡等了片刻，終於看到她牽著小白，姍姍而來。

他不由微鬆了口氣，沒想到甫一見面，她一揚手就朝他射出一枝弩箭。

他眼疾手快，一探手將那枝弩箭抄在手裡，笑道：「妳哪怕惱了，也別一見面就想要我的命啊。」

她哼了一聲，說道：「若是想要你的命，這會兒就不是我獨個兒來了。」

他問道：「那得埋伏三百人在這裡？」

她想了一想，說道：「三百人只怕不夠，總得七八百人，要攜強弓，箭上還得淬毒。」

他苦笑一聲，說道：「妳可真看得起我。」

她說道：「殿下的本事大著呢，要殺殿下，那必得全力以赴。」

他嘆了一聲，看了看手中的那枝弩箭，說道：「妳既有此企圖，那我得先挾持了妳，才能脫身。然後再拿妳爲餌，扣下崔璃，脅迫妳家公子，出兵去包抄段兗。」

兩人順口胡說八道了一番，皆拋開公事。她把馬鞍卸下來，放了小白去吃草，自己枕著馬鞍躺下來，看天上的星斗燦爛。他也就在旁邊枕著胳膊躺下來，隨手抽了一根茅草含在口中，嚼了一會兒那茅草柔軟的嫩莖，忽然問她：「妳想過沒有，若是將來不打仗了，妳打算做什麼去？」

她說道：「不知道，也許回家種田去。」

「我想得挺多的，」他翻身坐起，支著胳膊看了一會兒她的臉，說道，「等不打仗了，咱倆已經成親了，就生十個八個娃娃，每天我教孩子們練武，妳教孩子們識字。」

她哼了一聲，說道：「你確實想挺多的。」

他不以爲然。「那妳難道不想嫁給我嗎？」

「不想。」她說，「我是公子的侍女，我得盡忠職守，替崔家謀劃。」
他一句話到了嘴邊，終究還是忍住了。
這樣的夜晚，不該說那些令人掃興的事。
他指著天上的星斗給她看。「在牢蘭關的時候，這顆星星會特別低，低到像是伸手就可以碰到一樣。」
她也試著探出手去，低到似乎伸手就可以碰到的星星，那該有多美呵。
兩個人靜靜地躺了片刻，她忽地問：「你今天怎麼沒騎馬出來？」
他說道：「昨天妳是走回去，太辛苦了，我又不便送妳到營地之外，只能遠遠就把妳放下，我想妳今天肯定會騎馬出來，小黑一見了小白，總愛欺負牠，所以我就沒騎馬出來。」
她用袖子半遮了嘴角，掩飾住自己的笑意。
這個人吶，心細如髮，還挺會替人著想的。
他磨蹭了一會兒，終於鼓起勇氣。「哎……」
「什麼？」
他倒不好意思起來，過了片刻，方才說道：「我保證不咬妳了……」
她一骨碌翻身起來，瞬間就退出丈許開外，揮著手說道：「不行，我得回去了。」
她奔出了七八步，回頭一看，他並沒有追上來，只是垂頭喪氣，坐在那裡，倒可憐巴巴的。

她心裡一軟，想了想，轉身朝他走了兩步，說道：「你別胡鬧，我就再陪你坐會兒說幾句話吧。」

待她都走到近前了，他還是一副垂頭喪氣的模樣。她心下不忍，在他面前蹲下，正待要拉著他的手安慰他兩句，不想他竟然像豹子一般翻身躍起，就將她撲倒在草地上。

這麼迅猛的一撲，他竟然還記得拿手扶著她的後腦杓，免得她的頭磕在地上會疼。她心裡一邊埋怨，一邊甜蜜地著惱，他倒是遵守許諾，並不曾再咬她，但是吻得那樣深，那樣纏綿，那樣沉溺。

早知道就不該可憐他。他這麼狡詐的一個人，她就知道，他這一肚子陰謀詭計，全在等著自己吶。

她在心裡思忖，他卻一邊親一邊不滿地抱怨：「在想什麼呢？都不專心。」

她不由得笑了一聲，伸手摸了摸他的鬢角。他頭髮生得濃密，整整齊齊地束髮束得緊緊的，上面正插著自己那枝白玉簪。她微微閉上眼睛，沉醉在這個吻裡。

春日裡，時氣暖和，兩軍又往西行了兩日，已經將近汴州，但定勝軍於相援包抄之事，一直並沒答應。裴源也並不著急，畢竟若是定勝軍想要借道並南關，就得先解了蔡州之圍；越往西行，越接近並南關，定勝軍便越是得盡快決斷。

這日崔璃忽然十分客氣地遣人來中軍相邀，說有要事商議。

李嶷與裴源對望了一眼，便乾脆答應下來。兩軍相伴而行，首尾幾乎相連，因此騎了快馬，不過片刻，便即到定勝軍中軍所在。正在行軍途中，也就是在曠野裡尋得個開闊地方，崔璃不過帶了十餘親衛在那裡立等，當然，阿螢與桃子也在其間。

李嶷和裴源下馬，客氣見禮，崔璃便道：「何校尉有一事，想要上稟殿下。」

李嶷見如此鄭重其事地將自己請來，便點一點頭，說道：「還請何校尉明言。」

當下她便上前，說道：「殿下所慮，只是段兗率軍圍困蔡州，令殿下煩擾。今日有一策，如能解段兗之事，還望殿下允定勝軍借道並南關。」

他點了點頭，沉聲道：「說來聽聽。」

當下她取過輿圖，在眾人面前展開，又取了石子草葉之物，擺在輿圖上比畫兵力，一一詳細解說。眾人沉吟片刻，皆覺此策可行，當下李嶷便道：「若是能依此以絕段兗，那定勝軍借道並南關之事，自可應允。」

她似早在意料之中。「那先謝過殿下。」

到得晚間相見時，他卻忍不住抱怨：「妳就替你們家公子謀劃至此？」

她正在吃餅——李嶷給她帶了兩張新烙的胡餅來，放了蜜糖。那餅被他用嫩桑葉包了帶來給她，此時還是滾燙的，她卻絲毫不領情，一邊吃餅，一邊說道：「反正你就是要解蔡州之圍，不是非要我家公子領兵出廬州，我替你解決了段兗，你還有什麼不滿意的？」

他哼了一聲，還是十分不悅的樣子。她又斜睨了他一眼，一邊吃著餅，一邊說道：「咱們不是說好了嗎，晚上不說公事。」

他仍舊悶悶不樂。

她撕了一角餅子，卻遞到他的嘴邊。「你嘗嘗甜不甜。」

他本來心想自己烙的餅，知道擱了多少蜜糖，自然是甜的，但她既然如此，他當然還是很高興，張開嘴來就要等著她餵給自己嘗一嘗，但是她卻沒餵餅子，而是踮起腳來，將自己的唇貼上了他的唇。

這才差不多嘛。

他滿意地伸出手臂，將她緊緊攬在懷裡，至於她那點小小的謀算，那自然是算了，不予計較了。

她到三更時分才回到營中去，方走近營帳便覺得不對，只見帳前兵甲林立，人人執炬，這是殊爲特異之事。桃子正在帳前徘徊，一見她歸來，一邊朝她使眼色，一邊卻只是默默掀開帳簾。

她走入帳中，只見熟悉的身影背對著自己而立，似在閒看案上的文書等物，她不由怔了一怔，脫口喚了一聲：「公子。」

那人回過身來，正是崔公子，他一見是她，不由得滿面笑容。「桃子說妳出去走走，一個人都沒有帶，怎麼這麼晚才回來？」

她並不作答，只是問道：「公子怎麼來了？」

「父帥領兵渡過淮河了。」他說道，「我便與父帥商議，領了輕騎來追上妳，咱們同歸洛陽。」

他話語之間，甚是輕鬆，但廬州至此，將近千里，她算了算腳程，不由皺眉道：「雖是春末了，但公子日夜兼程，如此星夜趕路，只怕於舊疾有礙。」

「不妨事。」他說道，「就是想早一些見到妳。」

這句話說得前所未有地露骨，她不由得怔了一怔，但此時此刻，說什麼皆不宜，於是她只是微微一笑，說道：「公子趕路辛苦了，明日還要行軍，先回營帳歇息吧。」

他倒也並沒有起疑，當下點了點頭，說道：「阿螢，阿璃同我說，有一支鎮西軍就在咱們左近，與我們一同向西。」

她點點頭。「明日還有許多事，到時候一一稟明公子。」

當下她親自送了崔公子至中軍大帳，這才回轉。時已三更，她剛打開被褥，桃子卻悄悄抱著被子溜進她帳中。她們二人自幼一塊兒長大，似這般同榻而眠，不知道有多少次了。

兩個人擠在一張榻上，像一個豆莢裡的兩顆豆子，如同回到小時候一般親密。桃子低聲問道：「妳打算什麼時候同公子說？」

她心中正在煩惱，只是說：「還沒想好。」

「但是妳同皇孫的事情，公子遲早會知道的呀。」桃子先替她發愁起來，「到時候公子還不定會怎麼樣呢。」

她翻了一個身，確實，公子還不定會怎麼樣，她素來是個坦蕩的人，唯有這件事情上頭，偏生猶豫起來。

桃子說道：「要我說，快刀斬亂麻，早些同公子說，公子也拿妳沒什麼法子。」

她憂慮的是另一件事。「他也還不知道呢。」

「他？」桃子怔了一下，才想明白過來這個他是指李嶷，不由撇了撇嘴。「哦，他是誰啊！哼，叫我說，都怪他，他要不是皇孫就好了。」

確實，他若不是皇孫就好了，甚至，他若不是李嶷就好了。可是這世間哪有那麼多事可以稱心如意！不過，遇上他還是非常稱心如意的一件事啊，若這世間沒有他，那該多麼無趣啊。

她無聲地在黑夜裡微笑起來。

桃子忽然問：「妳笑什麼？」

「我沒笑什麼啊。」她自欺欺人地說。

桃子哼了一聲，說道：「妳先別樂了，想想明天吧，明天公子忽然見到了皇孫，我眞怕他們兩個打起來呢。」

她斷然說：「不會的。」

桃子說：「妳就不擔心一下公子，眞打起來，他可不是李嶷的對手。」

她是有些擔心，擔心的倒也不是這等無稽之事，而是軍事之策。

果然，第二日一早，點卯之後，細說軍事，崔公子聞得她的謀畫，不由皺起眉頭。「便任由段兗圍著蔡州，也沒什麼打緊，為什麼要勞心費力，替鎮西軍解決這偌大的麻煩？」

帳中氣氛一時冷了下來，崔璃此時方勉強插話解釋道：「若非如此，鎮西軍必不會答應借道並南關之事。」

崔公子的臉色也漸漸冷淡下來，他說道：「是咱們借道急迫，還是鎮西軍想解蔡州之圍更急迫？」

他十來歲的時候，便被崔倚帶在軍中，年歲稍長，便參與軍事，定勝軍上下，自然人人皆將他視作少主，因此他這一怒，諸將皆不敢言聲，帳中頓時靜得連根針掉在地上都聽得見。

過得片刻，何校尉才道：「公子，雖然蔡州之圍鎮西軍遠比我軍急迫，但璃公子所慮亦甚有道理，何況，若不阻一阻段兗，只怕洛陽必有近憂。」

崔璃乃是崔倚的親侄子，因定勝軍中有兩個崔公子，為了區分，崔璃便常常被稱為璃公子。她既出言勸解，崔琳便忍了忍，強自按捺下心頭的無名火，安撫了崔璃兩句，又與諸將商議一番，這才散了，大家出帳各自用朝食。

崔璃受了這一頓排揎，只覺得冤得很，回到自己帳中，只是悶悶不樂。過不多時，忽見何校尉拿著一提食盒進來，先笑吟吟叫了一聲：「璃公子，」又道，「是公子命我送來剛蒸的糕點，說道適才實在是委屈璃公子了，只是帳中諸人，皆是將屬，唯有璃公子是自己手足，只能讓璃公子受這般委屈。」

崔璃打迭起精神來，說道：「我理會得。」又道，「替我多謝公子。」親自接過食盒，還不忘也感念她一句：「倒勞妳親自送來。」

待她走後，他將食盒擱在案上，不禁又是一嘆。此時他的一個心腹小校寇渚便上前來勸道：「璃公子，此事不宜顯露於色。」

崔璃沮喪道：「我如何不知道，但你看看，同是姓崔，只因他是伯父的兒子，他便是公子，我便得被另外稱作璃公子。這倒也罷了，今日在帳中，不分青紅皂白，當著諸人的面，將我劈頭蓋臉罵一頓，好生無趣。」

那寇渚便又勸道：「盧州距此將近千里，公子來得這樣快，想必是日夜兼程，星夜趕路，多有勞累，必然脾氣不好。」

崔璃卻冷笑道：「我看他那脾氣，八成是因為早上終於知道，李嶷居然就在那隊鎮西軍中，才發作起來。」

寇渚不言，他雖是崔璃的心腹，但這等涉及內幃私情的祕事，似也不便接話。

崔璃道：「他還不知道，何氏每天晚上總要出營與李嶷私會吧。」想到此處，他不由冷笑，「郎中不是說他那痼疾，絕不能受氣受累嗎？我伯父可就他這麼一根獨苗，真氣出個好歹來，令我們崔家後繼無人，可怎麼得了。」

寇渚聽出他話語中的惱恨之意，忽道：「璃公子，那何氏不過是個侍女，公子既然素來傾心於她，為何不納作小星[4]呢？」

崔璃從來沒在此事上細想過，聞言不由一怔，說道：「不是郎中說他身體弱，不能早娶，所以伯父一直還沒替他議親？既然未娶妻，便先納妾，似有不妥。」

崔倚只此一子，珍愛非常，這是舉朝皆知的事。

崔家子弟，因爲素多從軍的緣故，也總是早早就娶妻生子，更有從小就訂了親事的，也不鮮見。唯獨到了崔琳這裡，卻是個例外。崔倚一直未替他議親，族中偶有人問起，皆道這位公子素有舊疾，不利早娶。

崔璃此時想起來，倒覺得有些古怪。崔琳待那個何校尉，實在是寵愛得過分，可見眞的十分傾心。但若說兒女私情吧，哪怕不娶親不便公然納妾，以崔琳的身分，又是獨子，崔倚自然盼著他開枝散葉。如果身邊先有寵愛的侍妾，待娶妻後再給予名分，也不算什麼。

崔璃便道：「此中必有什麼蹊蹺。」他頓了頓，說道，「我四五年前到軍中來的時候，那個何氏，已經在軍中行走了。」

寇渚道：「是，都說她從小服侍公子長大，公子走到哪裡，都離不得她，情分自然是不一樣的。」

崔璃默然半晌，忽道：「這何氏既然是公子傾心之人，做出了這等不雅之事，還是令公子知曉才好。」

4 編按：小而無名的星星，故後人便以小星為妾的代稱。

寇渚一驚，旋即恭聲道：「是。」

話說到了下午時分，李嶷臨時卻有要緊軍務。待他忙完，已經入夜，他匆匆換了衣服出得營來，走到山前一看，一彎上弦月正照著山林，一道小溪從山林間流出，蜿蜒映著月色，像一束銀色的輕紗。四野寂寂，只聞溪聲潺潺，有不知名的鳥雀，似在睡夢中，偶爾啾啾兩聲。

他在溪邊一塊大石上坐著等了片刻，只見月至中天，月光撒滿大地，遠處的山林，近處的溪水，皆似籠在輕紗中一般，四野寂然，連林間的鳥雀都不再鳴叫，大地萬物皆似已經睡去。他心道阿螢想必等了許久，見自己不到，八成是回去了，自己早該遣謝長耳去給她送個信，只是彼時沒想到會忙到此刻。

他正想要起身離去，忽然覺察身後似有人無聲無息地靠近，緊接著一雙輕軟的手，蒙住了他的雙眼。他握住她的手腕，將她拽入自己懷中，令她坐在自己膝上，說道：「就不怕我以為是敵人，反手將妳摔出去？」

她笑咪咪地道：「那你不也沒有反手將我摔出去？」說到此處，卻也想起來問他，「你怎麼知道是我不是敵人？」

他說道：「妳身上挺香的。」言畢，竟然難得扭捏了片刻，才道，「咱們剛認識不久，妳掉陷阱裡那次，我就發現了，這香氣別人身上都沒有，靠近了一聞就知道是妳。」

她不由一怔，過了片刻才又氣又好笑，在他腦門上戳了一下。

「屬狗的啊你！鼻子這麼靈。」

他卻一本正經地糾正她：「我屬龍的，妳屬什麼的？」

她又怔了一怔，想到他今年二十一歲，確實是屬龍的，這才輕笑了一聲。「我屬什麼……不能告訴你。」

他懊惱了片刻，伸手呵她癢癢。「什麼都不告訴我，當初問妳的名字都問了好久才肯說……爲什麼要這麼防著我……」

她腰裡最怕癢了，被他這麼一呵，頓時求饒，兩個人嬉鬧了片刻，她理了理鬆散的鬢髮，忽說道：「公子回來了。」

他怔了一怔，還沒有說話，她又道：「我看黃昏時分，你們鎮西軍另外調走了一支兵馬，就是因爲知道公子回來了吧？」

他有幾分苦惱。「不是說晚上不說這些事嗎？」

她問道：「明天你打算親自去見我們公子，是也不是？」

他嘆了口氣，說道：「他是你們定勝軍的少主，他既然來了，我當然得去見見，與他重新商議合擊段兖之事。」

她卻道：「明日你別去了，還是讓小裴將軍去吧。」不等他說什麼，她又補了一句，「公子很忌憚你。」

餘下的話，卻也不必說了。

他有些負氣地扭過頭，有句話他憋在心裡很久了，此刻更是如鯁在喉，但不等他說出來，她已經道：「我知道你不喜歡他，既然如此，還是讓小裴將軍去與公子商議吧。」

他久久不曾接話，過了片刻，方才問道：「阿螢，妳願意嫁給我嗎？」

她怔了一怔，說道：「此時說這些，還太早了。」

兩人一時誰也沒有說話，月已漸漸西沉，月色卻顯得更加皎潔明亮起來。她就坐在山石之上，距他不過咫尺之遙，似乎觸手可及，但不知為何，卻似乎又有萬里之遠。月色照著他的眉宇間皆是惆悵之色。她心裡很想說些話，安慰一下他，但又知道，這些話一旦出口，便只怕再難隱瞞，畢竟他是個聰明絕頂之人。她最終默不作聲，也同他一般，自欺欺人地扭過頭去。

朦朧的月色照得她的側臉輪廓分明，她的眉眼有多好看啊，便是世上最厲害的畫師，也畫不出這樣的容顏。但此刻她的眉宇間皆是疏淡之色。他看了片刻，心想這是多麼心狠的一個人，明明知道自己對她的心意，卻絕不肯顧惜。

他不願意再多想，也扭過頭去。遠處山林裡，不知為何，驚飛一群宿鳥，在山林之上盤旋片刻，復又棲息。

四野靜得可怕，只有山石之側，小溪水涓涓流淌，潺潺有聲。

她終於起身，說道：「回去吧。」

他打了聲呼哨，小白不知從何處撒歡兒似地跑出來，一見了他，親熱無比，上前來挨挨擠擠，舔著他的手，拿自己的鼻子拱他。

他心裡正煩惱，卻還是拉著轡繩，讓她上馬。她認鐙上馬，從他手裡接過轡繩。小白不解地用濕漉漉的大眼睛看著他，打了個噴鼻，似在邀他上馬。他並沒有作聲，只是在小白的馬屁股上拍了一記。小白會意，一聲嘶鳴，載著她快步馳出去。平時都是兩人一騎，到了營地之外才依依惜別，但今晚她一個人馳出老遠，也並沒有回頭。

等過了片刻，她才勒住馬，待回頭看時，只見山林間霧靄漸起，小溪畔那塊大石之側空空蕩蕩，想必他早就離去，不見蹤影。

她心下有萬千煩惱，最終只是輕嘆一聲。

她回到營中，輾轉半夜，到天明時才朦朧睡去。方睡了一個更次，忽地被桃子喚醒，但見桃子滿面焦急之色，低聲道：「校尉，不好了，公子吐血了。」

她心下一沉，連忙起身，換了衣服匆匆忙忙往中軍大帳去。待進得帳中，繞過書架和屏風，來到後帳一看，只見崔公子躺在榻上，面色蒼白，榻前只有阿恕、陳醒等親信之人，想是他已經下令不許驚動，見到她來，他不由微有慍怒之色，望了陳醒一眼，陳醒不敢分辯，只是低頭不語。

崔公子勉力笑了笑，方才說道：「阿螢，吵醒妳了。」

阿恕早就挪過一張凳子來，她便在榻前坐下，輕聲道：「公子的身子是要緊事，他們該叫醒我的。」

燭火之下，她只見他面如金紙，唇上無半分血色，眼中更失了往日神彩，瞧這情形，竟比往日舊疾發作的時候，似乎還要不好許多。她心下一沉，扭頭去看桃子，桃子上前一步，低聲道：「校尉，適才給公子診過脈了，藥也已經命人去煎了。」

她見桃子不說緣由，知道定有不便之處，便只輕輕點了點頭，只輕言細語，勸慰他好生休養。他神色慘澹，似乎半分精神也無，靠在枕上，只是怔怔地看著她。說是看著她，似也不對，他目光怔忡，似乎已經穿透了她，在看著一個虛無的影子。

她心中一驚，轉過數個念頭，仍勸道：「從前郎中常說，公子此病，最忌勞神勞累，公子近日從壽州至此，想是星夜馳疾，累得狠了。既如此，全軍便在此休整幾日，到時候再歸洛陽也不遲。」

過了良久，他方才輕輕點了點頭，說道：「好，都聽妳的。」

又待得片刻，藥已經煎好，桃子去端了進來，阿螢便接過去，慢慢吹得不燙了，這才親自服侍崔公子喝藥。他神思倦怠，那藥中又有安神養心之效，飲畢便更覺得昏昏沉沉，阿恕等人連忙服侍他睡下。桃子這才低聲勸她道：「校尉，眼看就要天亮了，您還是先回去歇一歇吧，這裡有我守著，定然無妨。」

她便點一點頭，起身剛走出數步，忽然崔公子又掙扎起身，阿恕忙上前扶住他，他喚了她一聲：「阿螢。」

她連忙轉身，又快步走回榻前。「公子。」

他卻只是又怔怔看了她一眼，方才道：「沒事，妳快去歇息吧。」

她便道：「公子放心，我都理會得。」

他似是壓根都沒聽清楚她在說什麼，只是神色慘澹地笑了笑，轉身又才睡下了。

這麼一鬧，她回到自己帳中，索性也不睡了，就梳洗了出去巡營。桃子留在中軍大帳中照料崔公子，她也不喚別人，獨自在營地裡悄悄走了一圈，只見戍衛森嚴，並無半分破綻，這才放下心來。

待到天明，方用過朝食，李嶷果然並沒有肯聽她的言語，而是帶了十數騎，親自前來營中，要拜會崔公子。

她心中氣惱，本來想命桃子去擋駕，因著昨夜之故，便告知他公子病了，他也必定以為是推辭，真真假假，他反倒不會起疑。但她凝神細想了片刻，說道：「告訴皇孫，我見他。」

桃子本想相勸，見她神色肅然，便又忍住了。李嶷今日前來，本為著軍務，待得進了定勝軍營中，不想卻被請進了偏帳，他一進帳中，便見她全身行軍的甲冑，神色冷淡，立在帳中，不由又是一怔。

她拱了拱手，卻是行了個軍禮，不卑不亢地稱了一聲：「殿下。」

帳中雖無旁人，這偏帳也並不甚大，但他一時靜默無言。過得片刻，方才道：「何校尉，還請轉告崔公子，我鎮西軍已經駐守鹿黎。」

鹿黎是個極小的鎮子，不過五百餘戶，但位置極其要緊，東都洛陽素來仰仗永濟渠、通濟渠作爲南北運輸的糧道，駐兵鹿黎，卻是掐住了洛陽糧道的咽喉，而鎭西軍又在並、建二州駐有重兵，扼守並南關，一旦掐斷永濟渠，洛陽城隨時可成爲孤城絕地。他前一日忽然分兵，原來就是爲了星夜去奪鹿黎，這一招不可謂不狠辣，頓時拿捏住了定勝軍。

她不動聲色，只是點了點頭，說道：「公子偶染風寒，我大軍會休整數日，然後自然聽從殿下的派遣。」

他聽了這句話，果然以爲她不過是搪塞拖延之語，只是微微一笑。

「那就願崔公子早日康健如常。」

言訖，他再不停留，轉身而去。

她心中煩惱，細細察看了一遍輿圖，還沒想出一個計策來，忽地帳簾被掀開，卻是阿恕等人，簇擁著崔公子走入帳中。他臉色仍有幾分蒼白，但已然穿了行軍的甲冑。她起身迎上去，說道：「公子怎麼來了？」

「李嶷呢？」

她道：「皇孫已經走了。」頓了一頓，方道，「公子不該如此不顧惜自己的身子。」

說話間便親自扶他坐下，他卻笑了一笑，說道：「我歇了一晚，已經覺得好多了。」

她看他氣色，比之前夜，似乎眞變好了不少，便也稍稍放下心來，於是將適才李嶷所說的話，稍加頭尾，也婉轉地告知了他。

那崔公子聽完之後，不氣不惱，想了片刻，方才道：「如此，洛陽被挾制得厲害。

李嶷此策，是爲了逼我們不得不與鎮西軍一起，去解段兗之圍。」

她點了點頭，道：「若是放任段兗，裴獻倘如眞有什麼閃失，鎮西軍從此便將我定勝軍視作賊寇，只怕於天下人面前，也交代不過去。」

他面沉如水，緩緩點了點頭，說道：「我理會得。」

話說李嶷回到營中，心知定勝軍除了配合鎮西軍一起去解段兗之圍，別無他法，而什麼崔公子偶染小恙，想來不過是想拖延幾日的藉口罷了。

裴源問他如何，他便道：「無妨，定勝軍說他們崔公子病了，總是想拖延兩日吧。」又道，「過兩日他這病若是不好，就遣人去附近州府選個好郎中，給定勝軍送去。」

裴源見他如此促狹，不由苦笑一聲，心道這哪裡是找郎中，這不就是找茬嗎？眞要找個郎中給那崔公子送去，莫不把那崔公子眞氣出個好歹來。

幸好只過了兩日，那崔公子就若無其事，親自前來拜見李嶷了。口口聲聲說道前兩日偶染風寒，失禮於皇孫殿下。

李嶷見他略有病容，說話之時中氣不足，心道前幾日說病了，竟然並非拖延之辭，大約還眞的是舊疾復發吧，便也客客氣氣，商議定了兩軍協作之事，那崔公子這才告辭而去。

等那崔公子離營而去，老鮑卻用胳膊肘拐了一拐謝長耳，問道：「哎，怎麼你的那個桃子姑娘沒來？」

謝長耳本來性情就耿直，聽他這麼打趣，頓時面紅耳赤，連說話都磕巴了：「桃子姑娘……她……她……」

老鮑卻沉吟起來，忽道：「那個何校尉也沒見來。」

謝長耳愣了一下，不明所以，老鮑抬頭瞇起眼睛來，看了看天上的太陽，又瞇著眼睛，回頭看了看不遠處，正拎著桶打算去刷馬的李嶷，忽道：「去跟伙房說，這兩天別吃羊肉了，上火。」

謝長耳不由愣了一下，也抬頭看了看暮春時節的和煦暖陽，天氣確實漸漸熱起來，但實在不明白老鮑爲什麼莫名其妙說出這樣一句話，只得撓了撓頭髮，百思不得其解。

鎮西軍與定勝軍又一起往西行了數百里，在潞州作別。鎮西軍掉頭往北，過並南關去接應裴獻大軍，而定勝軍則仍舊向西，進了洛陽城之後休整片刻，又從洛陽駐軍中抽出萬餘精兵，合計兩萬餘人，由崔琳親自領兵渡過黃河，去抄段兗的後路。

那崔公子出兵之後，依約每隔三日便遣出快馬，向李嶷所率鎮西軍送出急報，通告行軍至何處。

裴源此刻方才放下心來，說道：「這個崔公子，還算守約。」

「咱們拿捏了洛陽的糧道。」李嶷道，「崔倚雖到了廬州，但若是失了洛陽，崔家就失了逐鹿天下的資格，崔琳不得不想著這點。」

裴源默然，比起孫靖的咄咄逼人，崔家那日益蓬勃的野心，更令人覺得擔憂，但此刻還不是擔憂這些的時候。鎮西軍一路向北，朝行暮宿，這一日終於渡過皺紗河，再過數日，料想便能與裴獻大部會合了。

當晚宿在皺紗河邊的許家台。許家台本不過就是山腳下一個村子，不過幾十戶人家，村人見大軍過境，嚇得魂飛魄散，扶老攜幼，紛紛逃到山裡去了。

幸好時氣已經暖和，於山間過夜應當無礙，鎮西軍士卒怕生誤會，也不便追逐解釋，便在村外紮營，想必明日大軍開拔，這些人自然會從藏身的山間回到村中。

李嶷例行巡營停當，回到帳中歇息，方睡了片刻，忽然覺得不對，忙起身叫醒了裴源，問道：「定勝軍遣出的快馬，是該今日至此？」

裴源點了點頭，說道：「想是路上耽擱了，此時還未到。」

這也是常有之事，兩軍相隔，路途遙遠，鎮西軍又在不斷前行，前幾日陰雨連綿，有一騎便迷路了，直到幾日後定勝軍後發的另一騎快馬急報都到了，又過了兩日，先前那一騎才姍姍尋到鎮西軍營中。

「不對。」李嶷就案上執了油燈，照著輿圖與裴源觀看：「你看，如若每隔三日遣出一騎，那咱們越是往北，那每騎到營中，與上一騎相隔時間，便要越久。」

裴源仍舊不解，鎮西軍不斷往北，定勝軍不斷往西，若是三天一騎，由定勝軍中來，必然其道路增長，而時間亦需得更久，而定勝軍中遣出的快馬，確實抵達鎮西軍中時每次間隔的天數不同，越來越慢。

李嶷取出紙筆，他記性甚好，將定勝軍遣來第一騎的日子便寫在紙上，又一一將定勝軍這些時日遣來的快馬抵達鎮西軍中的日子列了出來，然後一一計算，每算一次，便在輿圖上畫一個圈，以作記號。

裴源從他開始計算馬匹腳程的時候便知道不妙，待他算得大半，忽然一陣夜風吹入帳中，只吹得油燈火苗搖曳不定，映得那輿圖也忽明忽暗。待得李嶷在輿圖上畫出最後一個圈，夜風早息，但黑沉沉的夜色中，一道閃電忽然劃破長空，照見李嶷的臉色，卻是面沉如水。

裴源看著輿圖上的那一列紅圈，喃喃道：「看起來，好像是對的。」李嶷冷笑道：「看起來全是對的，那定然就是假的。兩軍相行，雖然每日皆行七十里，但一路上各種情狀，或逢山須繞道，或遇水須得架橋，或突然遇敵接戰耽誤兩三日，他崔琳便是天縱奇才，但率著兩萬多人，途中又怎會不因故有任何耽擱，每隔數日皆行到該行之處，再遣出快馬急報？這些紅圈越是對的，那這些快馬急報就越是假的，他根本就沒按照約定的行軍之途行軍，而是算好了腳程，每隔三日朝我們遣出快馬罷了。」

裴源心中大駭，崔琳既沒有按照約定之途行軍，那所謀何事，不問可知。

裴源張嘴想說什麼，但終究什麼也沒說，李嶷又朝輿圖上看了看，忽地道：「他必定是兜了個圈子，朝洛水上游並南關去了。只要他奪下並南關，咱們便是有兵在鹿黎，也無半點用處，從此再無法扼制洛陽。」

裴源心中一片冰涼，道：「十七郎，咱們回師相救？」

李嶷搖頭。「來不及了。」

帳外又是一道閃電，隱隱的雷聲滾過，過得片刻，終於下起大雨來。這雨來得極快，風捲著雨，從帳外一直潲進帳內。裴源聽得雨聲如注，心中甚是煩難，李嶷在帳中來回踱了幾步，強笑道：「於今說什麼都沒有用處，咱們還是先與大將軍會合，便是苦戰，也要將段兗殺退。」

裴源點了點頭。

李嶷所料不錯，崔琳過了黃河便分兵兩路，藉口要先取曹州，一路由他自領，過疇河，徑直西行，一路由崔璃與何校尉帶領，從螟蛉山往西，相約攻克曹州後，再在漳水埠會師。

那何校尉極有本事，名義上是崔璃領著五千定勝軍，其實軍事大略都聽她，因此順順當當就拿下了曹州。然後崔璃與她率軍南下，在漳水埠苦等崔琳，左等不來，右等不來，依約都已經過了三日，崔璃心中疑惑，便對寇渚道：「大軍失期，莫不是出了什麼事吧？」

寇渚道：「公子素來擅兵，帶著一萬餘人，便是攻克州府亦是夠了，想是不能出什麼大事的。」

話音未落，忽然只聽帳外一陣喧嘩。原來崔璃叫了寇渚來密談，自然令人守住帳門，不令閒人靠近，偏那何校尉正要來見崔璃，被兵卒阻攔。她倒還罷了，桃子先橫眉冷對，與那兵卒爭吵了兩句，因此有喧嘩之聲。崔璃朝寇渚使了個眼色，寇渚忙迎出帳外，將那何校尉請進帳中。

崔璃對這個何校尉甚是忌憚，滿面堆笑，還不待他說話，那何校尉便道：「璃公子，便要向您請軍令，我要先折返去尋公子。」

崔璃一怔，說道：「大軍失期，我也心中著急，但這個時節總是陰雨連綿，道路難走亦是有的。咱們再等一等，沒準明日大軍就到了。」

那何校尉不知爲何，今日臉色分外冷沉，只淡淡地道：「璃公子，我本有公子的權杖，此時向您稟報一聲，我這便去了。」

說完，只匆匆朝他行了一禮，轉身出帳上馬，竟然立時帶著數十騎馳出營去，再不回顧。崔璃見她這般無禮，一時氣得手足冰涼。寇渚見他面色不好，連忙安慰道：「她既有公子的權杖，便由她去吧。就算到時候再說起來，她也是心繫公子安危。」

崔璃氣得過了半晌，方才道：「此女跋扈，眞沒有半分將我放在眼裡！」

想到她之所以這麼跋扈，還不是仗著崔琳的寵愛，崔璃心下越發難耐，但這一腔憤恨，無處可宣洩，拿定了主意，打算就待在這漳水埠，看那崔琳來的時候，還能挑剔自己什麼。

崔璃心中鬱悶憤恨不提，只說何校尉只帶了數十騎馳出大營，過曹州而不入，不過兩三個時辰，就跑出近百里，看看天色將晚，這才打尖休息。

桃子從腰包裡摸出一個麥餅，遞給何校尉，她搖了搖頭，說道：「我吃不下。」

桃子將麥餅硬塞在她手裡，又遞給她一壺水，說道：「不論如何，都得先吃乾糧。」又勸道，「校尉，或許是妳想差了，公子必不至如此。」

她憂心如焚，此時面色卻還淡淡的，說道：「我不會想差的，公子必是如此。」她狠狠咬了一口手中的麥餅，又喝了一口水，說道，「他忌恨李嶷，又惱鎮西軍奪鹿黎挾制東都糧道，此番他瞞過我，定然是率軍奔並南關去了。」

桃子欲語又止，過了片刻，方才小心翼翼地道：「那現下咱們……」

她搖了搖頭，神色皆是疲憊之態。

「定然什麼都來不及了，可是我……我心中難過……」

她語氣一軟，只覺得滿腔酸楚，再難言語。

她們一行連續急行軍，又過了好幾日，方才追上定勝軍後營行得最慢的輜重，得知果然崔公子親自領軍，已經奪得並南關。再行得數日，到了建州城，方見到崔公子。

暮春近夏，城外草木深。她連日急馳勞累，風塵僕僕，進到城中，也並不更衣梳洗，徑直去見崔公子。定勝軍自奪了並南關，崔公子便住在建州郡守府中。這郡守府行制不大，不過幾楹青磚屋舍罷了，但院內外有幾棵老槐，此時正是槐花盛放的時節，槐蔭細細，一嘟嚕一嘟嚕的槐花夾在枝葉間開得潔白，院內滿是淡淡的槐香。

院中槐樹下設著一張案几，那崔公子坐在案几後，案上放著軍報之屬的文書，他卻在兀自出神，不知在想些什麼。聽到她的腳步聲，他方才回過神來，抬頭看了她一眼，卻是牽起嘴角，淡淡地一笑，說道：「阿螢，妳來得正好，我正想妳素日愛吃槐花角子，這槐花開得正好，我命人替妳摘些槐花做角子吧。」

她心中雖氣惱激蕩，但這一路行來，早已經平復大半，此時見到他，也只是問：「節度使知道你如此行事嗎？」

他又是淡淡一笑。「阿螢，父帥早就予我臨陣決斷之權。」

這是率大軍出幽州的時候，闔軍上下盡皆知曉的，還沒待她說話，就聽見他不緊不慢的聲音又道：「阿螢，妳明知道我如此行事，是爲李嶷所迫，他派兵去鹿黎的時候，妳就知道鎭西軍挾制東都，對我崔家十分不利，若不反擊，此後李嶷仗著勤王名義，步步逼迫，如之奈何。」

她明知他早就會有這般說辭，但此刻聽在耳中，竟覺得有幾分刺耳似的。過得片刻之後，方才道：「公子，你是早就知道了吧？那天晚上，我看到林中有宿鳥驚飛，想必是你遣人跟蹤我，又或是，你親自去看我到底出營做什麼去了。」

這句話沒頭沒腦，但他瞬間就知道她是在說什麼，頓時胸腔中好容易按捺下去的那股怒意，便又「砰」地炸開了，像是被人從肋下捅了一刀，喉間似乎隱隱又有血腥上湧。他強壓住心頭洶湧的酸楚和恨意，卻只是笑了笑。

「阿螢，妳說這些，是要因私廢公嗎？」

「桃子說公子是因為急火攻心，憂思過度，才會吐血的。」她說道，「那晚公子定是知道了我與李嶷相會吧，因此銜恨在心，所以後來公子才藉口曹州之事支開璃公子和我，親自率軍奪取並南關。」她輕輕呼出一口氣，倒彷彿一聲嘆息似的，「若說因私廢公，公子此舉，難道不是因私廢公嗎？」

一朵槐花的花莢從枝頭墜落，「嗒」一聲輕響，落在案几上。他有些悵然看著那朵槐花的花莢。這花開得細密綿長，住進這個院子的時候，他就心想，阿螢素日喜歡吃槐花角子，若她來時，自己定要命人做槐花角子與她吃。在院子的東北角上，有一座小小的內院，房舍精緻，也是他特意命人灑掃停當，專門留與她的。

從很久很久以前，他就知道，她是自己要愛護一生的人。

只是不知道什麼時候，兩個人竟然就如此生分了，她還站在他的面前，彷彿觸手可及，但他知道，已經是咫尺天涯，遙不可及。

他慢慢笑了一笑，笑中似有無窮無盡的苦澀。「阿螢，妳為了李嶷，就來質問我？並南關何其要緊，妳為了兒女私情，置我崔家的利益於不顧？」

她倔強地抿了抿嘴角，最後只是說：「公子行事之前，應該遣人急報節度使，這是大事。」

他往後倚靠在椅背上，語氣變得輕鬆起來：「阿螢，妳連日趕路，也累了，先回房歇息吧。奪下並南關之後，我早已經遣人告知父帥了，想必就在這幾日，父帥的回信應該也快要到了。」

她抬起如水般的明眸，注視了他片刻，不再發一言，轉身離去。

沐浴更衣之後，已經是黃昏時分，她已洗去一路風塵，獨自坐在窗前，心不在焉地用布巾擦拭著頭髮。恰好桃子從外頭進來，見狀便上前接過布巾，替她擦著頭髮。忽然，桃子看到窗前几上放著一盒槐花角子並筷箸諸物，那角子早就已經冷透了，全都黏在了一起，紋絲未動的樣子。桃子忍不住嘆了口氣，勸道：「校尉，細究起來，公子此事倒也不算錯，不過是急切些罷了。」

她淡淡地道：「公子只謀算眼前利益，卻沒想過李嶷其人的脾氣稟性——他天性聰穎，又最是護短，對在意的人或事，只要傷其分毫，必窮盡九州之力索之。之前咱們定勝軍出幽州，自稱勤王之師，此刻卻倒戈相向，奪並南關，陷裴獻於危局。李嶷此後必不會再信任定勝軍，亦從此將公子視作心腹大患。李嶷謀略過人，假以時日，只怕他會用更狠厲百倍的手段報復回來，到了那時候，只怕悔之晚矣。」

桃子不由愣了愣，過了半晌，方才道：「校尉，那妳這到底是擔心李嶷，還是擔心公子？」

「我誰也不擔心。」她淡淡地道，「便是公子，這一切不正是他想要的嗎？」

桃子雖然是個聰明伶俐的姑娘，此刻也糊塗起來，只是不便再問什麼，於是手上忙碌，將阿螢的頭髮擦乾，又替她將頭髮束了起來，這才出去打水。

桃子的腳步聲漸漸消失在院外，阿螢心中其實有滿腔煩惱，只是誰也不便說罷了。她怔怔地出神片刻，忽然聽到輕微的聲響，原來是下雨了。一下起雨，暮色就迅速濃重起來，這院中本來就有一棵極大的槐樹，樹葉遮天蔽日，越發顯得光線晦暗，枝葉間疏疏地漏下雨絲，過得片刻，院中已經落了薄薄一層槐花。

自有春愁正斷魂，不堪芳草思王孫。落花寂寂黃昏雨，深院無人獨倚門。5

暮春近夏，這雨下起來，十分纏綿惱人。

李嶷走進帳內，甩去斗笠上的雨水，將斗笠靠在帳邊。已經入夜，帳中只點了一盞油燈，燒的是芥子油，氣味不大好，一燈如豆，只能朦朧照見丈許方圓。又因駐紮在山間，山風時不時便吹入帳內，只吹得那盞燈的光焰搖動不已，帳中也晦暗難明。

便在此刻，裴源拿著兩個菜團子進來——今天全軍上下吃菜團子，每個都有拳頭大，雖然摻了不少豆粕和野菜，但急行軍途中，有這等扎實的吃食果腹也算不錯了。兩個人就在帳中席地而坐，靠著馬鞍啃著菜團子。

裴源道：「這山裡壓根就沒有路，實在是走得太難了。」

他們因爲肘腋生變，立時便改了軍略，拋棄輜重，全軍急行至此，但李嶷渾不在

5 出自唐・韋莊《三月三日》。

意，咬了一大口菜團子，說道：「沒有路也得走，我算過了，只有趕在後日之前到雀鼠谷，才能有三分贏面。」稍一頓，又道，「若是明日入夜前能至，就有五分贏面。」

雀鼠谷顧名思義，是其地勢險要，唯有雀鼠這般機靈小巧之物方才能存身過谷。這般陡峻狹仄之地，方能截殺段克的八萬大軍。為了趕路，李嶷留下了帶著輜重的後營，率隊一路急行至此，因雨天道艱，一路還有小股不斷掉隊，如今餘下也不過八千餘人。以八千對八萬，縱然有雀鼠谷這般天險，也難有多少勝算，何況他們還未見來得及趕到雀鼠谷。

裴源這般憂心如焚，李嶷似乎成竹在胸，並不顯露於形色。自從知道崔家定勝軍生變，倒戈奪了並南關，李嶷便是這般模樣。

一路急行軍至此，李嶷人更黑瘦了一些，因為睡得少，兩隻眼睛都摳摟了，越發顯得眼窩深，眼睛大。他說：「阿源，你不要急，定能替你阿兄報仇。」

原來就在十數日前，已經登基稱帝的梁王李桴見李嶷不肯回軍相救，崔家定勝軍對蔡州之圍不理不睬，慌亂之餘，聽信了李峻之言，強令裴湛向裴獻求援。裴湛無奈，只得快馬朝裴獻送出急報，而裴獻素來忠心耿耿，自不能坐視君主被圍，早令自己的次子裴洊帶了一支兵馬，急行南下以解蔡州之圍。等到了蔡州城外，裴洊與段克大戰一場，本來已占上風，偏偏此刻城中的李桴，竟趁著戰事混亂，帶著李峻與李崍偷偷出城準備逃走。結果出城不久，就被段克發現，即令自己的長子段甄前去追截。裴洊為了救李桴等人，率隊奮勇而戰，終於掩護李桴等人返身逃回城中。而裴洊落馬受傷，雖然被部下及時搶回城中，但一時傷重，險救不及，便是傷癒之後，終因筋骨受損，卻是再難上陣了。

饒是如此，不論是在蔡州艱守城池的裴湛，還是裴獻由軍中傳給李嶷處的軍報裡，皆隻字未提。反倒是李嶷心細，詢問前來傳書的急足，大將軍如何？可否康泰？飲食如何？能睡幾個時辰？急足神色稍微猶豫，猶想隱瞞裴浵之事，卻被他看出端倪來，這才問出裴浵傷情。

裴源不再說什麼，起身去案几上拿了燈，這才照見地上角落裡有個火盆，火盆裡七零八落架了些柴禾。他拈了根細柴，蘸了一些燈油，然後就燈上引燃那細柴，耐心地在火盆中架好了火，這才不知從哪兒又拎出一把已經灌滿水的鐵壺，穩穩地放在火盆上。

「晚上你喝口熱水吧。」裴源說，「也把濕衣烤一烤，明日還要趕路呢。」

不待李嶷說話，他又道：「士卒帳中都有，便是值宿巡夜的人，也都有熱水。」

李嶷這才不言語了，蹲在火盆前，皺著眉又將柴枝重新搭了一下，火焰漸漸燃得更大些，帳中也漸漸暖和了許多，火焰烘烤著他身上的濕衣，騰起一層細細的白霧來。

段兗圍困蔡州一旬有餘，見李嶷著實不肯上當，裴獻在汾州又與孫靖大戰數場，雙方各有勝負，但裴獻領大軍，且戰且往東，孫靖親率之師數次追擊不力，段兗這才悻悻地率軍撤到晉州，在晉州與孫靖遣來的數萬部眾匯合，並得到了無數糧草補給、萬餘新兵，並八九千民伕，號稱十萬大軍，方從容沿著太嶽山麓迤邐而下。

這日倒是一個難得的好天氣，暮春近夏，草長鶯飛，山間林木生發，十萬大軍何等浩蕩。行軍之列，遠遠望去，前不見首，後不見尾。段兗騎在馬上，他的長子段甄跟在他馬側，他們父子數十年在軍中，自有默契。見日頭過頂，初夏的暑意漸漸灼人，段甄便從鞍邊解下水囊，拔開塞子遞給段兗，段兗捧著水囊猛灌了一氣，抹了抹唇邊的水漬，又遞給段甄，段甄剛接過水囊喝了幾口，忽然前軍騷動起來。

原來雀鼠谷口，豔陽之下，卻有數騎佇立，當先一人騎黑駒，持長弓，背著滿滿一囊箭，鞍側還掛著劍與長槍，他身後幾騎卻各舉旗幟，拱衛在其身後。最大最顯眼的一面旗幟，玄底繡金，卻是「平叛大元帥」數個燦然大字，另有數面旗幟，卻是「鎮西節度使」、「北庭都督」等等駭人聽聞的名銜，段兗大軍頓時闔軍震動，知道這是傳說中勤王之師的主帥、皇孫李嶷。

段兗聞訊，帶著中軍諸將策馬上前，遙遙望見李嶷一騎橫弓傲然而立，而三軍盡駭，段兗便知道今日上來己方就先輸了氣勢，而且這李嶷立在谷口，一夫當關，萬夫莫開的樣子，他的身後又是赫赫有名的雀鼠谷，著名的險要之地，他既大剌剌立在谷口，不言而喻，這谷中必有陷阱，不能貿然行事。正思量間，忽然聽到不遠處那李嶷朗聲道：「段兗，你今日可敢與我一戰？」

段兗還沒答話，段甄便沉聲道：「大將軍，待我上去與他一戰。」

段兗略一思量，知道自己這長子素來驍勇善戰，為人又精細，當下便頷首應許。

段甄從親衛中接過陌刀，整束停當，覷起眼睛看了一眼谷口的數騎，便策馬朝李嶷衝去。

李嶷見一騎突然衝出，不慌不忙，從身後所負箭囊裡抽了一枝箭，搭在弓弦上，瞄準了段甄。段甄雖見他張弓搭箭，亦不如何慌張，一來是隔得甚遠為箭力所不及，二來他全身披甲，頭上更戴了厚重盔帽，三來他頗有自信，手中這陌刀定能格擋斬落羽箭。誰知方馳出數步，李嶷已經一箭射出，那一箭之勢何其迅疾，直如閃電一般，已經破空而至，他手中陌刀去橫擋已經萬萬來不及，只聽「啪」一聲，羽箭已經正中段甄右眼，他眼中劇痛入腦，頓時跌下馬來。

這一箭雖快，但幸得入眼不深，段甄跌下馬後掙扎著想要拔出箭來，李嶷已經又是疾若流星的一箭，正射中他的腳踝。這一箭之力極大，箭枝竟然穿透他的腳踝，射斷他的筋骨，令他掙扎不能再起。

段兗軍中諸將見段甄中箭落馬，盡皆大駭。又見李嶷這一箭射穿了段甄腳踝，哪裡還忍得住，早有三人越眾而出，搶著策馬上前，想要救助段甄。

李嶷不慌不忙，連發三矢，每枝箭都射穿一人的眼窩，三人哼都沒哼一聲，盡皆落馬而死。

此時段兗全軍早就驚駭莫名，明白過來，適才李嶷定是故意沒有射死段甄，就是爲了引得眾將相救，誘殺更多人。

他弓箭如此厲害，一時連段兗都大驚失色，沉聲阻止再有人上前，十萬大軍只眼睜睜在谷口看著百步開外的段甄不斷掙扎。段甄方一手扶地，掙扎著站起，李嶷又是一箭，將他另一條腿射穿，段甄悶哼一聲倒地，復又掙扎著挺起身來。段兗心如刀割，卻不敢令人上前相救。

僵持片刻，段兗終於沉下心來，便令一名督尉率五百精兵作前鋒，爲什麼只選了五百人，蓋因谷口狹小，便有再多的人，也鋪陳不開。這督尉極是勇猛，一聲令下，五百騎兵直向谷口衝去，李嶷卻不慌不忙，張弓又發一箭，這一箭卻正中段甄胸口，段甄當即撲倒身死。五百騎兵眼睜睜見著段甄死在觸手可及之處，卻相救不及，氣勢不由爲之一滯。李嶷射出這一箭，打馬回身便走，連同他身後掌旗的數人，也掉轉馬頭，頭也不回，拱衛著李嶷退回谷中。

五百輕騎毫不猶豫追入谷中，段兗遲疑片刻，卻並沒有阻止。這五百騎進入谷中之後，頓時廝殺聲大起，不過一炷香時分，谷中復又安靜下來，甚至聽得見鳥鳴啾啾，但那五百騎竟沒有一人一馬從谷中回來，彷彿那五百騎就這樣憑空消失了一般。

段兗在谷口目睹，心中大駭，面上卻不敢顯露半分。正猶豫要不要再遣一隊前去察看，忽然眼前旗幟閃動，卻是那鎮西軍中十餘騎高舉著旗幟，竟然又護著李嶷從谷中出來。李嶷仍舊騎著黑駒，手持長弓，神色閒適，彷彿剛才那五百騎從來不曾存在一般。他出了谷口，對著不遠處的段兗，不屑地一笑，卻是突然提韁策馬，直朝段兗中軍處直衝過來。這一衝之勢何其猛烈，雖只區區十數騎，但聲勢驚人，便似有千軍萬馬一般。段兗知道此時絕不能退，一退便陣腳大亂，立時大聲下令，卻是也親自領著中軍，迎著李嶷直衝過去。李嶷早已經張開了弓，段兗心中一驚，左右連忙護衛，誰知李嶷這一箭根本不是射向他，而是射向他身後的纛旗，纛旗所繫的繩索被他一箭射斷，「啪」一聲旗幟便從旗杆上滑落。

隨著旗落，谷中忽衝出無數鎮西軍，齊聲發出震天的吶喊，那喊聲便如地動山搖一般：「段兗死了！段兗被皇孫射殺了！」

谷口狹窄，段兗大軍只能排成一字長蛇陣，迤邐數里，除了最前端的幾百人，後面的人壓根看不到前面發生什麼事，只聽說李嶷守在谷口，箭無虛發，射死了段甄並好幾名大將，且五百騎入谷之後亦被他斬殺殆盡。軍中早就人心惶惶，此刻聽到震耳欲聾的喊聲，排在稍後的人眼見纛旗被斬落，便盡皆信了段兗已死。更兼李嶷親率十數騎已經殺入段兗陣中，他箭如流星，一箭便射落一人，段兗身邊諸將，轉瞬便被他射殺十數人，親衛相顧駭然，護衛著段兗打馬便走。

李嶷射空了箭囊，反手提起長槍，殺入陣中，不過轉瞬，裴源領著鎮西軍大隊已然殺至。裴源與李嶷的槍法出自同門，兩人進退極有默契，就如同砍瓜切菜一般，片刻之後，在他們身後只留下無數屍首。段兗諸軍被殺得嚇破了膽，又信了段兗身死，頓時亂了起來，偏這谷前道路狹窄，無數人返身而逃，相互踐踏，一潰千里，混亂難擋。

李嶷與裴源帶著鎮西軍便如同牧人驅趕牛羊般，一路緊緊衝殺。段兗諸部竟不敢返身而戰，一潰退出十數里，直退到鶴突峪。這裡名爲鶴突峪，就是因爲地勢如鶴喙，羊腸小徑在山壁之上，另一側卻是懸崖。段兗早知道不好，本來想在鶴突峪之下收攏諸部，但偏這次又有一萬多新卒，又有近萬民伕，這些人從未上過戰場，便是如同被捅了馬蜂窩一般，亂糟糟的，段兗諸軍剛剛立住腳，偏又被這些人衝散。段兗長嘆一聲，只能率了最精銳的中軍諸部掉頭往西。鎮西軍追至鶴突峪，那一萬多新卒與近萬民伕逃竄踩踏，不少人被擠得掉落懸崖，所謂十萬大軍，就此一潰千里，分崩離析。

李嶷率部緊緊相逼，數次追上段兗，段兗也仗著雖敗而身邊所餘皆爲精銳，數次返身而戰，但每次皆被李嶷親自領兵衝陣，不過幾個回合，段兗便敗下陣來。更有一次，被李嶷射傷右臂，再也無法抬手，幸得部下拚命上前，將段兗搶回陣中。饒是如此，到天黑之前，兩軍五次接戰，段兗連敗五次；鎮西軍雖略有傷亡，卻越戰越勇，尤其李嶷，長槍槍尖鈍了之後，便又換了劍。長劍之上，淋漓全是血漬，他身上鎧甲，亦如浴血一般。段兗最後一次接戰，見夕陽之中，李嶷於陣前策馬而立，臉上雖有汗漬血跡，卻威風凜凜，直如今日在谷口一般，又如同他手中長劍，雖然浸滿血汗，卻鋒芒如雪，銳利如故。

段兗長嘆一聲，自知不敵，率軍回馬遁逃。李嶷一直追出近百里，直迫得段兗連滾帶爬，逃過無定河，方才不再追擊，只是掉轉馬頭回去，將段兗扔下的部屬、輜重、糧草逐一收拾。

段兗這一場大敗，十萬大軍幾乎化爲烏有。裴獻掉頭北上，與李嶷會師太原。太原刺史賀慊本就是先帝手裡的將領，雖受孫靖之恩，但見鎮西軍兵臨城下，他思慮再三，自知難敵李嶷，終於出城降了，自此勤王之師收復太原。

裴湙將養了這些時日，傷勢已經好了許多，只是仍行動不便，他是被人抬著進了太原城的。李嶷親自來看他，他自知身廢，卻強顏歡笑，說道：「聽聞殿下在雀鼠谷二進二出，破段兗十萬大軍，好生威風，阿源亦道殿下是替我好生出了這口惡氣。」一句未了，兩人盡皆黯然。李嶷與裴源一起在鎮西軍中，裴源這位阿兄，便如同他自己的手足一般，此刻他心下難過，只得勉力安慰了幾句。待出得屋子，抬頭忽見院中榴花盛放，灼灼照人眼，只聞風吹來蟬聲細細，原來已經是夏意濃時了。

他在太原城中又耽擱了一個旬日，主要是大軍需要休整，千里奔襲，連場苦戰，到了此刻，終於能緩一口氣。饒是如此，仍舊是秣馬厲兵，安頓傷卒，訓練新卒，預備糧草，種種雜事不一而足。

這個旬日過後，裴獻便留守太原，而李嶷帶著鎮西軍大部南下，逼近潼關。潼關爲西長京鎖鑰，易守難攻。孫靖雖只有幾千兵馬在此，但踞雄關，阻萬軍，李嶷如何不知道厲害。劍走偏鋒，率著兵馬從王屋山邊上繞向東去了。

這日大軍正歇在一個名叫六斗的小鎮子上，裴源卻親自送來了要緊的軍報。原來段兗一敗之後，再難收拾，索性帶著殘軍到了礜州。在礜州的本是他的舊部王勉，見從前的上司這般狼狽，挺身而出，將自己的三萬兵馬也盡交段兗，由段兗率領，渡洛水直襲洛陽。

而洛陽與建州、並南關皆由崔家定勝軍把持，定勝軍大部由崔倚率領，皆在淮水之左，洛陽雖是東都，駐軍卻不甚多。

他們這一下子奇襲，卻是起了猛效。崔琳本在建州，建州城池極小，卻比洛陽更好防守，但那崔公子怎肯捨棄洛陽，因此立時便親自率軍從建州而出，相救洛陽。

李嶷聞得此情形，卻搖了搖頭，說道：「崔子只怕要上當。」

裴源問道：「那個崔公子，他要上什麼當？」

李嶷隨手在輿圖上一指，說道：「在怛州的鄢逸，從前被段兗救過命，又是孫靖一手提拔起來的猛將，他手裡有兩萬兵馬。從怛州過洛水，有一條小路，可以包抄回來，雖是山道，但能行大軍。段兗一敗至此，不會隨意帶著幾萬人就去硬攻洛陽，他必是設下了圈套，要伏擊崔琳。」

裴源聽得瞠目結舌，看了看輿圖，又看了看李嶷，說道：「你怎麼知道段兗會和鄢逸聯手，他們怎麼做圈套？」

李嶷說道：「知己知彼，百戰不殆。」又道，「段兗雖敗於我，但他是沙場宿將，被逼到絕境，必然搏命一擊。他能用的人和兵馬，我都細細揣摩過。」言訖，指了指輿圖中洛水之畔的某個地方，說道：「他必是在此處下手，除了此處，再沒有更利於伏擊的地方了。」

裴源看了看輿圖，又看了看李嶷，忽問：「那咱們……」

「這種熱鬧，當然要去看。」李嶷嘴角上揚，卻露出一個譏諷的冷笑。「那個崔公子，背信棄義，若不是他，蔡州怎會被圍，裴大將軍又怎會數次遇險？若不是他，阿洊又怎會受了重傷，竟致此生殘廢？不去親眼瞧瞧這熱鬧，咱們豈不枉受了那些冤氣。」

裴源欲語又止，過了片刻，方才道：「十七郎，若是那崔公子眞中伏危險，你會救他嗎？」

李嶷道：「我是去瞧熱鬧的，救什麼救。」

夏日晝長，又因爲連日天晴，著實有幾分暑熱。到了黃昏時分，蟬聲越發聒噪起來。桃子帶著人做了十幾甕消暑的湯羹，汲得井水浸涼了，又帶著人送到城牆上，給值守的定勝軍士卒解暑。

阿螢已經換了一身校尉的服色，親自在城牆上巡守，見她送湯羹來，也嘗了一碗，吁了口氣，問道：「去建州的人回來了嗎？」

桃子搖了搖頭，說道：「沒有。」

原來當時阿螢在建州城中只住了兩日，便說洛陽城防，須得有人負責，而崔璃遠在曹州並未被召回，她便要到洛陽守城。那崔公子明知她不過是藉口，只是不願意與自己同在建州，心中百味陳雜，也不知道是惱恨更多，還是沮喪更多，但也並未與她再起爭執，只是遣了一支兵馬，好生將她護送到洛陽罷了。

此番段兗帶著數萬大軍，氣勢洶洶直撲洛陽而來，她一邊安排城防之事，一邊即遣快馬報與建州城中的崔公子，力陳城防得力，易守難攻，自己會安然守城，勸崔公子一定按兵不動，待段兗攻城不利，再內外夾擊不遲。

但是遣去建州的快馬已經走了數日，按理說應該帶著回信回來了，卻遲遲不至。

桃子道：「或許公子還沒決斷……」

阿螢卻搖了搖頭，說道：「只怕他想左了，以為我仍在同他負氣。」她輕輕嘆了口氣，說道，「軍機要務，這不是能負氣的事，我也並沒有同他負氣。」

她到洛陽城中之後，崔公子自然不甚放心，每隔數日，便遣人傳書與她，更有各色吃食玩物，陸陸續續，都派人送來與她。但她確實無心回信，每次快馬馳來，空手馳回，他卻極有耐心，隔了兩日，或又給她寫信，或又送了什麼新鮮玩意來，只是當著諸人，她不好拒絕罷了。

這一次她寫了信去，卻也如同石沉大海一般，但是，事關軍機，這真的不是該負氣的時候。

暮色漸濃，新月初生，月色照著城外的洛水，洛水繞城而過，便是天然的護城河，這也是洛陽極難攻破的緣由。她望著洛水河面上那粼粼的銀色波光出神。

她總覺得有幾分不安，隱隱約約，彷彿有什麼不好的事情即將發生。她硬按捺下心間這種莫名的不安，轉身進了值房，藉著剛點燃的油燈，取了一份輿圖來看。

河流山川，在輿圖上已是標注清楚，一目瞭然。她算了算段兗行軍的路線，又想到沿途斥候發回的各種刺報，心裡的不安卻越來越濃重了。她索性將輿圖放下，微微閉上了眼睛。

這是她的習慣。雖然閉目，但她的眼前卻似乎浮起了一幅巨大的輿圖。在這張虛幻的輿圖上，山嶺是高聳的，巍峨的；河流是激蕩的，汩汩流動的；還有那些兵馬，像密密麻麻的螞蟻一般，在山川與河流間穿行；無邊的曠野，各州府之間往來的商沽、行人；甚至，田野裡耕作的農夫……還有各地的屯糧、丁口、可戰之地、可用之兵……幕天席地，形形色色，全都浮現在她眼前……她驀地睜大了眼睛，匆匆起身，連聲急喚桃子。

桃子聽到她的聲音，也匆匆朝這邊衝過來，何校尉的聲音中透著一絲焦灼：「帶三千人，即刻同我出城。」

桃子不由一怔。「校尉……」

她已經轉身匆匆朝城樓下而去，桃子跟在後面。

「校尉，若是此刻出城，只怕……」

她已經在城牆下尋到了小白，一邊解開韁繩，一邊道：「有人要伏擊公子，快！咱們得趕快！」說著從懷中取出一面權杖，擲向桃子。

桃子聞得此言，再不猶豫，接住權杖，立時便衝進營中去調擺兵馬。

她們出城極是迅疾，出城之後，便高舉火把，一路沿著洛水疾馳。既然明火執仗，當然聲勢極為浩大，也是想藉此大張旗鼓，驚退敵人之意。然而她們趕到那個名喚黑水灘的地方的時候，還是遲了半步。

崔公子接了她的信之後，並未猶豫，也並沒聽她的勸，立時便帶了一支定勝軍，自建州向洛陽而來。他擔憂洛陽守軍少，又因她在城中，百般放心不下，因此星夜馳援，但不想途中在黑水灘，卻中了埋伏。

鄢逸親自帶了精兵在黑水灘，卷甲銜枚，非常沉得住氣。那黑水灘地勢極佳，待崔公子率軍至此，正是半夜最爲疲累之時，被設下的絆馬索和陷阱弄得馬失前蹄，鄢逸等人先是從山上放得滾木，然後又潑上火油，便放起火來，一時黑水灘上亂作一團，殺聲震天。

李嶷率著一支鎮西軍，卻是早就悄悄到了黑水灘左側的山上，此時他站在最高處的一塊大石上，居高臨下，俯視戰場。此刻黑水灘上處處被潑了火油，燃起一堆堆熊熊的沖天大火來，在這山上看得十分分明。

裴源站在他身側，不由搖了搖頭，說道：「這個崔公子，還是大意了。」

李嶷並不言聲，只默默注視著河灘上的戰事。過了一盞茶的工夫，定勝軍已明顯處於下風。又過得片刻，忽然遠處沿著洛水，隱隱約約似有一隊燈火，再過得片刻，風中隱約傳來呼喊聲，也看得更真切些——那一隊人馬，竟是明火執炬而來，便如同一條蜿蜒火龍一般。而那呼喊聲，因是齊聲大喊，所以也有一句半句，依稀傳到眾人耳中，喊得卻是「定勝軍援軍到了」諸如此類。

裴源側耳聽了聽，又舉目眺望，說道：「這援軍似乎是從洛陽那方位來的，不知道是誰，八成是崔璃吧。」

李嶷默不作聲，只繼續注視著河灘上的戰事。定勝軍聞得有援軍到來，精神一振。但鄢逸十分驍勇，他全身披甲，手裡持著一柄橫刀，帶著牙兵，親自向崔公子旗幟處砍殺而去，一路勢如破竹，不論何人擋在他刀前，不是被他一刀殺了，便是被簇擁著他的牙兵用馬槊刺中挑開，一時勢不可擋。

而那支援軍極是迅捷，執著火把馳到，立時衝進河灘，一頭紮進戰場，去搶救那崔公子。那隊援軍紛紛將火炬擲在河灘之上，騰出手來拿兵器，河灘上，火光簇簇，竟被照得亮如白晝。裴源看了片刻，忽然失聲道：「那不是何校尉？」

她騎著小白疾馳而來，白馬在河灘上極爲醒目，闖進戰場的那一刻，李嶷就看到了，但是他並沒有作聲。她一加入戰事，便明瞭當前戰局對定勝軍不利，因此抽出長劍，便向鄢逸衝去，試圖圍魏救趙，也正因爲她一馬當先，鄢逸身側那些牙兵，無不如同飛蛾撲火一般，紛紛朝她圍攏殺去。

裴源不由轉頭看了李嶷一眼。定勝軍雖有援軍，但鄢逸不管不顧，渾沒將那何校尉的拚命搏殺放在眼裡——蓋因密密麻麻的牙兵湧上來，將那何校尉團團圍住，不遠處的弓弩手更紛紛張開了弓，對準了何校尉。

弓箭的破空聲呼嘯而至，她揮劍擋開了數箭。牙兵裹挾衝殺得更緊密了，小白長嘶一聲，突然奮蹄躍起，這一躍何其迅捷，正好跳出牙兵的包圍。她精神大振，翻過手上的小弩，便朝鄢逸射去。不遠處的弓弩手見情勢危急，齊齊朝著她便是一輪攢射，幾名定勝軍士卒奮力揮刀，替她格擋了幾箭。鄢逸被她那一箭射中小臂，終於扭頭看了她一眼，旋即一刀朝她擲去。這一刀破空而至，極其厲害，她竭盡全力方才揮劍擋開，只被震得手臂隱隱發麻，那橫刀的刀尖，卻也劃過她的腰腹處。她感到腰上一熱，知道受了傷，卻一聲不吭，弓弩手已經又是一輪齊射，她勉力格擋，身子晃了一晃，終於被一枝箭射中手臂，知道今日只怕要不好。

鄢逸一擊不中，再不理睬她，回身接過牙兵遞上的一柄馬槊，槍尖一挑，竟將崔公子身邊的一名親兵刺了個對穿。他大喝一聲，執著馬槊直朝那崔公子衝去，何校尉被牙兵圍攻阻隔在數十步開外，雖然奮力搏殺，竟然不能靠近一步。那崔公子雖然被親兵護衛，但那鄢逸神勇難敵，不過片刻，竟然就刺死好幾人。

再戰得片刻，何校尉漸漸力竭，定勝軍諸人死傷慘重，桃子亦不知被困在何處。她心中焦急，忽然又聽得身後弓弩弦響，勉力策馬躲閃，忽有一騎持長刀向她砍來，她心知萬難倖免，只怕自己此刻便要命喪刀下。忽然聽得一道淩厲的破空之聲，卻不知從何處射來一枝羽箭，瞬間將那敵騎當胸射穿，那人頓時跌下馬去。她匆匆看了一眼，只見那箭枝極長，不是戰場上的尋常之箭羽，身後敵人復又砍殺上來，只能奮勇相搏。

鄢逸卻已經殺到了崔公子面前，崔公子早就持了長劍在手，但鄢逸怪笑一聲，馬槊一挑，便要將那崔公子從馬上挑下來。此時斜刺裡衝出一騎，擋在崔公子馬前，正是陳醒。他本已負傷，但此刻便如搏命一般，不管不顧，與鄢逸纏鬥在一起。十數招後，鄢逸大喝一聲，正刺中陳醒胸腹，陳醒劇痛之下，卻伸手緊緊抓住鄢逸的馬槊，鄢逸應變極快，當下撒手，隨手接過牙兵手中的橫刀，狠狠刺進陳醒胸口，陳醒當即落馬。

阿恕大吼一聲，撲上前來，想拖走受傷的陳醒，但被牙兵重重纏住，崔公子只叫了一聲阿恕，忽然腰間一熱，鄢逸已經一刀刺破他的腰腹，頓時鮮血噴出。阿恕如同瘋了一般撲過來，四五個牙兵齊齊用橫刀朝阿恕身上砍去，鄢逸重新從地上拔起馬槊，就朝崔公子胸膛一挑，四周火光照得分明，但見崔公子右胸被他刺得鮮血淋漓。阿恕大喝著一躍而起，全身浴血，手中單刀脫手擲向鄢逸，鄢逸閃避之餘，槍尖一滑，深深扎入那崔公子的肩頭，直刺了個對穿，將他整個人挑起。阿恕此時撲上去，終於抱住崔公子，馬槊長杆「喀嚓」一聲斷裂，兩人旋即落入河水之中。

話說山上的李嶷射出那一箭之後，便又抽出一枝箭，搭在弦上，屏息凝神，對準山下的戰場。他這弓箭悉是特製，射程極遠，也唯有他這般臂力，方才能拉開此弓，從山上這麼遠放箭射殺河灘上的敵人。裴源看了看戰場，又看了看他，終於忍不住問：「你不是說不救的嗎？」

李嶷並不言語，只是又射出一箭，便又洞穿一名敵人。不過片刻，他一箭接一箭，居高臨下，將圍在那何校尉身邊的牙兵盡皆射死。一時之間，竟然在那何校尉周圍，撲倒著密密麻麻十來具屍首。餘下的牙兵盡皆大驚失色，不知道是何處放出的冷箭，但是這般箭無虛發，實在是駭人聽聞，而何校尉這才策馬轉身衝向崔公子，不想正看到鄢逸從地上拔起馬槊，將渾身是血的崔公子肩頭刺個了對穿。

她大叫一聲：「公子！」拚命撲過去，但搶救不及，眼睜睜看著阿恕抱住崔公子，兩人落入滔滔河水之中。

鄢逸見她一騎直衝過來，便獰笑一聲，接過牙兵遞上的馬槊，便朝她刺去。不想忽然一箭破空而來，直直穿透他的胸膛，他身子晃了一晃，立時落馬。本來那崔公子落水，定勝軍大敗已定，但鄢逸卻突然被冷箭射中，他身邊牙兵一時不知所措，愣了片刻方才轟然湧上去扶起鄢逸，卻見那箭枝穿胸而過，竟是刺破了心臟，而鄢逸已經氣絕身亡。

那邊山上，李嶷射出這一箭，方才收起長弓，翻身上馬，說道：「衝下去。」謝長耳不再遲疑，立時吹響號角，鎮西軍諸將士一躍而起，從山間奔襲而下。

鄢逸所率之軍本來大獲全勝，不料主帥突然被冷箭射死，兀自驚惶之餘，突聞山上喊殺聲震天，敵人奔襲而下，頓時再沒了戰意，回身便逃。鎮西軍皆是輕騎，又是居高臨下，衝鋒之時何其迅猛，幾乎是一瞬間便從山上衝到河灘之上。定勝軍本來極是疲累沮喪，又不知來者是敵是友，待看清是鎮西軍的旗幟，方又驚疑起來。

何校尉早已經筋疲力盡，傷處血湧不斷，此刻她撲在河邊，焦急萬分地看著河水，夜色中濁浪滔滔，哪裡還看得見什麼。她眼見崔公子被馬槊刺穿，渾身是血地落入河中，被湍急的河流沖走，心下明白，只怕他早無生還的希望，但又存了萬一的指望。她回首焦急地尋找，但河灘上並無可漂浮借力之物，她咬一咬牙，正待要躍入河水去尋救，忽然被人攔腰抱住。

鎮西軍追逐著鄢逸部下殺去，河灘上的火光熄滅了大半。夜色濃重，河灘上晦暗難明，她扭過頭來，看到抱住自己的人，果然是李嶷。那匹黑駒佇立在他身後不遠處，馬鞍旁掛著箭囊，裡面還有半囊羽箭；箭羽極長，正是適才射殺那些牙兵和鄢逸的箭枝。她心裡只有無窮無盡的憤怒，和無窮無盡的哀傷，他竟然早就來了，卻袖手旁觀。她聽到自己的聲音在顫抖：「李嶷，你好……好……」她氣得說不出後面的話，只想掙開他的手跳河去救人，但稍一用力，便覺得眼前一黑，就昏了過去。

第七章　七夕

一場雨後，池中白蓮開了，荷葉上滾動著晶瑩的水珠，潔白的花瓣在風中微微搖曳，碧水如綢亦如鏡。忽有一條紅鯉躍出水面，魚唇翕合，也不知是在吃那水面的孑孓，還是想吃那錯落正開的蓮花，「啪」一聲又重新落入水中，泛起層層漣漪。

池畔萬杆翠竹，掩映著幾楹小小的精舍，精舍前卻又有竹廊迤邐，連著一間竹子搭成的精巧水榭，這水榭前白蓮開得最盛，挨挨擠擠，無數碧綠的荷葉，直將水面幾乎全遮住了。

水榭三面臨水，此時正當盛暑，三面長窗皆被支起，風帶著荷露清香吹入榭中，直吹得案上書頁信箋飛揚而起，嘩嘩亂響，更有幾張宣紙被風吹得落在地上。

桃子端著一碗湯藥從外間進來，見此情狀，便將藥碗放在案几上，將散落一地的宣紙都撿了起來。只見阿螢鬆鬆挽著髮髻，只披了一件素色薄羅衫，坐在水榭窗前，怔怔地看著那軒窗外的荷花。風吹得她鬢髮微動，身上的素衫也被吹得衣袂飄飄。她整個人消瘦了許多，纖腰早就不盈一握，如同窗外的白蓮一般，彷彿隨時能被風吹得凌波而去。

桃子嘆了口氣，捧著湯藥上前。「校尉，吃藥了。」

她形容懶懶的，連頭也沒回，只是道：「放在那裡吧，我過會兒就吃。」

「已經不燙了。」桃子勸道，「現在就喝吧，等喝完了藥，吃顆松子糖好不好？」

「哪裡來的松子糖？」

桃子被她這麼一問，不由噎了一噎，過了片刻方才低聲道：「是秦王送來的。」

黑水灘定勝軍大敗，崔公子落水，生死不明。阿螢受了重傷，被李嶷帶回軍中，幾經救治才蘇醒過來。李嶷將她安置在這洛陽城外的太清宮養傷，桃子在黑水灘亂戰中被衝散，受了些傷，幸得被鎮西軍救起，亦送到太清宮來。

隨後李嶷於洛陽城外大敗段兗，率鎮西軍接管了東都洛陽，此後更是連戰連勝。孫靖數遣大將，最後又親率大軍圍攻洛陽，卻是大敗而遁，退回西長京，再也無力與李嶷交戰了。

遠在蔡州的李桴見如此情狀，喜出望外，急急下旨給李嶷，令他率大軍返蔡州迎駕。李嶷懶得理睬，李桴卻按捺不住，帶了李峻與李崍，直奔洛陽而來。等到了洛陽城中，李桴雖然已經稱帝，卻又嫌彼時在蔡州城中事從權宜，萬般草率，今返東都洛陽，何等揚眉吐氣，於是大張旗鼓，鄭重其事地辦了登基大典，大封有功之臣，並封長子李峻為信王，次子李崍為齊王。二子均已封王，李嶷卻遲遲未封，忽不知從何處傳出風聲來，說李嶷立下不世功勳，天子乃是打算封李嶷為秦王。

自登基大典後，東都這朝廷已經頗具氣象，文武官員聽聞秦王兩個字，無不動容，蓋因太宗皇帝為皇子時，曾被封為秦王，因此大裕諸王之中，以秦王最為貴重。自太宗以後，國朝百年，再無人被敕封秦王。如今李嶷匡扶社稷，挽狂瀾於既倒，細忖之下，似乎眞當得封一個秦王。因此這說法越傳越烈，甚至已經傳到李嶷本人的耳中，他本欲推脫，奈何只不過是傳言罷了，他本就無心於虛名，此番更覺大可不必；若是置之不理偏又不妥，因此藉著與同僚閒話，說起封王之事，直言自己領兵多年，唯願天下太平，若得王爵，願作安王。不想過了數日，不知是從何處又傳出謠言來，說李嶷功高蓋世，既然不願意做秦王，八成是想做太子，甚至，只怕是想廢了天子自立爲帝。旁人倒也罷了，唯有行宮之中的天子李桴，聽了這些讒言，十分猜忌，徑直下旨，要封李嶷做秦王。中書省見了這般突如其來的中旨，自然本能地要商議一二，皆道秦王之爵太過貴重，須得愼之又愼，且李嶷又明言推辭過。此時李嶷已經進退兩難，若是奉旨，便顯得驕矜，自己願作安王之語言猶在耳；若是不奉旨，更陷入誅心之論——連秦王都不願意做，莫非眞的想做太子嗎？

朝中因此物議沸騰，鎭西軍中諸將們皆有不忿，言稱十七郎連戰連勝，孫靖被逼得逃回西長京，眼見孫賊大勢已去，收復西長京，奉天子還都，光復大裕王朝，指日可待。十七郎有鼎立天下之功，便封一個王爵，還要遭此猜忌，莫非過河拆橋，朝中存意抹殺諸將功勳？

因此人心浮動。

李嶷乃是臨陣之帥，當機立斷，立時就接受了敕封秦王之旨。從此，他便被朝中軍中，皆稱一聲秦王殿下了。

說起來，城外戰事與朝中關於封秦王的議論，於養傷的阿螢與桃子而言，皆是恍若未知。她們在太清宮已經靜養了月餘辰光，夏日悠長，這太清宮中又遍植修竹，處處荷露清香，便如世外仙境一般。

桃子的傷已經好了，阿螢的傷勢，卻是好一陣，壞一陣，纏綿至今，又因爲不思飲食，內裡虛耗得厲害。桃子每每替她號脈，便要著急，但她縱然憂心如焚，阿螢這傷勢卻是絲毫不見起色。

此時見桃子說是李嶷派人送來的松子糖，阿螢便道：「我不吃，妳扔了去。」桃子無奈，只得道：「說起來，秦王還算用心，十分仔細地遣了好些人，去河中尋找公子，一直搜尋到下游幾十里之處，直到前幾日，公子落水都已經一個月了，實實尋不到屍骨，這才作罷。」

她便冷笑道：「他這是不放心，怕公子還未死罷了。」

桃子嘆了口氣，道：「妳便要同他吵架，也先把藥喝了，等會兒再同他吵吧。」

孫靖敗回西長京，鎮西軍又藉機收復河西諸府，諸多軍事繁雜之下，李嶷每隔兩日，方才能特意騰出幾個時辰，出城到太清宮來。

算起來，今日便又是李嶷會來的日子，所以桃子才這樣說。只是李嶷每次來，皆吃了閉門羹。但他也不氣餒，縱然每次皆見不著她，卻還每隔兩日，仍往太清宮中來。

桃子見她不語，便又道：「這太清宮裡裡外外，被圍得鐵桶一般，都是鎮西軍的精銳。節度使遠在淮左，得知了公子之事，必然憂心如焚，咱們又被李嶷困在此處，消息隔絕。節度使不知咱們的音訊，只怕更加憂慮。李嶷確實討厭，但妳總是不見他，咱們也想不出法子，那被關在這裡，要關到什麼時候呢？」

她聽了桃子這番話，終於點了點頭，說道：「把藥拿來我吃了。」

桃子連忙遞上湯藥，她一口氣喝下，卻是苦得如嚥黃連，嗆得滿嗓子都是苦的，桃子又遞上一顆松子糖，她接過松子糖，隨手就擲到了窗外蓮池之中。看著那些蓮花出了片刻的神，方才道：「確實須得好好想想，如何脫身。」

李嶷此刻正在煩惱，因為崔倚遣出的中郎將宋殊，已經是第二次來到洛陽城中。宋殊禮儀周全地拜見了秦王殿下，卻口口聲聲索要黑水灘戰敗的定勝軍餘部。

李嶷道：「不是已經盡數給予糧草、補給、馬匹，並遣人護送至壽州了嗎？」

那宋殊跟著崔倚數十載，雖只是中郎將的職銜，實則乃是崔倚的帳中庶務的第一把好手，亦是崔倚最為倚重的心腹，何其精明厲害，當下只是慢條斯理地拱手朝李嶷行了一禮，方才道：「殿下給予照應，定勝軍上下，莫不感激莫名。」卻又從袖中取出一物，竟然是一份厚厚的名冊，上頭密密麻麻，每個名字之側皆做了不同記號。那宋殊將名冊呈上，卻說道：「殿下請看，這是黑水灘那夜，定勝軍參戰諸人的名冊，名字旁用朱砂為記的，是為殞亡的將士；名字旁用墨水畫圈的，乃是殿下遣人送還的將士；名字旁用墨水劃一橫的，乃是失散自歸的將士，餘下未做任何記號之人，還請殿下予以送還。」

李嶷凝神細看，只見那名冊頭一個便是崔琳，已經用朱砂畫了一道，可見過了這月餘。崔倚心痛之餘，終於不得不承認獨子凶多吉少，難以生還了。他草草翻過名冊，早就看到桃子與校尉何氏的名字旁，皆是空白。

他便佯作不知，說道：「宋將軍亦是知戰之人，夜間亂戰，便有許多人墮入河中，搜尋不見，亦生死不知，這些人我如何知曉下落，又如何能以送還？」

那宋殊不徐不疾，點了點頭，說道：「殿下說得有理，但校尉何氏，乃公子親信，軍中上下人等盡皆熟識。當晚有我定勝軍將士，不下數十人，曾親眼看著秦王殿下親自將何氏抱上馬帶走了，還請殿下放還何氏。」頓了一頓，卻又道，「公子重傷墮河，節度使急得知噩耗當時急痛攻心就吐血了。這何氏乃公子最親信之人，節度使只想親自問一問何氏，公子如何遇險，彼時又是何等情形。」他說到此處，不禁語帶哽咽之聲，「殿下，節度使只此一子，老來喪子，哀慟莫名，只想親口問一問公子身邊親信之人，當時的種種情形，還望殿下體恤爲人父母的一片癡心罷了。」言訖，恭恭敬敬，跪下來朝李嶷行了一個最爲端正的叩拜之禮。軍中從來部屬哪怕見到主帥，也不過叉手罷了，此刻叩拜，那明明就是在行最鄭重的國禮，拜見朝中親王，也不過如此。這個宋殊，綿裡藏針，滴水不漏，甚是棘手。

李嶷被逼無奈，只得朝裴源使了個眼色。裴源見狀，連忙上前扶起宋殊，溫言相尉，又口口聲聲道，何氏雖得鎮西軍相救，但早已經傷癒自行離開，現在亦不知其下落。宋殊卻仍舊語氣恭敬，說道：「小裴將軍，你既然如此說，我不敢不信，卻也不敢以此等話回稟節度使。」不卑不亢就將這話擋了回去。裴源無奈，只得又哄又勸，好容易將那宋殊勸得答應先在洛陽城中暫歇，等著鎮西軍再遣人尋找何氏下落。

等將宋殊送出簷下，裴源回轉來，便勸李嶷道：「崔倚既然如此索要，便將那何校尉還給他又如何？他剛失了獨子，正當震怒悲慟，又親自牽了大軍渡過淮河，往西來了，所謂哀兵必勝，便讓他與孫靖接戰去吧，咱們沒必要為了一個定勝軍中的校尉，如此觸怒他。」

見李嶷不語，裴源忍了又忍，終究還是沒忍住，說道：「十七郎，這些時日，我也看出來了，你就是心悅那個何氏，但此事不可行。你既身繫平叛重任，如今天下危局漸緩，勤王之師收復大半河山，將來若是奉御駕還京，你的王妃，必是由陛下賜婚，擇京中名門閨秀。漫說將來如何，哪怕就是現在，你也不可能娶崔家的侍女為妻，就算側室，也不可能納一個崔家侍女。既然如此，不如早做了斷，便將她送還給崔倚吧。」

李嶷沉默不語，過了良久，方才道：「婚姻之事，言之尚早。」

裴源萬般無奈，只得長長嘆了口氣，覺得腦瓜子嗡嗡地響，愁得不行。

待到黃昏時分，李嶷才忙完諸項雜事，換了身利索的衣服，去馬廄牽了馬，便準備出城去太清宮。剛解開小黑的韁繩，忽然就見謝長耳快步走來，期期艾艾地問道：「十七郎，你是去太清宮嗎？」

他點了點頭，謝長耳充滿期冀地看著他，問：「那十七郎，我能跟你一起去太清宮嗎？」

他點了點頭，謝長耳大喜過望，忙牽了一匹馬，兩人一起馳馬出城。

暮色漸起，兩人策馬疾馳，夏夜的風吹得兩人衣袖如帆，鼓鼓的風鑽進衣襟裡，甚是清涼，令人塵汗為之一滌。李嶷問謝長耳：「桃子跟你說什麼了？」

謝長耳十分沮喪，說道：「她罵我沒良心，又說我見死不救。我說我雖然是在山上，也看到他們定勝軍要敗了，處境危險，可是不奉軍令，那是絕不能擅自行動的。我們鎮西軍的軍令，令出必行……她氣得又罵了我半個時辰。她怎麼那麼會罵人，每一句都不帶重樣的……然後她說她這輩子都不理我了。」

李嶷一時失笑，只不過那抹笑意卻轉瞬即逝。他心中悵然，心想：桃子還罵了謝長耳半個時辰，可是阿螢卻一句話都沒跟我說。

不僅一句話沒說過，甚至在她醒來之後，她就不願意再見到他，也因此他才將她送到太清宮去養傷，一來那裡甚是幽僻，適合靜養；二來自然是希望她能記得彼時太清宮中種種情形，能對自己有一二分顧念之情。但即便是太清宮，也絲毫未能打動她，她不僅飲食大減，傷勢也纏綿未癒，而且，每次都不肯見他。

謝長耳見他兀自出神，忽道：「十七郎，若是桃子真的不理我了，那我比死了還難過，所以今天我一定要去找她說話，我得把話跟她說明白了。她要是生氣，就捅我兩刀出氣也是行的，但是一輩子不理我，我可實在是，實在是……」講到此處，忽然又垂頭喪氣起來。

李嶷道：「她不會一輩子不理你的。」又安慰他道，「桃子姑娘其實挺心軟的，你叫她捅你兩刀出氣，她八成就眞的不生氣了。」

謝長耳說道：「我也是這麼想的，她心軟人又好，定然不會眞的生氣的。」又道，「等她不生氣了，我一定讓她去勸勸何校尉，她說何校尉不想吃藥，也不怎麼吃飯，身子越來越差，這傷勢總也好不了。她一提到這事，眉毛就皺得緊緊的，可發愁了。」

李嶷不語，過了片刻，謝長耳才後知後覺自己好像說錯了話，只得笨嘴拙舌地勸慰李嶷：「十七郎，你總來太清宮，也知道何校尉其實是慢慢好起來了，就是好得慢一些罷了，等見了桃子，我一定讓她去勸，眞的。」

李嶷不過一笑罷了，待到了太清宮，謝長耳問明白桃子在廚房，忙忙就奔廚房去了，李嶷微一躊躇，還是沿著竹林間的小徑，一直走到池邊，轉過一個彎，只見那幾楹精舍就在眼前。

明月初生，照得池中碧葉如洗，菡萏微闔，月色下，池塘中似飄著一層淡淡的白色霧氣，池中蛙聲陣陣，甚是聒噪。他沿著竹廊走到水榭前，見門縫窗隙間透出暈黃的燈光，忽又猶豫。

風吹過竹林，竹葉沙沙輕響，池中群蛙突然靜默下來，撲通一聲，不知道是有蛙兒躍起，還是有大魚擺尾，水面風荷搖曳，翠蓋如傘。

李嶷看了看簷角，騰身躍起，腳在欄杆上一點，伸手便攀到了簷上，然後倒掛金鉤，往窗隙中望去。只見水榭內案几上紅燭暈暈，靠臨水窗下放著一張竹榻，阿螢和衣側臥在竹榻上，臉朝著內側，從這簷下窗隙間只能看見她的背影。她穿了一件素色的薄羅衫，確實看著又比三日前更瘦了。她本來就肌膚勝雪，此時臥在竹窗下，更像是冬天竹林下淺淺的一痕雪，只怕呵口氣就會消融殆盡。

他十分不忍心再看，無聲地從簷上翻落，悄悄推開門，心道她若是未睡，只怕自己踏進房內，走得近了，她終會知覺，那她必然會轉過頭來看自己一眼；若是真睡著了，那自己也能好好看她一眼。於是落足無聲，慢慢朝竹榻行去。

一直走到竹榻前，才知道她是真的睡著了，於是他屏住呼吸，小心地探頭看了她一眼。她雙目雖闔，但顯然睡得不甚安穩，眼珠在微微轉動，睫毛也在輕輕顫動，他怕驚醒了她，小心地不敢再有所舉動。忽然，她呼吸急促，似是被夢魇住了，眉頭也緊緊皺了起來，聽似在掙脫什麼一般，哽咽著喊了一聲，卻是含糊不清。他正猶豫間，她又哽咽著喊了一聲，這次他聽得真切，是在叫自己十七郎，情不自禁就上前摟住她，低聲溫言道：「阿螢，我在這裡。」

她從夢魘裡掙脫出來，剛剛醒來，人還是恍惚的，也許因爲重傷久久不癒，精神不濟，眼睛微微抬起，朦朧地看了他一眼。她瘦了許多，整個人倚在他的胳膊上，輕得像一隻鳥兒一般，她似乎還沒有真的醒過來，所以甚是依戀他。「你到哪裡去了？」

他就勢坐下，將她攬進懷裡，如哄孩童一般輕輕拍著她的背。

「我哪兒也沒去，就在這裡。」

衣袖上有微微的涼意，也不知道是不是她哭了。她是一個從來都不哭的人啊，傷得那樣重，救治的時候，醫士幾次三番地說，只怕不好；將她手臂上的箭頭剜出來的時候，是他抱著她，一定痛極了，因爲她把嘴唇都咬出血了，但是一滴眼淚都沒有掉。

他頓時覺得心裡某個角落都慢慢地坍掉了，像是水銀一般，無孔不入，有什麼東西正在滾動。過了良久，她終於眞的醒了，也明白過來了，卻是狠狠推開他，轉身又面朝裡躺下了，看也不曾再看他一眼。

他心下酸楚，過了片刻，終於說出一句連自己都覺得再傻不過的話來：「阿螢，妳若是生氣，要不捅我兩刀出氣？」

只是妳別這樣不睬我啊。

可是後面這半句話，便似一塊滾燙的木炭一般，哽在他的喉嚨裡，既說不出來，也嚥不下去。

人人皆道他聰穎，從來裴獻視他比親生之子還要期許，裴源自不用說了，除了偶爾嘴碎，其實心裡是膺服他的。至於鎭西軍上下，又哪個不敬佩他。這敬佩並不是因爲他是什麼皇孫皇子，更不是因爲他是主帥，是因爲他率著眾人，一仗一仗打出來的。眾人皆道他極擅謀略，又知兵法，陷殺庾燎，雀鼠谷口射殺段甄，破段兗十萬大軍，名動天下，然而誰也不知道，他還有這般手足無措的時候。

她倔強地不肯理他，過了良久，他嘆了口氣，俯身攬住她的肩。

「阿螢，妳不要再生氣了……」

她頭也沒回，只是冷聲道：「撒手。」

她雖然聲音極冷，但聽在他耳中，便如玉語綸音一般，他笑道：「阿螢，妳肯跟我說話啦？」她見他不肯撒手，纖指一翻，指間夾著數枚細針便向他手掌刺去。他手掌一翻，曲指一彈，正彈在她腕上，那些細針便脫手飛出，釘在板壁上。她一擊不中，翻身而起，以肘撞向他，兩人迅速過了七八招。她本來就傷勢未癒，氣力不濟，李嶷不過是陪著她玩罷了，到最後還假裝被她一腳踹中，倒在榻上，滿面痛楚之色，連聲直叫哎喲。她怒目以示，轉身便要離去，他連忙抓住她的胳膊，只微一用力，便將她攬入懷中，兩人一起滾落榻上。她氣得極了，拳腳也沒了章法，亂踢亂打了片刻，終於被他捉住手，困在身下。他本來俯身想吻她，但看她眼睛狠狠瞪著自己，眼眶微紅，鼻尖微皺，眞的快要哭出來的樣子，到底不敢造次，嘆了口氣，鬆手放開她。她立刻躲到榻角，抱住膝蓋，縮成小小的一團，彷彿他是什麼洪水猛獸一般。他垂頭喪氣了片刻，說道：「阿螢，我走了，妳好生歇著吧。」

他怏怏地離去，過了好久之後，她才抬起頭來，只見案上那枝紅燭已經燃去了大半，光暈灩灩，燭淚滾落凝結，便如珊瑚一般，掛在燭台之上。長風寂寂，靜得似乎能聽見榭外池中，荷葉上露水滾落的聲音。她不禁也嘆了口氣，心中煩惱無限，將下巴重新擱在膝上，怔怔地出神。

從這一日起，李嶷便總是送花來，有時候是茉莉，有時候是晚香玉，有時候是不知道什麼野花，香噴噴的甚是好聞，也並不假於人手，總是他親自送來，就放在水榭門外的石階上，她每次看到了，就叫桃子扔了去。

桃子卻帶來了一個好消息，她軟磨硬泡，終於讓謝長耳去說服了李嶷，讓她進城去抓藥。

「我說校尉妳的傷勢要緊，秦王就答應了。」桃子眼神中有異樣的神彩，「爲了瞞過他們，我就去了好幾家藥舖，其中有一家，原是咱們埋在洛陽的暗樁，到底讓我知道了，節度使已經遣人來到洛陽，而且是宋郎將，他還住在城中不肯走，想逼李嶷交出咱們。」

她點了點頭，桃子又問：「校尉，妳想出法子沒有，咱們到底怎麼脫身？」

「硬來肯定是不行的。」她淡淡地道，「李嶷雖然不在，但這太清宮裡裡外外，看守森嚴，用的泰半都是李嶷親信的宿衛，可以以一當十。放火，強攻，聲東擊西，明修棧道，暗度陳倉，這些伎倆在他面前，都不管用。」

桃子不由急了。「那怎麼辦？」

「我已經想出法子了。」她仍舊淡淡的，「就是不能急，只能慢慢鋪陳——要騙得他放鬆警覺，就不能急。而且宋殊在城裡，李嶷會分外警惕。宋殊行事雖然素來周全，但久耽城中，只怕會露出什麼破綻來，令李嶷生疑，到時候就更難脫身了。想法子告訴宋殊，讓他先回去。」

桃子高興地點了點頭。

宋殊數次求見李巖不得，連番催問何校尉等人的下落，皆被裴源好言好語搪塞，在洛陽又耽擱了幾天，眼見無望，只得沮喪辭別。

宋殊一走，裴源不由都鬆了口氣。畢竟宋殊在洛陽城裡，每日都堵著他小裴將軍，宋殊又是個言辭厲害、十分難纏的人，只拉著小裴將軍，說起裴獻與崔倚的數十載故舊之情，口口聲聲請小裴將軍體恤成全。可憐裴源，哪裡見識過這種水磨功夫，軟不得硬不得。對方年紀比自己大，資歷比自己深，再說崔倚與裴獻在廿載前，那眞是過命的交情，雖說後來各自領兵，一東一西，相隔幾近萬里，但這故舊之情，卻是實實在在。宋殊用這個拿捏他，他也眞是一時愧然，毫無辦法。也因此等宋殊一走，裴源再忍不住，對老鮑抱怨道：「十七郎素來爽快，怎麼就在何校尉這件事情上，提不起放不下！」

老鮑昂著腦袋想了一想，遞給他一塊剛烤好的羊肉，說道：「那是因爲，你還沒遇見讓你提不起放不下的那個人。」他自己又拿刀割了一塊剛烤好的羊肉，塞進嘴裡，說道，「其實這世上，最可怕的不是什麼敵人，而是女人。你想想，哪怕千軍萬馬，什麼時候讓十七郎皺過眉毛，但是那個何校尉就可以讓他牽腸掛肚。所以你啊，我勸你也要想明白，一物降一物，十七郎就被降服了，這是沒法子的事。」

「胡扯。」裴源又氣又好笑。要說貌美，那何氏確實貌美，但大丈夫何患無妻，憑他什麼傾國傾城的佳人，如何能與勤王大業比，如何能與江山社稷比？反正說何氏降服了李嶷，裴源絕不能信。

老鮑吃著香噴噴的羊肉，見他一臉難以置信，便搖了搖頭，說道：「你別不信，咱們騎驢看唱本，走著瞧。」

裴源憂心忡忡，頓時連羊肉都吃不下去了，比宋殊未走之時，更加坐立難安。「十七郎呢？他不是最愛吃你烤的羊肉，怎麼不見他？」

老鮑吃得滿嘴油光，說道：「他還能去哪兒，當然是去太清宮了。」

裴源聞言，眞如同霜打的茄子一樣，坐在那裡垂頭喪氣。

李嶷確實是在太清宮，不過他心情是有幾分愉悅的，因爲桃子性子爽利，謝長耳又老實，老實人反倒不吃虧，他老老實實讓桃子拳打腳踢了一頓之後，桃子就不再生氣了，還跟謝長耳說，何校尉一直胃口不好，她素來喜歡喝魚湯，讓謝長耳去弄幾條新鮮的魚來。

謝長耳差點老實到自己去集市上買，多虧李嶷素來精細，總要問一問桃子跟他說過什麼。一聽這話，馬上自己去河邊弄了幾條魚，用柳條串著，活蹦亂跳地送到桃子手裡。

李嶷叮囑她：「妳別說這魚是我拿來的。」

「我知道。」桃子素來嘴快，又說，「你別送那個黃色的花來了，校尉聞了起疹子。」

李嶷卻挺高興的。「她聞了起疹子？那她沒把花扔了？」

桃子似乎有點後悔說漏了嘴，說：「你別說是我說的啊。其實那個茉莉挺好的，你不知道水邊有一種小蚊子，連我配的驅蚊蟲的藥粉都沒有用，一咬就一個疙瘩，可癢了，若是不留意再一撓，就紅腫一片，敷了藥都要好幾天才能消。後來我把你送來的茉莉拿進屋子裡，就沒有蚊子了，她被蚊子咬得實在是受不了了，就再沒扔你的花。」

他點了點頭，說：「回頭我多送些茉莉來。」又很鄭重地說，「多謝桃子姑娘。」

桃子撇了撇嘴，說：「你別以為我是在幫你，我是看著她可難受了，你把我們關在這裡，跟把鳥兒關在籠子裡有什麼區別，再關下去，她這傷可真好不了了。」

李嶷出神片刻，方才道：「我知道了。」

風吹過竹林，竹葉蕭蕭，竹蔭底下放了一張軟榻，阿螢躺在榻上，閉著眼睛，似乎是睡著了，手裡本握著的一卷書，漸漸低垂，過得片刻，她手指微鬆，那卷書眼看就要落在地上，卻被李嶷悄無聲息，伸手接住了。

午後風涼，最是宜眠，她睡得很淺，眉頭微微皺著，似是夢見了什麼。

清風徐徐，有幾片竹葉飄落在她的衣上，還有幾片落在了榻上，她翻了一個身，以袖遮面，似又輾轉睡去。

一個竹蜻蜓，慢慢旋轉著從天而降，輕巧地落在她的衣襟上，這些微的觸感也驚醒了她。她睜開眼睛，慢慢起身，伸指拈住了那枚竹蜻蜓，神色恍惚。另一隻竹蜻蜓又從她身側的半空中緩緩降落。她這才抬頭看了一眼，無數個竹蜻蜓正緩緩從天而降，如夢似幻，彷彿下著一場青雨。

她伸出一隻手，接住了一隻竹蜻蜓，忽見李嶷站在不遠處，正在輾動竹蜻蜓的竹柄，一隻又一隻的竹蜻蜓被他旋上天空，又旋轉著緩緩而降。

她賭氣將手裡的竹蜻蜓扔在地上，翻身重新躺下。

李嶷將那些竹蜻蜓都施放完了，這才走過來，坐在榻上，問她：「妳這輩子，都打算不理我了？」

她頭也沒回，冷冷地道：「秦王殿下多慮了，我的喜怒哀樂，對殿下而言，何其微渺。想要給秦王殿下獻殷勤的人多了去了，殿下何必在意我。」

他似有幾分沮喪。「口口聲聲叫我秦王殿下，妳就不肯再叫我一聲十七郎？」

她不再多言，翻身起來，趿了鞋便要走，李嶷扯住她的衣袖，笑道：「妳別走啊，我看看妳胳膊上的傷怎麼樣了。」她反手用力，想將自己衣袖從李嶷指間扯出來，但李嶷指上用力，兩人僵持片刻。她似是負氣，終於鬆手不再與他拉扯，只是背對著他重新坐在榻上。

他卻沒鬆手，從那闊大的袖子裡瞥了一眼她雪白的手臂，只一眼便看清長長的傷口早已經結痂，露出新生粉色的肉，雖然沒有留疤痕，但那傷處比周遭肌膚都要紅上許多，他只覺得心痛，不由問：「很疼吧。」

她仍舊沒有答話，想起那晚河灘上的廝殺，火光簇簇，敵人的身影早就已經縹緲，她只覺得心中一陣陣難過，也不知道是在恨他袖手旁觀，還是在恨自己到底未能救得公子。

又過了片刻，才聽見他低聲道：「阿螢，是我錯了，我早該帶人衝下去，妳就不會受這些傷了。」

她負氣地扭過頭，說道：「當不起殿下這般關切，殿下雖然袖手旁觀，但最後還是救了我一命，是我不識好歹罷了。」

過了良久，他才苦笑一聲，說道：「阿螢，妳知道這麼說，讓我心裡難過。」

她點了點頭，說道：「我比不上殿下，殿下眞的知道，怎麼讓我難過。公子確實是沒有遵守盟約，可也罪不至死。殿下算計得甚是精刮，是，定勝軍背盟在先，但殿下明知鄢逸設伏，卻悄無聲息守在山上，殿下是想等出個結果吧。若是鄢逸得勝，公子身死，殿下自然不用髒了手，正中殿下下懷；若是鄢逸敗了，公子是打算親自射殺公子嗎？」說完，她幽深的眼睛注視著他。「殿下特意製了那樣長的箭，也只有你，可以從那麼遠的地方，射得那麼準，你早就想好了，定要取公子性命。」

他嘆了口氣，想要解釋那些特製的長箭原本是用在雀鼠谷口的，但一轉念心想她如此聰穎，既聽聞過雀鼠谷之戰，想必早就知道那些特製箭枝的用處，既然如此，她再說出這番話來，也不過就是惱恨之餘，故意負氣罷了，於是問道：「阿螢，妳就是因爲妳家公子，所以才這麼恨我嗎？」

「是，」她十分爽快地承認，「我與公子自幼一同長大，公子救過我的性命，可以說，如果沒有公子，就沒有我。」她語氣中滿是愧疚與遺憾，「公子待我，恩重如山，你卻……你卻……」說到此處，她聲音哽咽，眼中似有淚光一閃，終於還是轉過臉去。

他終於問：「那天晚上，我問妳肯不肯嫁給我，妳卻敷衍過去了，阿螢，妳不想嫁給我，就是因爲他嗎？」

她並不作聲。明明並非如此，但她卻不願意在此刻解釋這般誤會，因此過了片刻之後，方才道：「是的。」

他似乎被噎了一噎，又過了片刻，方才道：「他一直傾心於妳，而妳也一直都知道他的心意。」

他實在是太聰明了，不過是短短數面，就能看出公子的心思。她點了點頭，仍舊十分坦然：「是。」

他的心中泛起一縷酸澀。「阿螢，所以妳才這麼生氣。」

「你不知道，我和公子從小一起長大。」她的聲音，慢慢變得低落。

那日公子重傷落水，她自知並無多少生機，心裡卻存了萬一的希望。然而這麼多天過去，不論是李嶷派出的人馬，還是定勝軍拚命搜救，都沒有尋到半分公子的蹤跡。

那河水本就湍急，夏日幾場暴雨山洪，竟是將一場大戰的痕跡沖刷得乾乾淨淨。據世代住在河畔、熟悉水汛的老人說，若是落了水，人難活命，且只怕要沖出十餘里，到下游水勢平緩的地方，屍首方才會浮起來。李嶷亦派了不少人手在下游尋找，也找到一些當晚落水的定勝軍士卒的屍首，只是面目全非，難以分辨身分，更兼天氣暑熱，只得匆匆掩埋。

她知道公子大概是眞的絕無生還之理，所以才這般傷心。

「我才五六歲的時候，就到了公子身邊。沒過久，公子突然中了揭碩人的毒。那種毒甚是厲害，我眼睜睜看著，公子本來好好的，十分康健，卻突然就形容枯槁，整個人瘦得像豆芽一般。他大口大口地吐血，節度使找了好多良醫來，又派人四處搜羅了好多珍稀藥材，才勉強救得公子一命。可是從此公子的身子就不好了，留下了宿疾，每逢秋冬之日便會發作，發作的時候痛苦萬分，只能吃以毒攻毒的藥來壓制。」她的聲音越來越低，越來越輕，「可是如果不是因爲我，公子不會中毒的。如果不是因爲我嘴饞，公子就不會拿那盒糕餅，也不會吃那塊糕餅，他就不會中毒，他就還是個健康安泰的人……」她喃喃道，「這是我一生的罪過……但是公子從來不放在心上，他總是勸慰我說……揭碩人是想毒死崔倚的兒子，又不是想毒死我這個小丫鬟，可是我……可是我心裡難過……」她低下頭，又過了片刻，才說道，「後來，他再長得大些，節度使開始教他騎射，公子學得十分刻苦，總是沒日沒夜地練啊練啊，可是他的身子羸弱，有好幾次，都累得吐血了，郎中再三地勸說……每次連節度使都不忍心了，想讓他不再練了，他卻說，我是崔倚的兒子，揭碩人，乃至全天下的人都看著，我不能令阿爹丟臉，不能不配做阿爹的兒子……公子活得太苦了，沒有人知道他有多麼辛苦，只有我知道……」

她的聲音到最後，已經像風中的搖曳的竹影一樣，破碎而飄忽。「公子於我，是非常重要的人。沒有公子，就沒有阿螢，殿下若想讓我將公子視若等閒，若想讓我忘懷公子之死，是因爲你袖手旁觀之故，那是不能夠的。」說到最後，她的聲音卻堅定而清晰起來，「你問我是不是因爲公子之死而恨你，是的，我就是因爲他恨你。」

他不禁有幾分沮喪，過了片刻，方才問：「阿螢，那妳從此後就不再喜歡我了嗎？」

她不由怔了一怔。

不等她再說話，他忽然又說：「不論妳因爲妳家公子，是不是從此不再喜歡我了，我都還是會喜歡妳。哪怕妳眞的說不喜歡我了，我也是不會信的。」

她不由又怔了怔，他說道：「妳不要騙妳自己，也不用來騙我，人是騙不了自己的。第一次見到妳，妳就把我踹到井裡去了，那時候我就想，好凶狠狡詐的人，下次一定也要把妳踹到井裡去。可是後來見著妳，明明可以對妳下狠手，心裡卻有些猶豫，我也不知道爲什麼。」

她嘴唇微微一動，想說話又忍住了。

他說道：「那天就在這太清宮，和妳打賭，結果我輸了洛陽。可是我心裡卻說不出地高興，因爲終於知道了，其實妳也是喜歡我的。從那一刻我就知道，將來不論遇到什麼事，我不會不喜歡妳，妳也不會不再喜歡我，我們兩個，其實是一樣的人啊！阿螢，不論妳是什麼人，什麼身分，妳是小丫鬟，我喜歡妳；妳和別人青梅竹馬一起長大，我還是喜歡妳。妳不用想著拿話騙我，因爲我知道妳會一直喜歡我的，不論我是不是秦王，是不是什麼殿下，哪怕我只是一個農夫，是個吃不飽飯的窮小子，妳還是會喜歡我的，就像我喜歡妳一樣。」

她一時竟然無法否認，因爲他說的都是眞的。她沒有辦法騙自己，正如她沒有辦法騙他，他就是懂得她的啊，就像她能懂得他一樣。

風吹過，又有數片竹葉飄零落下，地上全是散落的竹蜻蜓。

他說：「阿螢，我年歲還幼的時候，乳母哄我說，如果有什麼心願，便放一個竹蜻蜓，等到竹蜻蜓落地的時候，心願自能實現。」

他看了看那些竹蜻蜓，因著風的微微吹動，有的滾落到青苔中去了，有的被吹得滾到山石邊，但更多的竹蜻蜓，還是零零星星，就在地上。

「那時候我只想要我阿娘，旁人都有親娘，獨我沒有，所以我削了好幾個竹蜻蜓，爬到牆頭，一個接一個地往下放。可是等到放完了，卻知道，其實乳母是哄我的。那個心願，是放多少竹蜻蜓都沒有用的。」他的聲音之中，充滿了悵然。

她默然看著地上的那些竹蜻蜓，心裡早就明白，他到底想說什麼。他小時候有那麼多的遺憾，她又何嘗不是呢？

他道：「近日閒暇時，我就削了這些竹蜻蜓。人常說，傻事做過一次，便不會再做第二次。可是爲了妳，再傻的事情，我還是願意做的。阿螢，這些竹蜻蜓代表著我的心願，我的心願不是讓妳原諒我，而是妳別再這樣對待妳自己。妳心裡明明是喜歡我的，所以公子死了，妳才這麼難過。如果妳眞的是喜歡他的，妳早就一劍刺死我了，而不是像如今這般難過。他小時候對妳好，長大了又愛慕妳，可是妳不喜歡他，妳喜歡的人從始至終，都只有我。妳明明知道，妳不會因爲他死了，從此後就不再喜歡我了，所以妳才這麼愧疚，才這麼難過。妳每天不願意吃藥，不願意好好保養自己，妳在心裡怨恨的，其實不是我，妳只是怨恨妳自己喜歡我。」

她身子微微一顫，似乎被什麼擊中了一般。他扶著她的肩，說道：「憐憫和心悅，是兩回事，阿螢，妳不用因爲憐憫他，就必須喜歡他，愛慕他，這對妳來說，也是不公平的。」

她有些倉促地移開目光，似乎不敢直視他的雙眼，心中也不知道在想什麼，只是震憾於，原來他什麼都知道。耳中只聽他不徐不疾的聲音說道：「妳曾經跟我提起，當初崔倚說，成大事者，必經大悔恨。我做的決定，妳惱我恨我，我受著便是。我並不想置崔公子於死地，妳說得對，他罪不至死，我當時也確實猶豫了，並沒有立時衝下來救他，因爲我著實惱恨他害得裴獻大將軍陷入九死一生之地，更恨他害得裴湑傷殘，那是我視作兄長一般的同袍。妳要是問我，此事我後悔嗎？其實我也不知道，就像妳曾經說過的那樣，在我在山上冷眼旁觀戰事的時候，我便該當知道，我既做了這樣的事，便沒得悔恨之處。」他說道，「可是我心裡篤定，阿螢，哪怕我做了這樣的事，妳還是會喜歡我的，就像哪怕妳現在因爲這事惱恨我，捅我一刀，我也還是會喜歡妳的。」

他從腰間取出那柄匕首，遞到她的手中，說道：「妳想好了，如果要刺我，我絕不閃避。妳自幼受了崔公子的恩情，妳刺我一刀，就此報恩，這是公道應該的。」說完就看著她。她拿著那柄匕首，不知爲何，手指微微顫抖起來。他渾不在意看著她，不知過了多久，匕首無聲地滑落，掉在軟榻上。她臉色煞白，忽然轉身匆匆而去，像在逃離什麼似的。她本來穿著素色的薄紗衫子，裙袂被風吹得飄然，轉瞬就消失在翠竹之間。

他看著她的背影，又看著滿地的竹蜻蜓，風裡似乎還有她身上幽淡的香氣。他不禁長長嘆了口氣。

她匆匆而走，腳步匆忙，也不知道行了多久，這才發現自己原來走到了竹林深處，她終於停下腳步，過了片刻，才發現自己的雙手在微微發抖。四周是千萬杆翠竹，只有她，獨自佇立在竹海。從小到大，她很少有這般失態的時候，只是因爲他說得對，她惱恨的並不是別的，而是惱恨自己不論如何，都仍舊會喜歡他啊。

風吹過，竹海發出沙沙的聲音，她慢慢扶住了一杆修竹，抬眸望去，竹子筆直地生向高處。世人愛竹，因爲如君子，直而有節。她也曾經希望自己能如這竹子一般，有青雲之志。今日他這一番話說得甚是清楚明白，她心裡的糾結之意漸漸淡去。她對公子有萬千負疚之感，因爲……因爲從小到大，許許多多的緣故，但是確實如他所言，自己並不能因爲公子心悅自己，更不能因爲憐憫他，就必須喜歡他，愛慕他，別說蒙蔽不了自己，對死去的公子來說，也是極不公平的。

畢竟公子如同自己的兄長一般，他有自己的驕傲，她早就知道的。

她佇立在竹林中，想了很多，也想了很久，直到黃昏時分，這才慢慢走回精舍去。桃子正在發急，見她回來，不由得喜出望外。「校尉，妳到哪裡去了？我要去尋妳，秦王卻說不用，他說讓妳靜一靜，想一想，不要去打擾妳。」

她點了點頭，說道：「我確實想明白了。」

桃子是個率直的人，也不問她想明白了什麼，只喜滋滋地道：「那就好，校尉，妳常常跟我說，凡事都有法子解決，妳想明白了就行。」又絮絮叨叨，問她晚上吃什麼，她定了定神，說道：「晚上便吃魚丸吧。」

桃子見她有胃口想吃東西，又是一喜，說道：「那可好，秦王送來的魚，還有幾尾養在廚下水缸裡呢，我去做魚丸。」

桃子喜滋滋地去了廚下，李嶷還沒走，聽說她要吃魚丸，也不用桃子動手，自己淨手剖魚，捶打魚蓉，擠作丸子，用清水煮了一鍋魚丸，又另調了湯羹，下了魚丸煮沸，聞得清香撲鼻，並無腥氣，這才令桃子送去。

桃子見他這麼費勁巴拉做了魚丸，心裡都不禁不好意思起來，不由問：「你不自己送去嗎？」

李嶷想了想，卻搖頭道：「今日我就不送去了，待過些時日吧。」又額外叮囑桃子，「若是她想吃什麼，用什麼，妳告訴謝長耳就是了，我定讓他想法子送來。」

桃子聞言，點了點頭，自端了魚丸湯回精舍去，果然何校尉吃了一盅魚丸湯，喝藥的時候也一飲而盡，十分痛快。

桃子心下歡喜，說道：「校尉，妳想明白了，這可真好。」

她點了點頭，說道：「是的，咱們得盡快養好傷，然後從容地想一個脫身之計。」

桃子道：「我拿話套過謝長耳，他說這太清宮裡裡外外，總有兩千人，其中還有幾十個是李嶷親自調理出來的斥候，咱們要走，只怕不容易。」

阿螢點點頭，說道：「徐徐圖之，要緊的是徐徐二字，天時地利，謀得良機方可。」

桃子見她神氣恢復，不由得精神大振，說道：「校尉，我就知道妳定然有法子的。」

從這日起，她在吃藥治傷之事上，不再糾結耽擱，桃子又有謝長耳可供驅使，但凡桃子一開口，各種珍稀傷藥，滋補食材，皆如流水一般，由謝長耳送到太清宮中來。

如此又過了旬日，裴獻率諸將至東都，陛見天子。自皇帝登基後，裴獻忙於戰事，還從未至陛前面聖，又因爲裴獻忠勇，鎮西諸將功勳卓然，皇帝也格外重視，連日設宴，君臣宴飲，而秦王李嶷還兼著西北道行軍大總管，名義上乃是裴獻的頂頭上司，實則又在鎮西軍中多年，與裴氏父子熟稔無比，自然連日相陪，也因此，一連數日未得空能到太清宮中來。

這一日恰逢七夕，李嶷雖連日有事，卻著實惦記著。洛陽之前雖久陷戰火，但眼下戰事既定，孫靖大敗，天子於東都正式登基，駐蹕於此，更有鎮西軍於城外駐紮，城中民心早已安定。今逢光復後的第一個七夕，早由天子名義降下旨意，解了此日宵禁，九門大開。城裡城外有小兒女的人家，哪肯錯過這般熱鬧，不僅白日裡結伴去城外燒香許願，捉喜蛛以便結萬字，更有折花插鬢、製同心膾等等東都舊俗；黃昏時分更是張燈結綵，歡聲笑語，準備蔬果，預備月下乞巧。

李嶷陪著裴獻在宮中領宴，君臣盡歡，直到起更時分才散去，退出行宮。今日過節，九門不禁，仰頭見滿天星河燦爛，他便也不回住處，徑直騎馬出城，快馬加鞭，直奔太清宮而來。

等到了太清宮，謝長耳早就候在此處，一見他來，喜出望外，上前替他拉住了馬，又見他拎著一個食盒，便問：「十七郎，這是帶了什麼吃食來？」

李嶷不由微微一笑，因爲東都舊俗，七夕是要製同心膾的，今日宮中賜宴上亦有，他吃著覺得滋味頗佳，便私下命小黃門替自己裝了一屜，帶出宮來，但是一想到這膾肉名叫同心膾，卻也不便與謝長耳說了，只問道：「她們在何處？」

謝長耳果然沮喪道：「今晚說是要什麼乞巧，桃子與何校尉在臨水的閣子裡，不許我去打擾，說怕我驚了喜蛛呢。」

李嶷便不再多說什麼，拎著食盒，轉身朝後山池畔水榭而去。這水榭本就是竹子搭成的，更有一道九曲竹橋相連；水榭一側，卻有一方淩水的石台，那石台之上最宜玩月，設了有桌椅之物。果然他遠遠隔水便望見，石台之上點著疏疏兩三盞燈籠，照見燃著艾草，並插放著茉莉等驅蚊之物，又見那桌上鋪著錦布，上面放著幾盤瓜果。桌邊兩把竹椅，阿螢與桃子正拿著扇子，坐在桌邊，似有一搭沒一搭在說著閒話。一陣風來，吹得池水微漣，池中荷花已經漸漸開得敗了，高高低低長滿了碧綠的蓮蓬，結了許多蓮子。待他走得近了，繞過花障，隔水忽聽見似是桃子的聲音道：「妳還在生他的氣啊……」

他腳步不由一頓，便在花障架子後站定了，卻聽見她幽幽嘆了口氣，說道：「他其實說得對，我只是生氣我自己罷了……」她的聲音仍透著幾分懨懨，似是無精打采，但隔著夏夜的涼風，還有隱隱約約的蛙聲，聽得不甚眞切。他心裡卻是一甜。桃子不知又低聲說了兩句什麼，她似乎高興了一些，用手中的扇子，輕輕敲了桃子一記，桃子吐了吐舌頭，做了個鬼臉。他定了定神，踏上竹橋之後，卻有意加重了腳步，藉著天上星河朦朧的光亮，桃子一回頭就瞧見了，說道：「是殿下來了。」旋即起身相迎，接過他手裡的食盒。阿螢卻恍若未聞，只是搖著手中的白紈扇，看著池中錯落的一頃碧荷。

桃子將食盒放在桌上，看了看阿螢，又看了看李嶷，忽道：「我去再拿些艾草來，這裡蚊子太多了。」說完轉身便走了。

李嶷心中感激，心想日後一定多放謝長耳幾日休沐。

桃子腳步極快，三下兩下走過竹橋，轉過花障，想了想又藏身花障後，隔著薔薇的枝葉，向石台那處張望，只見李嶷已經在竹椅上坐下，卻是笑吟吟打開食盒。桃子兀自張望，不防身後突然來了一人，輕輕拍了拍她的肩，她不假思索，就要抽刀扎過去，方將刀子拔出來，回頭一看，原來正是謝長耳。他剛說了一個「妳」字，便被她捂住了嘴，扯著袖子，一直將他扯走了。

話說那石台之上，李嶷打開了食盒，若無其事將同心膾取出來，又拿了竹箸，遞給阿螢，說道：「今日的膾肉好吃，我記得妳愛吃這個，就拿了些來，給妳嘗嘗。」

她拿著扇子，似有若無地輕輕搖著，半遮著臉，倒有幾分閨閣小兒女之態，到底沒接那竹箸。他卻也不急不惱，就捏著箸嘗了一塊膾肉，說道：「這個配酒才好。」又從食盒裡頭，取出小小一壺五雲漿，笑道：「我給妳倒一盞？」忽又想起，說道，「妳傷勢未癒，還是別吃酒了。」

她終於搖了搖頭，說道：「一身酒氣，吃得醉醺醺，反到這裡來耍什麼酒瘋。」

他確實在宮宴時飲了幾杯，此刻便舉起自己的袍袖來，認真聞了聞，笑道：「是吃了些酒，但我自己聞不見什麼酒氣，說是醉醺醺，委實也算不上。」

他見她搖著扇子不肯搭理自己，便沒話找話，伸手去摸桌上放著的一只匣子，說道：「這是什麼……」

話音未落，卻只覺得手背一涼，原來是她用扇柄按住了他的手，冷冷地道：「這裡面是要暗殺你的毒藥。」

他便噗哧一笑，說道：「那還用得著那麼麻煩。」手指略一用力，匣蓋微啓，他便看清楚，匣中並無他物，乃是一隻極大的喜蛛，結得密密麻麻的蛛網。

此乃京中舊俗，七夕這晚，小娘子們定要捉喜蛛放在匣中結網，若是結得網密，便是巧多。他便笑道：「妳瞧，我就說妳這麼心靈手巧的人，必然是巧多的。」

她哼了一聲，並不理睬。

李嶷自斟自飲了片刻，水中忽然不知是風動，還是魚躍，風荷搖動，清露微響，她用扇子支著下巴，一時竟看得呆了，忽聽他低聲叫了一聲：「阿螢。」

她聽他這麼喚自己，起身便要離去，卻被他扯住了袖子，又喚了她一聲：「阿螢。」

她傷後衣服汙損不堪，暫居太清宮後，衣飾諸物皆是他派人送來的。這衣裳不知是不是從前行宮中預備的衣料，宮中奢靡，廣袖襦裙，夜間風涼，她外面又披著一層輕羅，被他扯住了，一時不得脫身。她心中惱恨，抬手便是一枚銀針朝他射去，他一偏頭躲過了，卻就勢伸手，將她攬入懷中，說道：「妳的傷還沒好利索，別跟我動手了。」

她心中氣惱，卻知道自己穿著這麼一身衣裳，不便與他真動手打鬥，但袖子既然被他扯住，走又走不脫，掙扎起來又不像樣子，一時自欺欺人地扭過頭去，賭氣不再看他。

過得片刻，卻見他終於嘆了一聲，撒開了手，卻回身在石台之側的桂樹上，摘了一片葉子，含在口中，低低地吹奏起來。

那桂樹的葉子，便如一片薄薄的簧片，竟然能被他吹出高低不同好幾個音來，聽得片刻，她才聽出旋律乃是那首牢蘭河水十八彎。

星河無聲，四野寂寂，風荷水畔，他吹了片刻，終於扔掉了那片葉子，說道：「阿螢，妳就不要再生氣了。」

見她不語，他膽子不由大了些，心思也活絡了些，說道：「我折蓮子給妳吃好不好？」不待她答話，他便走到池畔，折了好幾枝蓮蓬回來，然後細細剝開，將那碧綠的蓮子外殼剝掉，露出白嫩的蓮肉，一顆一顆放在盤中。見她不吃，他便將兩枚蓮子殼套在手指上，在蓮子殼上隨手一掐，掐出眉眼來，頓時彷彿一個小人腦袋一般，晃動手指，那小人便一下一下點著頭。他便學著俳優，在那裡自說自演，假裝一個蓮子小人道：「今日是七夕，牛郎和織女相會的日子呢。阿螢，妳不要再生氣了。」然後換了另一種聲音，又換了一個蓮子小人，一點一點頭，似乎在說話：「今天這樣的好日子，十七郎，我早就不生氣了。」

她聽了這句話，便伸手去搶他手指上的蓮子殼，說道：「不要假裝我說話！」他本就身形頎長，將手一抬，胳膊高高舉起，她壓根就夠不著他的手腕，更遑論手指。她連搶了兩次，他身手靈活，一下子避開。她拽著他的衣袖將他的手腕往下拉，人不免傾身撲過去，他借勢摟住她的腰，將她攬在懷中，低笑了一聲，卻是將蓮子殼從指端退了下來，套在她的手指上。她十指纖纖，頂著那蓮子殼更像是小人兒戴著帽子。她急著要將蓮子殼從指頭上退下來，卻被他抓住了手，一低頭，正好吻在她的唇上。

她似乎怔了一怔。他吻得小心翼翼又珍惜萬分，她掙扎了一下，他怕捏痛她的手腕，於是手上的勁兒鬆了一些，但執著地沒有放棄這個吻。她最開始有些牴觸，到後來似乎整個人也放鬆下來，倚靠在他懷中，任由他表達著思念與渴望。再過得片刻，她踮起腳，手也從他衣襟上慢慢向上，最後終於圈住了他的脖子。他心中一喜，剛想將她摟得更緊些，忽然覺得頸中一麻，似被小蟲叮了一口，但眼前一黑，旋即整個人便失去了知覺。

他身形高大，她很費了一點勁兒，才將他拖到了屋子裡，直累得氣喘吁吁，怕他醒了，又補了好幾針麻藥。她剛剛收拾停當，桃子已經閃身從窗外進來，看著床上的李嶷，不由低笑一聲，說道：「校尉，成啦？」

她點了點頭，這種新配的麻藥極是厲害，桃子也是很費了一些周折和時日，才將這種麻藥配好。她問道：「謝長耳呢？」桃子撇了撇嘴，說道，「我扎了他好幾針，估計他三天都醒不過來呢。」

她伸手在李嶷腰間摸索，果然有絲繩繫著小小一枚權杖，她便將權杖解了下來，對桃子道：「走吧。」

桃子見她果然尋得權杖，吐了吐舌頭，十分得意。阿螢與她已經走到了門口，忽然又回頭張望，屋子裡並沒有點燈，只有窗上的輕紗，透進來一些朦朧的星輝，照見他沉沉睡在床上，彷彿好夢沉酣。她在心中喟嘆一聲，縱有種種不捨，最後仍舊決然而去。

桃子早就準備好了衣服，兩人換上，扮作了鎮西軍士卒的模樣。她們在太清宮中住了這麼久，早就將明哨暗探、各處巡邏的規矩摸了個清清楚楚。她們手執李嶷的權杖，性子又十分機靈，竟然一路順順當當，出了太清宮。

兩人未驚動太清宮外駐守的那隊鎮西軍，悄悄下了山。山下早有宋殊暗中安排好的馬匹和接應的人手，只因鎮西軍駐紮之地距此極近，怕驚動了鎮西軍，因此也只安排了十數騎等在此處。一俟相見，即刻牽上早就裹好馬蹄的馬匹，兩人上馬，十數騎悄無聲息，貼著山腳疾馳，未及兩刻，即到洛水之側。

夏日汎漲，洛水也變得寬闊深廣。夜間無月，唯有星輝遍地，照著無聲流淌的河水。露水還沒有下來，河邊生得叢叢蘆葦，水面泛著淡淡一層白色的輕霧，彷彿曹子建說的洛神眞的要凌波而出。她們十數騎悄悄沿著蘆葦叢行得片刻，來到河邊一處淺灘之上。宋殊早帶著人等在此處，此刻喜不自勝，促馬迎了上來，她在馬背上不由得眉眼彎彎，笑著叫了聲：「宋叔叔。」他早就握住了她的手，搖了搖，說道：「好孩子，可算見著妳了。」宋殊歡喜不勝，扭頭便打了聲呼哨，隨後七八條小船便划了出來。她這才下馬，正打算上船，忽聞得「聿聿」一聲，不知從何處沖起一道火光，直上天際，旋即炸開，竟然是一朵碩大無比、絢麗無比的煙花，焰火直照亮半邊天空，映得滿天星斗都黯然失色。這煙花起初乃是紅色，旋即又「砰」一聲再次炸開，彷彿開到極盛偏又再翻開出一層層碩大的花瓣。漫天金雨將下面映照得清清楚楚，洛水之上不知何時多了一艘船，當先一人負手立在船頭，衣袂飄飄，身形瀟脫，正是本該在太清宮中昏睡不醒的李嶷。此時他笑吟吟地看著她，揚聲道：「阿螢，我放煙花給妳看好不好？」

她心知中計，心中大怒，從宋殊手中接過弓箭，瞄準了朝他一箭射去。她這一箭準頭極佳，奈何他在河心船上，相距太遠，勁力不夠，眼見箭羽破空而至，他伸手輕輕一探，竟然就用兩指夾住了她這一箭。她毫不氣餒，轉頭便對宋殊道：「宋叔叔，此人難纏，得想法子絆住他。」

宋殊點了點頭，沉聲招呼一聲，蘆葦叢中冒出一列弓手，皆持重弩，這種弩弓射程極遠，從來都是用腳才能上弦，一旦被其射中，必死無疑。此刻眾人屏息靜氣，皆用箭矢對準了河心李嶷的那艘船，但他視若無睹，毫不慌張，手上掂了掂她剛才射過來的那枝箭，用力一甩，箭枝便被甩入半空，雖未用弦，卻比尋常弓箭射得更高。宋殊素來聽聞秦王李嶷神勇過人，更兼雀鼠谷一戰，當眞名動天下，此時見此情狀，也不禁暗自心驚，心道這小子果然厲害，自己今日領了五百騎渡河接應，只怕苦戰難免。

這箭枝一被甩入半空，便如同訊號一般，一道道焰火騰空而起，次第炸開。天空中不停綻放著一朵朵碩大的煙花，河畔頓時亮如白晝。藉著這火光，她也看清河灘暗處早有埋伏，但既已至此，不戰何爲？因此立時與桃子上了小船，朝河中划去。方划出兩三丈，果然聞得喊殺聲震天，不用回身看，便知道是鎭西軍與宋殊那五百騎纏鬥起來。宋殊鐵了心要保她過河，因而在河灘上寸步不讓，仗著弓弩厲害，死守著河灘，鎭西軍雖人數數倍於宋殊所部，但遇見宋殊這般百戰浴血的老將，數次衝鋒，竟然絲毫沒有撼動定勝軍的陣腳，眼睜睜看著七八艘小船皆如離弦之箭，迅速衝到了河心。

小船一至河心，便被水流沖得順流而下數十丈，頓時不知被河底什麼古怪的索網纏住，想必是李嶷早就在河道裡做了手腳，七八條小船頓時在河心打起了轉轉。眼見李嶷所在的船隻筆直朝這邊駛過來，桃子不禁急道：「校尉，怎麼辦？」

她卻非常沉得住氣，持了劍在手，回頭望了一眼兀自苦戰的河灘，說道：「棄船。」說畢便將船頭的火炬扔進河水中。另幾艘定勝軍小船上的士卒聞此號令，便也擲了槳，紛紛躍入河水中。

天空中焰火明滅，趁著漫天金雨熄滅的那一瞬，她無聲無息躍入河水中，觸到船底的那一刻，便摸到一片柔軟的大網，心知定是李嶷設下的，這網在水下纏住了小船的船舵，這才令小船不能行進。當下用長劍割破漁網，鑽了出去，徑直朝河對岸游去。

她水性極佳，游了長長一段，仍未浮出水面換氣，桃子倒是沒她這般厲害，因此潛游了片刻，便浮起河面。這一浮起來，不由得一驚，因爲那七八條小船早就被鎮西軍收攏，用繩索一一繫了起來。李嶷那條船上，也早就不見李嶷蹤影，唯有那個招人煩的老鮑，正蹲在船頭，指手畫腳，指揮著施放焰火，每一道焰火燃起，便照得洛水兩岸亮如白晝。桃子心知唯有渡河方能脫身，四顧水波茫茫，哪裡還有何校尉的身影，因此也深吸了一口氣，正待要潛入水中，忽然如黑雲一般，眼前掠過一片黑影，黑壓壓直壓下來，待到了眼前，才發現竟然是一張巨大的漁網，還未待她掙扎，這漁網早就鋪天蓋地罩了下來，竟然將她一網打起，耳中只聽得船上眾人哄然大笑，旋即聽到一個熟悉的聲音，正是那黃有義，說道：「十七郎這法子好，又不傷人，又能把人撈起來。」

她心下惱怒，但身子一輕，原來這漁網正是如同河上人家打魚，撒開網後，便緊緊又向船上收攏去，不過片刻，就將她連人帶網撈上了船，幸而黃有義認得是她，十分客氣，連忙親自來扶，說道：「桃子姑娘，有沒有受傷？」她心下十分氣悶，甩開黃有義的手，只祈願何校尉可以脫身。正在此時，忽聽得岸上眾人齊齊吶喊，原來一朵碩大的煙花綻放，正照見李嶷從水中一躍而起，其後明晃晃的長劍緊緊相隨，幾乎要刺中他的胸口。漫天金雨，執劍的阿螢從水中旋身而起，足下在船尾一點，仗劍而立，當眞如凌波仙子一般，兩人瞬間在船尾鬥了七八招，岸上的宋殊與鎮西軍空自著急，卻不能相救。

李嶷將她從水中逼了出來，心下大定。雖然左右躲閃，十分狼狽的樣子，卻有工夫同她說話：「阿螢，要不咱們就別打了吧，今日妳定然渡不了河。」

她冷笑道：「那也未必！」當下一劍便向他腳下刺去，逼得他立足不穩，只得重新躍入水中，便在此刻，天上又綻開一朵極大的焰火，遠處卻隱隱如同悶雷一般，又彷彿有什麼龐然大物，正在逼近。

李嶷重新從水中鑽出，攀上船尾，藉著忽明忽暗的焰火，終於看清楚了對面河岸上，朦朧星輝下到底是什麼在逼近——是定勝軍的重騎，也是他從來沒有見過的騎兵，連同馬身，全部披甲，其聲隆隆如雷，不知道有多少騎兵正馳近洛水，看著似乎只有百騎，但偏偏有山搖地動之勢，再馳得近些，彷彿連河水都震盪起來。

趁著他分神的一瞬，阿螢早就又挺劍朝他刺來，這次他不敢怠慢，三招兩式便奪過她的長劍，回手將她扣在身前，劍一橫便挾制住了她，說道：「阿螢，咱們回去吧。」

她雖然被他擒住，卻並不羞惱，只冷冷地道：「殿下的煙花放完了嗎？若是未施放完畢，可再放一些，也讓殿下可以看看清楚，我們定勝軍的重騎。」

他聽她語氣清冽，聲音遠遠傳出河面，不知為何，心下竟然影影綽綽，覺得有幾分不妙似的。船上的黃有義等人哪裡肯在嘴頭上吃虧，當下張有仁便大聲道：「阿嫂，妳這話就說差了，妳不是早就跟咱們十七郎私訂終身了，咱們鎮西軍跟定勝軍，不都是一家人！」錢有道更是笑嘻嘻地道：「哎，何校尉，平時我三哥說話，我都要駁一駁的，唯有今天他這話說得對，咱們都是一家人，妳就快些跟十七郎回去吧。」

那何校尉雖被李嶷挾制，但此刻也只是冷冷一笑，並不作聲，桃子雖然被網住拉上了船，此刻坐在船頭，卻也是毫不示弱，啐道：「誰跟你們是一家人了。」

便在此刻，忽地河對岸那隊重騎之中，有人舉弓朝天上射出一枚鳴鏑，這鳴鏑帶著長長的尾音，扶搖直上雲霄，又炸出極亮的一道白光，在暗夜中甚是顯眼，張有仁不禁拍手笑道：「哎，咱們放了這麼多焰火，你們定勝軍也要放焰火了？」

桃子冷笑不言，忽地只聞洛陽城中，也有鳴鏑扶搖而起，曳出長長一道白光，李嶷不由得臉色一變。此時河對岸那隊重騎之中，有人越眾而出，彎弓搭箭，對準了李嶷，雖然相距甚遠，但不知爲何，李嶷心中忽然生出一股寒意。被他挾制的阿螢卻微微一笑，漫聲道：「秦王殿下，今日不如放了我過河，兩廂便宜。」

他道：「不能。」

她不禁微微一嘆，說道：「今日你若是放了我，我定然有法子破西長京，取孫靖首級與你，如何？」

他不禁微微一笑，說道：「阿螢，別說什麼西長京、孫靖的首級，拿什麼來換，我今日也定然不會放了妳的。」

她不由得一怔，過了片刻，方才道：「不想在殿下心裡，阿螢這麼區區一個小女子，竟然貴重過孫賊。」

他笑著在她耳畔輕聲道：「妳是崔倚的獨女，當然貴重過孫賊。」

船上眾人相隔甚遠，他說此話聲音又輕，自然皆沒聽見，唯有她禁不住一怔。他揚起下巴，遙遙指了指河灘，說道：「宋殊，崔倚帳前第一心腹，爲了妳，在東都洛陽徘徊良久，今日還親率五百騎，在河灘上與我們鎮西軍死戰，只想保妳過河。」他又遙遙指了指河對岸，「用箭瞄準我腦袋的那個人，想必就是盧龍節度使，朔北都護，崔倚大將軍吧。」他苦笑一聲，不知是喜是憂，「何必驚動崔大將軍，親至此處，這也忒看得起我了。」

她見他一一猜中，心道此人實在是太聰明了。父親多年苦心布局，自打自己出生，便對外宣稱是生了個男孩，後來又機緣巧合，收留公子爲養子，由公子頂著自己崔琳的名字養大。世人皆被蒙蔽，連定勝軍中上下亦不疑有他，可惜被他一朝看破，幸好他還知道遮掩一二，只是悄悄對自己道破身分，卻不曾宣之以眾。

阿爹率重騎近在咫尺，卻隔著洛水，便是定勝軍引以爲傲的重騎亦是無用。此人素來狡黠，今日之事，強自反駁無用，唯有與他商談，方可斡旋一二。當下便從容地點了點頭，說道：「秦王殿下陷殺瘓燎，雀鼠谷破段兗十萬大軍，名動天下，倒也不必過謙了。」話裡話外的意思，卻也並不否認他對自己身分的猜測。

他苦笑一聲，說道：「雖然隔得遠，但崔大將軍這箭鏃對著我，我額頭上都有冷汗了。」

他呢。」

她既然身分被揭破，反倒從容起來，淡淡地道：「誰叫你挾制我，這般大大得罪於

他說道：「大將軍這一箭，必然有穿雲破月之功，今日算是我輸啦，要不咱們好好商榷一番。」

她笑道：「殿下怎麼這麼早就認輸了？」

他又苦笑了一聲，說道：「那不是令尊棋高一著，竟然設了這麼一個大局，捨得以妳爲餌，將我和鎮西軍都誘到此處，洛陽城中此時空虛，又因爲七夕的緣故，九門大開，只要潛入數千人，就可以控制東都，甚至，控制禁中，挾制天子。」

她笑咪咪地道：「蒙殿下垂愛，竟然認爲我區區小女，貴重過孫賊，但在殿下心裡，想必還是明白，此時若是不放我渡河，只怕就眞的要輸啦。」

他想了一想，忽道：「不對，這聲東擊西，以自身爲餌的計策，不是崔大將軍想出來的，而是妳的主意，是也不是？」

她點了點頭，仍舊從容模樣。「是啊，節度使再三不肯，但我一意孤行，唯有此法，方可令殿下放我過河，這是我早就想明白的。不過……」她明眸如水，卻瞟了他一眼，「你是怎麼猜到，這是我的主意？」

他又苦笑了一聲，說道：「阿螢，無論如何艱險，我定然萬萬不願用妳做餌，想必崔大將軍，亦是如是。」

她笑咪咪地又瞟了他一眼，眉眼彎彎，甚是開心，說道：「你算是猜得有道理，不

過你將我關在太清宮，此刻又挾制我，我阿爹必然恨你入骨，若不是隔著洛水，他只怕早就親自帶重騎衝上來，先上河灘，再一箭把你這個輕狂之徒射落馬下，好好教訓你一番了。」

他正色道：「還未一戰，焉知勝負？」

她又怔了怔，他說道：「阿螢，妳算得極精細，但有一處，裴大將軍在東都，他回京面聖，率了有三千人，這是妳算漏了的地方。」

他這麼一句話，她便瞬間醒悟過來，果然是自己深困太清宮中，未偵得此事，卻是算漏了裴獻。那可是與崔倚並稱的名將，他若率三千人，必然能守得住東都洛陽，何況還有鎮西軍餘部，皆是從前裴獻所率之師。

她沉默片刻，卻言道：「殿下方才已經認輸了。」

「是，」他倒是大方，「自己人不跟自己人打，鎮西軍與定勝軍，原是友軍。」

「我要洛陽，」她從容道，「洛陽原本就屬我定勝軍所有，上次戰後，殿下接管了洛陽，但此番殿下應將洛陽歸還我定勝軍。」

他皺了皺眉。「還有呢？」

「殿下親自送我歸定勝軍軍營，」她說道，「既是友軍，殿下便該見一見節度使，如此，我便勸說節度使，與殿下一同出兵，同取西長京。」

他思量了片刻，還沒答話，船上黃有義諸人聽得分明，張有仁先按捺不住了，說道：「十七郎，別答應她。」

是啊，東都洛陽，何其壯麗的城池，又是何其要緊的軍事之地，憑什麼拱手相讓？東都雖是他收復的，但一旦讓出去，只怕朝中譁然，那些文官定然會用口水淹沒了他。

但是他素來膽大心細，只微微想一想，便說道：「我答應妳。」

她點點頭，笑道：「十七郎，我就知道你會答應的。」

錢有道早就叫嚷起來：「十七郎，你別答應啊，你要送她回定勝軍大營，就不怕他們出爾反爾，想謀害你嗎？」

他聽了這話，卻是微微一笑，轉臉卻問：「阿螢，妳會謀害我嗎？」

她眼波流轉，說道：「我反正不會謀害你，不過，節度使脾氣不好，他要如何對你，我可不敢打保票。」

他點了點頭，說道：「節度使如何，那是節度使行事，與妳無關。」說完，就命船工搖櫓，朝對岸駛去，竟然眞的要親自護送，將阿螢送歸對岸。

黃有義等人雖腹誹不已，奈何他們已在鎭西軍中頗多時日，知道軍令如山，李嶷一旦下令，眾人皆緘口從命了。

洛水此時正值夏汛，水面比尋常時日要更廣闊，但他們所乘的這條船隻划得片刻，也漸漸駛近洛水對岸。船離岸越來越近，也漸漸更能看清楚，果然岸上定勝軍的重騎不過三百騎左右，卻是人馬皆披鐵甲，各自執炬，照得那鐵甲眞如玄冰一般，反映得火光飄搖，粼粼生輝。他們的船到了一箭之地的時候，因爲吃水太深，靠攏不了，只見岸上一聲令下，諸騎便齊齊卸甲，縱馬下河。雖人與馬皆卸甲，但蹚水之時，這三百騎仍如同鐵線一般，慢慢逼近，當先那人騎著極高大一匹白馬，身形魁梧，卻是執著長槍，對準了李嶷，縱馬蹚水直奔過來，看這般氣魄，八成便是崔倚。

李嶷這時候早就把劍收起來，也不令人束縛桃子，而是從從容容，命人搭上跳板，放下小舟，親自引了阿螢——真正的崔琳，和桃子一起，搭了小船迎上去。

船上鎮西軍見定勝軍鐵騎如山亦如牆，一聲令下卸甲策馬蹚水，真如鐵線一般，整齊劃一。在星輝火炬之下，馬蹄濺起水花無數，老鮑先讚了一聲，說道：「崔家這騎兵，著實訓得好。」然後呼哨一聲，船上鎮西軍皆弓上弦，刀出鞘，對準了威逼而來的定勝軍三百騎，雖是船上狹窄人少，卻也不肯輸了半分氣勢。

小船方划出數丈，鐵騎的水花便已經濺到了船首，全身著甲的崔倚見著女兒，方掀開面罩，上下打量了李嶷一眼，冷聲道：「秦王今日可願與我一戰？」

李嶷見他不過五十上下年紀，手持長槍，居高臨下，威風凜凜，當下甚是恭敬地行了一禮，方才道：「見過節度使，既送阿螢而歸，自然是不願與節度使交戰。」

話音未落，崔倚已經一槍刺出，槍尖詭異如蛇信，一下子就探到李嶷胸前，李嶷應變極快，雙手一探已經捏住槍纓，旋身一轉，避過這一刺。崔倚見一刺落空，這才冷笑道：「小子，你不敢戰也晚了！」槍桿一抖，「呼」一聲，又是一槍刺出，他槍法老辣，更兼沙場宿將，應變極快，饒是李嶷身手過人，也險些未躲過這一刺。當下兩人以快打快，一個長槍直舞得虎虎生風，一個在狹小的船板上，各種騰挪閃避，一時槍尖在火光的映襯下，如雪凝似霜刃，帶著勁風，一時船板上的李嶷如同一隻大鵬一般，展翅翻飛。這一場打鬥著實精采，又著實驚險，河灘上的定勝軍與船上的鎮西軍，皆看得屏息靜氣，手心裡捏著一把汗。

過了十數招之後，李嶷忽似失手，身形晃了一晃，崔倚見他下盤不穩，頓時一槍朝他腳踝刺去，李嶷等的就是這一刻，當下右足一點，整個人凌空翻起，左腳已經踏在長槍桿上，身子一沉，雙臂用力一絞，崔倚見勢不妙，回槍後撤，誰知槍桿被他絞住，竟然絲毫不動，李嶷本來這一絞之後，便可奪過他的長槍，但他踏住槍桿之後，卻是只牢牢握住槍桿，說道：「節度使，我是送阿螢歸營，並不是想戰。」

崔倚奪槍一時未奪回，手上勁力用到十分，見那槍桿還是紋絲未動，李嶷又開口說話時氣息極穩，顯然未出全力，更兼言辭懇切，又算是在給自己台階下，當下他哼了一聲，突然撒手，心道李嶷正在用力，這一下子出其不意摔他個後仰，也教他知道教訓。誰知李嶷一見他撒手，便連退三步，每一步都踏得極穩，穩穩當當就化退了那股勁力，然後橫過槍桿，卻是雙手捧槍，恭恭敬敬將長槍奉還，舉止之間，做足了姿態。

他們二人奪槍，用的都是暗勁巧勁，河灘上的定勝軍，船上的鎮西軍都沒看出什麼端倪，只是納悶怎麼突然之間就不打了，好像是崔倚讓了一步，主動將槍讓給了李嶷，李嶷又捧槍奉還，這兩人一讓一還，似乎甚是客氣了起來。

他狠狠瞪了李嶷一眼，這才接過長槍，左右早就牽過馬匹。阿螢翻身上馬，低聲勸道：「節度使，秦王確實是送我歸營。」

崔倚瞇起眼睛，打量了李嶷一番，忽道：「秦王殿下，既然來了，可敢隨我歸營一敘？」

船上的鎮西軍諸人不由得不安起來，李嶷卻渾不在意，笑道：「節度使既然相邀，李十七不敢辜負盛情。」

崔倚稱他爲秦王殿下，語氣中卻多是嘲弄，但他自稱李十七，卻不卑不亢，自有一種恣意灑脫之態。崔倚見他如此，心中思忖，此人善戰，雀鼠谷之後更是好大的名頭，年紀輕輕就名動天下，看來還眞有幾分本事。

當下李嶷既然答應，便打了一聲呼哨，小黑不知道從哪裡鑽出來，一聲長嘶，竟然還帶著何校尉，哦不，是崔琳那匹喚作小白的白馬。兩匹馬很快就泅水而來，站到淺灘上。小白看到崔琳，自然是歡喜不勝，甩著尾巴就湊上來。崔琳自從傷後，還未見過小白，此時見牠膘肥體壯，毛皮油光，一看就是被精心飼養的，心中也歡喜不盡，立時就牽住了韁繩，把馬鞍換到小白背上。小黑卻大剌剌的，就在河灘上甩乾自己因爲泅水浸濕的鬃毛，然後又甩了甩尾巴，驕傲地長嘶一聲，似乎在說，你看我把小白照顧得好好的。

李嶷並不急著上馬，而是回身囑咐了老鮑等人一番，這才翻身上馬，隨著崔倚父女，被那三百鐵騎簇擁挾裹，一起回到定勝軍營地中去。

崔倚此來，行動極為迅猛小心，所率也不過數千人，紮營之處，便在洛水上游數十里的山中。李嶷看到這營地選擇的地勢，便不由心中暗自讚嘆，既養得出崔公子那樣的「兒子」，又養得出阿螢這般的女兒，還調理出定勝軍那般鐵騎，這崔倚果然不愧是國朝三傑之一。

崔倚所居不過一頂看似與軍中諸人無異的牛皮帳篷罷了。一進帳中，崔倚便道：「阿螢，妳先去換了衣裳，我與秦王有話說。」

崔琳身上穿的還是喬裝的鎮西軍服色，更兼適才在河水中浸了許久，早已經濕透。雖是夏日，但時已近四更，風吹來頗有寒意，她便叉手行了個軍禮，轉身離去。

宋殊辦事素來仔細，更兼此番早就有準備，給她和桃子各自預備了帳篷，當下她換了定勝軍中校尉的常服，又擦乾了頭髮，安慰了桃子幾句，這才往崔倚帳中去。只見帳中點著松脂油燈，照見崔倚獨自坐在案後，卻是若有所思的模樣。

父女久別重逢，更是差點生死相隔，她心潮起伏，見四下無人，這才喚了一聲：「阿爹。」

崔倚伸手握住她的手，十分仔細地打量了一番她臉上的神色，又看了看她手臂上的傷口，這才說道：「瘦了。」

她默然一笑，過了片刻才說道：「能回來見著阿爹，這才最要緊，別的都不要緊。」

崔倚緊緊皺著的眉頭，這才舒展開來，他嘆了口氣，說道：「鋒兒的事，妳不要自責……」

一語未了，父女二人盡皆沉默。

她心中難過，說道：「未能救得公子，我……我真的很難過。」

崔倚雙目含悲，卻是輕輕搖了搖頭，說道：「十幾年前，我問他願不願意做我兒子的時候，他說願意。我說，若是要做我的兒子，只怕要時時枉送了性命，彼時他年歲尚小，只怕還不知道其中凶險。他說反正他父母早亡，孤苦一人，妳又曾救過他的性命，所以他是願意做我兒子的。」

她心中悵然，想到如兄長般、如手足般的那一人，到底是十分難過。父女二人靜靜出神了片刻，燈芯結了個燈花，爆得輕微啪一聲，崔倚方道：「秦王是如何猜得妳身分的？」

她想了一想，說道：「女兒也不知道，不過想是宋叔叔幾番催問我下落，他那個人素來精細，公子中伏之後，他便將我扣在太清宮，說不定早就起疑。」

崔倚點了點頭，臉上神色喜怒不辨，說道：「妳怎麼不問問，秦王去哪裡了？」

此刻她不知為何，竟然有三分臉熱起來，嗔道：「我問他做甚，難道節度使還會把他殺了不成？」

崔倚道：「我若是已經把他殺了呢？」

她道：「那也沒什麼，若是真殺了他，女兒馬上去給阿爹煮碗湯餅，咱們吃過熱食，立時便拔營去攻洛陽，活捉了天子，阿爹做皇帝好了。」

崔倚聽她這麼說，禁不住微微一笑，說道：「城裡還有裴獻，若是阿爹打不過呢？」

「裴獻雖然扎手，但阿爹還沒有跟他對陣，怎麼能長別人意氣，滅自己威風？打不打得過，要先打了再說。再說了，若是眞打不過，阿爹難道不能把秦王綁到陣前？裴獻看待秦王比自己的兒子還要寶貴，或許一見阿爹綁了秦王來，就乖乖束手就擒，也不一定。」

「秦王不是已經被我殺了，」他不由瞪了女兒一眼，「還能從哪裡變出一個秦王來？」

「阿爹是不會殺秦王的。」她這才眉眼彎彎地一笑，「阿爹沒那麼莽撞，要怎麼處置他，阿爹定要問過我的。」

崔倚忽然又問道：「剛才在洛水河灘上，我看到秦王的冠上插著妳母親留給妳的那枝簪子，是他搶去的嗎？」

她大大方方地作答：「不是，那是女兒送他的。」

崔倚不由皺了皺眉。「妳怎麼把妳母親留給妳的簪子，都送給他了？」

她還是落落大方地答：「因爲我心悅他，所以就把簪子送給他了。」

崔倚不料她這麼坦率地說出來，怔了一怔，過了半晌之後，才長嘆了一口氣，說道：「這臭小子到底何德何能，能讓妳青眼有加。」

「我也不知道，」她說到李嶷，眼中卻有異樣的神彩，明眸流轉，盈盈動人。「阿爹說當年看到阿娘的第一眼，便知道這是自己定要相伴終身之人，我也是這樣，我看到他第一眼，就知道是他了，不會是別人，我就是喜歡他。」

崔倚又怔了怔，說道：「他如何能與妳娘相提並論……」過了片刻，又悻悻地道，「臭小子，如此不知好歹，竟然敢將妳扣在太清宮裡，教我說，就該拿鞭子好好抽他一頓，再把他碎屍萬段，方才能解此心頭之恨。」

她笑盈盈上前牽住崔倚的手，說道：「阿爹別生氣了，女兒這不是毫髮未損地回來了嗎？還是他親自送回來的。女兒這就給阿爹煮湯餅去，阿爹吃過湯餅，就氣消了，好不好？」

崔倚卻彷彿不死心，又問道：「眞的不殺？」

她點了點頭。「不殺。」

崔倚還未說話，忽然他身後的箱籠裡「咕咚」一聲，彷彿有什麼重物相擊，崔琳不由得看了崔倚一眼。崔倚不情不願，起身打開箱蓋，原來李嶷被五花大綁，捆得像個粽子似的，正被塞在那箱籠裡，饒是那箱籠十分闊大，但他身高腿長，蜷縮在箱子裡，自然是滿滿當當，看著十分憋屈難受。崔倚取出他口中的麻核，卻是朝他冷笑。

「阿螢說不殺你，今日就饒你一命。」

她雖然猜到李嶷八成是被拿住了，只以爲被關押在別處，卻也沒想到他竟然被捆成這樣塞在箱籠裡。想到適才自己說的那些話都被他聽去了，忍不住臉頰微燙，也狠狠瞪了他一眼。他卻眉開眼笑，甚是喜悅的樣子，簡直就跟適才小黑在河灘上一樣，如果有尾巴，只怕他都要跟小黑似地搖頭擺尾起來。她既然狠狠瞪了他一眼，便轉向崔倚，正色道：「節度使，他怎麼會在這裡？」

崔倚不情不願地說道：「是他再三懇求，說願意被綁著藏身在箱子裡，他要在這箱籠裡親耳聽著，若是妳說不殺他，就放了他。若是妳說要殺，便立時殺了他，他也是並無二話的。」

李嶷雖然嘴裡塞了麻核，耳朵卻沒被塞，一想到她適才親口說，第一眼就喜歡自己，早就樂得心花怒放，三下五除二便掙脫了綁縛自己的繩索，說道：「阿螢，我陪妳去煮湯餅。」

她怒道：「我才不要你陪！」說完轉身便走。他喜不自勝地朝崔倚匆匆一禮，連忙快步追上去，說道：「我也餓了，阿螢妳給我也煮一碗……」

她甩開他的手，怒道：「你還想吃湯餅，你眞是想得太美了……」

兩人拉拉扯扯，越走越遠，消失在帳外，崔倚心中說不出是悲是喜，是辛是苦，只覺得百味雜陳，煩惱無限，只得喟然長嘆一聲。

李嶷到底還是吃到了湯餅，他死乞白賴地使出水磨功夫來，又故意露出手腕上被綁勒出的紅痕，試圖博取她的同情，卻被她痛斥：「活該，打不過你不會跑嗎？」

「不是打不過……」方分辯了半句，他忽然想起自己在扮可憐，聲音不禁又低了下去，「我怎麼能跟節度使動手呢，不然他豈不更生氣了。」

她看他可憐巴巴望著自己，雖然明知這個人詭計多端，八成是在假裝可憐，但到底哼了一聲，盛湯餅的時候就盛給他一碗，說道：「反正煮多了，就這麼些，再要吃也沒了。」

於是他喜滋滋端著湯餅，先喝了一口湯，就誇讚她手藝好，彷彿這不是湯餅，而是世上的奇珍美饌一般，吃得津津有味。等她送湯餅去崔倚帳中回來，他早就將一碗湯餅吃得乾乾淨淨，連湯都喝掉了。只是他勤快慣了，連鍋帶碗，一併刷洗得乾淨，隨手還把灶中的柴灰都收拾掉了。

一見她折返，他便問：「如何，崔叔叔怎麼說，是不是願意妳我統兵，一起去取西長京？」

「誰是你崔叔叔！」她怒道，「節度使！」

他卻並不著惱，笑嘻嘻說道：「要不，我還是稱崔伯伯吧，聽起來好像更尊重些。」

她隨手拿起灶邊的掃帚，便沒頭沒腦朝他打去。

「你再胡說八道！看我不打爛你的嘴！」

他閃避了兩下，到最後乾脆把掃帚奪了過去，一把將她摟入懷中。她本來掙扎著想要刺他一針，卻被他眼明手快，捏住了她的手指，他在她鬢邊輕輕一吻，說道：「阿螢，我今日真的好生歡喜。」

她本來還是有幾分生氣的，但被他緊緊摟在懷中，耳朵恰好貼在他的胸口，只聽他心跳如鼓，知道他是真的歡喜到了極致，卻也是不由心中一軟，說道：「那你再胡說八道，我還是要打你的。」

「那就不能讓我得意忘形一小會兒啊。」他輕笑著抱怨，「就一小會兒都不行嗎？」

「你都得意忘形一晚上了。」

「胡說，哪有一晚上。」

她不由哼了一聲，恨恨地道：「你從你說，阿螢，我放煙花給妳看好不好，就在得意忘形。」她學著他的語氣，一想到當時情形，確實可惱，真恨不得再打他兩拳。

他笑得肩膀都抖動起來，說道：「那也得怪妳，妳怎麼能拿針扎我呢，尤其是……尤其是那時候我在親妳啊……妳都生氣了好久……」他的聲音越來越低，頭也越來越低，兩人四目相對，過了片刻，他輕笑了一聲，說道：「這可是妳欠我的。」伸手扣住她的下巴，深深地吻上去。

她踮起腳，伸手環住他脖子的時候，他雖然十分沉醉情迷，卻還是把她的手握住拿下來，就牢牢捏在手心裡。

這個人，真是太警覺了，她心中十分不忿，悻悻收回了指端的銀針。算了，湯餅都煮給他吃了，還是讓他再得意一會兒吧。

夏日晝長夜短，他們歸營既晚，又說話吃餅，所以沒過多久，天邊就透出了魚肚白，山間的林木草葉上，也漸漸凝滿露水。李嶷雖是一夜未眠，卻神采奕奕，就在帳外山林裡，尋了一些野花來，說是可避蚊蟲。她接過花束，卻是問道：「我還沒有問你，你到底是如何猜出我身分的？」

他不由笑了一笑，說道：「若沒有公子，八成我早就猜到了，可是那個崔公子，著實迷惑了世間所有人，差點連我都被騙了過去。」他頓了一頓，說道，「有一天，忽然我就想明白了。妳那次說到娘子軍死戰守城之事，妳的父親，節度使彼時正是營州將軍，妳的娘親，也就是率領娘子軍死守不退的武烈夫人賀氏，於是妳化姓為何，在定勝軍中，以何校尉身分行走，想明白這一細節，再往前推演，我便知道那個崔公子，其實是障眼法。」

她點了點頭，說道：「他從小就被我父親收養，也可以算得是我父親眞正的兒子。」

她這才從頭細細道來，原來崔倚與夫人賀氏感情甚篤，十分恩愛，但賀氏因為戍邊戰時受傷，與崔倚結縭多年，未能生育。先帝是個多疑小性之人，藉口崔倚膝下無子，要賜一名夫人與崔倚。崔倚自然百般不願，賀氏也因此遍尋良醫，吃了無數的藥，終於懷上身孕。崔倚大喜過望，對他們夫婦而言，不論生男生女，皆是自己的骨肉，一樣疼惜，但朝中虎視眈眈，明顯要以聯姻牽制武將，因此等她呱呱墜地，崔倚見是女兒，立時便鐵了心隱瞞了下來，只向朝中稟明生了一個兒子，也以崔家這一輩兒郎的排行，給她取了個單名琳字，從小令她作男兒裝束。因此連崔家上下，都以為賀夫人確實生了一個兒子，他們夫婦煞費苦心，竟然將此事瞞得滴水不漏。

待得崔倚出征，營州被圍，賀夫人率娘子軍力戰殉城，阿螢因為年紀幼小，從瓦溝裡逃了出去，路上又遇見羯碩人追殺。偏她機靈，不僅東躲西藏，保全了自己性命，還救了另一個孩童。那孩子也不過只比她大半歲，名叫柳承鋒，等兩個孩子千辛萬苦尋到崔倚所率大部，崔倚見到柳承鋒之後，卻生出另外一種考量來。

彼時阿螢還年幼，平時作童子裝束，雌雄莫辨。若是再長大些，等到十幾歲的時候，那時候無論如何，她一個女郎，是扮不得男子的，強要作男兒裝扮，只怕破綻處處。

營州一役，娘子軍盡皆殉城，營州再無多少人見過崔琳長得什麼模樣。這柳承鋒與阿螢年紀相仿，崔倚便問柳承鋒，願不願意做他的兒子。柳承鋒本是孤兒，又被崔琳救得性命，當下便答應了。從此柳承鋒變成了崔倚的兒子崔琳，而她，就成了公子身邊的婢女何氏。崔倚對這個兒子視若親子，從來也是傾囊相授。後來崔倚對羯碩大勝，羯碩人對崔家定勝軍恨之入骨，竟然派人暗中投毒，毒殺的物件，當然就是崔倚唯一的兒子崔琳。柳承鋒中毒之後，崔倚千方百計延請良醫，但無法根治，從此後他的身體便病弱不堪，而此事也是她十分負疚之事。

「羯碩人自然是想毒殺我的……」她幽幽地道，「但是他卻替了我。從那一刻，我忽然就明白過來，他不僅僅是我的兄長，而是……而是我的替身……」她心中仍舊一陣陣難過，「外人以為父親手握重兵，節度州郡，他的兒子，當然是富貴榮華，可是其實，公子時時刻刻，都有性命之憂……便是這次，這次他也是因為我，枉送了性命……」

他本來每每聽她提到公子，心中便要不喜，但此時此刻，卻是異常地沉默，過了片刻，方才輕輕握住她的手，以示安慰。

他說道：「咱們給柳公子立一個衣冠塚吧，也好拜祭。」

她點了點頭，說道：「他做了我十幾年的影子，也做了父親十幾年的兒子，如今是該立一個衣冠塚，寫上他眞正的名字，也令他泉下有知。」

當下商議已定。

軍中金柝聲響，已經近卯時，便要聚將點卯了。崔琳方欲起身，忽然聞得傳報，原來是裴源率了大隊人馬，前來營地之外，接應李嶷。

原來李嶷雖然叮囑了老鮑諸人，但裴源聞訊之後，當然是百般放心不下，當下便點齊了人馬，沿著李嶷所做的暗記，一路尋過來，待到了定勝軍營地不遠，裴源也不卑不亢，遣了人先來通報。

崔倚聽聞如此，便令人來喚崔琳，當下崔琳便帶著李嶷一起，去帳中拜過崔倚。崔倚見了李嶷就沒好氣，只冷哼一聲，說道：「秦王這是打算令裴家小兒攻營嗎？」

李嶷匆匆一禮，說道：「節度使乃是友軍，李十七曾言，絕不願與節度使爲戰，此肺腑之言矣。」

崔倚又哼一聲，說道：「既不願爲戰，如此，請秦王速歸。」

李嶷便施了一禮，告別而去，倒是崔琳還將他送到轅門外。他心中還有千言萬語，但一時都不知從何說起，只說了聲「保重」，旋即上馬，馳出轅門去，等馳至裴源所率部眾之中，回頭看時，只見她還立在轅門前，還是含笑看著自己，似是目送之意。

他心中情懷激蕩，忽然掉轉馬頭，直朝她馳來，她怔了一怔，以爲他還有什麼話忘了說，因此反倒笑著迎上了兩步。他馳到她面前數丈，立時勒住了馬，小黑抿耳收蹄，顧盼左右，極是神駿。他大聲道：「阿螢！等收復西長京，我就娶妳！」

她不由一怔，他以爲她沒聽見，又縱馬馳近了兩步，大聲道：「阿螢，我要娶妳！等剿滅孫靖，天下太平，我就來娶妳！」

定勝軍軍營中聞得他這連聲高呼，早就如同炸了營一般，諸將士紛紛從帳中湧出來。見他縱馬高呼此等話語，一時被他氣勢所奪，竟面面相覷，不知如何是好。倒是裴源瞠目結舌，悲憤萬分，心道自己果然是前世不修，今生才要侍奉這般恣意妄爲的少主，竟然在三軍面前說出這般話來，到時候可怎麼收場。

且不說裴源心中百般糾結，他身後的鎮西軍聽得分明，主帥竟然在求婚，求的還是定勝軍中的人，遇上這種張揚得意之事，哪裡還有不起哄的。尤其老鮑等人，早就大聲鼓噪起來，不知道有多少人在拍巴掌，還有人打呼哨。黃有義等人早就取下得勝鼓，喜氣洋洋地敲起了點子，恨不得當場就要迎親辦起婚事。

她心中又是甜蜜，又是煩惱，心想這個人得意了一晚上，當眞是得意忘形了，竟然在三軍之前，如此呼喊。正在此時，突然破空一箭，直射在李嶷馬蹄前，饒是小黑鎮定，也不由得長嘶一聲，退了半步。

崔倚面沉如水，手執長弓，立在營帳之前。其時朝日初升，太陽的金光照在他的鎧甲之上，當眞威風凜凜，如同戰神一般。他隨手將弓交給親信的衛士，卻沉聲道：

「秦王，你該走了！」

李嶷被他射了這麼一箭，知道不能再胡鬧，若是眞惹惱了這位節度使，只怕下一箭不是射馬腳，而是眞要朝自己腦袋射過來了，但他早已經道出心中所想，不覺有憾，於是滿懷甜蜜，看了她一眼，掉轉馬頭，直朝鎮西軍陣中奔去。

鎮西軍諸將士眼見主帥做了這般風頭無兩、驕矜恣意之事，而定勝軍上下卻無可奈何，哪裡還按捺得住，一時三軍齊齊頓足扣刃，以戈擊盾，按著得勝樂的點子，得意洋洋，從定勝軍營前依隊撤走。

第八章 重陽

一場秋雨之後，天氣寒涼起來，宮中上下，早就換了夾衣。因爲時近重陽，所以宮中也循著舊年之例，預備了菊花、茱萸諸物，以便貴人們賞菊避邪之用。

西長京被圍已經將近月餘，宮中自然人心惶惶。那李嶷不知用何法子勸服了崔倚，自任行營大總管，親率鎮西軍。而崔倚率了定勝軍，兩軍一南一北，上下夾擊，攻城掠地，不久後便兵臨城下，兩軍合圍，直將西長京圍得如同鐵桶一般。

數月之前，孫靖親自率軍攻洛陽，卻大敗而返，不免意氣頹唐，又因爲秋冬之時，舊傷發作，痛楚難耐；更兼近日坐困愁城，脾氣越發暴戾，動輒便令人打殺近侍，因此宮婢寺人，戰戰兢兢，不敢露出半分失態。

恰逢重九佳節將近，孫靖之妻魏國夫人袁氏，原是後宮主事之人，奈何她「掐死」梁王李桴，反倒令李嶷偷天換日救出梁王。後梁王又登基爲帝，孫靖雖想不明白李嶷是如何將梁王救出京去，但事出有因，定是袁府之中出了什麼破綻。他惱恨至極，不僅冷落鄭國公滿門，更一直令袁氏禁足不得出長秋殿半步。孫靖雖有幾個姬妾，但皆是些庸懦無能之輩，這宮禁之中，種種事宜卻只得由蕭氏暫爲主持了。

但不巧近日來，蕭氏偏又害了頭風，連日飲食都減了大半，只能服些鎮定安神的藥物，以緩頭風之痛楚。當此時局微妙之時，雖然病了，但蕭氏仍打迭精神，見了殿內省的少監，安排了重陽宴飲之事。直忙到午後時分，著實痛楚難耐，才服了藥歇下。等醒後已近酉時，忙又梳妝換了衣裳。錦娘替她簪了一朵菊花應景，她看了看鏡中的自己，薄施脂粉，氣色尚可，便問道：「大都督呢？」

左右見問，忙上前恭聲答：「大都督在玉暉樓上飲酒。」蕭氏正待要起身，忽又覺得一陣暈眩似的疼痛。她身子不禁微微一晃，錦娘忙上前扶住她，低聲喚了一聲：「娘娘。」

「無妨。」她手指冰冷，搭在錦娘的手腕上，又仔細看了看銅鏡中的自己，似乎嫌脂粉還遮掩不住憔悴的病態，說道：「拿唇脂來。」

「娘娘……」錦娘又低聲喚了一聲，聲音中竟似有一縷哀求之意，她恍若未聞。錦娘無奈，只得打開妝奩，拿出小小一帖唇脂來。這胭脂殷紅，有一種濃郁的花香，正是百花汁子擰出來做的胭脂膏。蕭氏親自用筆蘸了，細細又在自己唇上塗上一層胭脂，看鏡中櫻唇紅豔欲滴，這才滿意地放下胭脂，對錦娘說道：「走吧。」

重九本有登高之俗，玉暉樓正是宮中絕高之處，築於高台之上，樓高百尺，幾可摘星。蕭氏提著裙襬，款款而上。只見樓上設了酒席，孫靖獨自一人，正坐在那裡飲酒。她便緩緩走過去，默不作聲拿起酒壺，替他斟了一杯酒。他並沒有回頭，只是瞇著眼睛，看著樓前漸漸落下的夕陽。

她從寺人手中接過一件氅衣，替他披在肩上，柔聲勸道：「大都督，此處風涼，再飲片刻，咱們就下去吧。」

他回手按在她的手背上，安撫似地輕輕拍了拍，她便屈膝坐下，依偎在他身邊。落日餘暉映在樓前大片宮宇連綿的琉璃瓦上，一片光華燦爛。因著樓高，更遠處宮門外的朱雀大街，乃至街坊里巷，皆隱約可見。他不禁抬手指了指，徐徐道：「第一次出征，從延平門出西長京，那時候我還是軍中一個名不見經傳的歸德司戈。過了幾年，軍功累積，才升了懷化中侯，跟著上司回京來述職，只覺京中繁華，與沙場風沙一比，簡直恍若隔世。」

她只扶著他的胳膊，含笑道：「怎麼忽然想起來說這些。」

他又飲了一盞酒，笑了笑，說道：「妳看，太陽要落下去了。」頓了頓，忽道，「太陽照在宮殿的琉璃瓦上，和照在西北的黃沙上，都是血一樣的紅。」他的聲音不由自主地停住，也不知道是感慨這數十年來的征戰，沙場上那些刀下亡魂，還是感慨自己曾血洗這宮廷，直殺得李氏子孫的鮮血，浸滿這些殿宇。

她不禁回身抱住他，低低喚了他一聲：「阿靖。」他摸了摸她的頭髮，安撫似地說：「沒事，我只是忽然想起往事。那日在伊邏盧城外，我率領十萬大軍，在殘陽如血中等著衝鋒的號角，雖然有千軍萬馬，可是四野茫茫，也像今日這般寂靜。」

她過了許久都沒有說話，西長京已經被圍月餘，李嶷早遣人投了文書進來，說只殺孫靖一人，如有出城降者，皆可赦。孫靖見了此等文書也不惱，只命人將使者逐出。他自從洛陽敗歸，便鐵了心要守城，不僅收攏了所有兵馬駐守西長京，更下令城中各街坊皆屯集糧草，決心與李嶷死戰。只是如今城中糧草充足，卻人心浮動。民間如此，守城之軍，眼見鎮西軍與定勝軍接踵而至，皆兵強馬壯。那盧龍節度使崔倚好大的名頭不說，軍中皆知他乃是與孫靖並稱的名將；更兼身爲鎮西軍主帥的李嶷，竟然棄諸東都，只交由定勝軍處置留守，並令裴獻護衛天子御駕於鎮西軍中後營，諸王、文武亦隨御駕於後營，顯然對破城極有把握，士氣甚是沮喪。

蕭氏聽見自己喃喃的聲音道：「阿靖，我什麼也不怕，只要和你在一起。」

他又摸了摸她的頭髮，眼中微露不忍之色，過了片刻，方才道：「我不會拋下妳的。」

她並沒有作聲，只將他抱得更緊些，他袍上的玉帶硌住了她的手臂。二十多年前，他曾經也說過這句話，但還是拋下了她。那時候她還是邳國公府十六歲的小娘子，冊立太子妃的詔書下後，她約了他相會，直言願與他私奔。他說，他不會拋下她的，但她在城外苦等了一夜，終究他還是沒有來。從此後她便死了心，入東宮做太子妃。

倏忽二十年就這麼過去了，她從小娘子，變成了連先帝都稱讚的賢慧子媳。她本來以爲這一生就這樣了，太子妃，皇后，甚至，是太后，也會含飴弄孫，也會白髮盈首。

宮變那日他手持長劍闖進殿中來的時候，她原本以爲死在他劍下，也是一種痛快，沒想到他卻並沒有殺她，而是緩緩走到她面前，對她說：「阿勉，我回來了。」

自己當時在想什麼呢？彷彿什麼也沒想，只是不假思索地，投入他的懷抱。

自己死後，一定會有很多罵名吧，但是，也顧不上了。因爲韓暢正帶了太孫逃出宮城，倉促之中她都不知道自己是怎麼辦到的，大概是，只要抱住他，哪怕替太孫拖延一時片刻也好。

就如同此刻，她緊緊抱著他，卻說著自己都不知道眞或假的話。她有點想哭，其實早就哭不出來了。二十多年的宮禁之中，她早就成了鐵石心腸的人，眼淚是最無用的，不論何時何刻。

他的鼻息噴在她的髮頂，帶著一點酒意與暖氣。她喃喃地道：「阿靖，要不我也著甲吧，陪你去守城。」

他似乎輕笑了一聲。「李嶷那個小兒，還不至於婦孺皆兵。」

「可是還有崔倚和裴獻……」她終於仰起臉，眼中盈盈似有淚光，「阿靖，要不咱們走吧，走得遠遠的，到南越去，好不好？」

他搖了搖頭，說道：「阿勉，我走不了了。」稍頓了一頓，他才道，「我打算令人將元郎送走，要不，妳和元郎一起走吧。」

她堅定地搖頭。「我不走，我哪裡也不去，我只要和你在一起。」

他似乎早就知道她會這樣說，於是也不再相勸，只是默然舉杯，又飲了一盞酒。

夕陽緩緩沉入大地，風聲嗚咽，寒意侵衣，連樓上擺放著的那些菊花的花瓣，都在風中瑟瑟搖動起來。

在宮牆之外，離皇城不遠的崇仁坊內，正是顧衸的宅子。因爲重陽將近的緣故，宅中院內，也放滿了各色菊花。在顧衸書房之外，能工巧匠搭起花台，用菊花擺出各種樣子，並用小盆菊花，在院中拼出萬字不到頭的花樣，寓意富貴萬年。

賞菊本是清雅之事，顧衸因不肯依附孫靖，早就辭了官不做，此時科頭跣足，穿著布衣，提了水桶，親自執瓢在廊下給菊花澆水。西長京被圍，京中人心惶惶，他倒是一如既往地從容，待給菊花澆了一遍水，又抬頭看了看天時，從家僮手中接過布巾擦手。忽見月洞門外，自己的第六女顧婉娘帶著侍兒姍姍而至。一見到他，顧婉娘盈盈下拜，叫了一聲：「爹爹。」

顧衸便道：「進來說話。」家僮連忙替二人推開房門。待顧衸與顧婉娘走入房中，家僮帶上門，又與顧婉娘的侍女秋翠齊齊退走，遠遠守在院門口。

顧衸坐下之後，先取了一枚茶餅。顧婉娘連忙接過去，點起銀籠子底下的銀霜炭，先將茶餅剔作一分，就著炭火放在銀籠子上烤了烤，然後用銀輾將那一分茶餅細細碾碎，用茶籮子篩過，撇去渣滓，分別將茶末倒入兩個茶盞中。然後再往小銀壺裡注入清泉水，將小銀壺放在炭火上，待得沸時，往茶盞中放了一些鹽末，這才提壺注水。一邊注水，一邊用銀勺擊打，令茶湯浮起細膩的沫餑，直到茶末與茶湯融爲一體，這才恭敬地將茶奉與顧衸。

顧祄飲了一口茶湯，不禁點了點頭，說道：「妳這點茶的功夫，學得頗有幾分韻味了。」

顧婉娘不由莞爾一笑，說道：「那是爹爹抬愛。」

父女二人飲過茶湯，顧祄這才道：「六娘，若有門路，妳願不願意冒險出城，見一見秦王？」

顧婉娘微微一怔，旋即笑道：「有何不願？但憑爹爹安排。」

顧祄不由微笑。

當初這顧婉娘從並州回到西長京，門上見她竟不告而返，雖是並州顧氏派族中耆老送歸，但門上素來倨傲慣了，何曾將這位六小姐放在眼裡，藉口未得家中主母應允，不肯讓這位六小姐進門。誰知這顧婉娘正色道：「我自並州而返，有關闔族存亡之要緊大事欲稟明郎君，汝等安敢阻撓。汝一僕爾，操持賤役，竟不予通傳，按照家規，蔑視主人，敷衍塞責，該當何罪？」門上萬想不到這位六小姐突然就伶牙俐齒起來，一時語塞，竟不敢再阻攔六小姐進門。

顧婉娘進了門之後，也不回後宅拜見主母，竟直奔顧祄的書房，只說了一句話，顧祄便摒退左右，與她長談半日。從此闔家上下，便知後宅之中，唯有顧婉娘可以出入顧祄的書房，連顧祄的原配夫人薛氏，與他結縭二十餘載，生得數子數女，也從來不被允許踏入這書房半步。因此薛夫人忍不住罵道：「老狐媚生得小狐媚，便沒一個好種。」

話說得刻薄，只因顧婉娘的母親原是舞姬出身，早就年老色衰，並不得寵，薛夫人心愛的小女兒貞娘行三，也只比顧婉娘大半歲罷了。因著顧貞娘不喜歡顧婉娘，薛夫人素日便也將顧婉娘當作野草一般踐踏，萬萬沒想到這顧婉娘去了並州幾年，回來之後，竟然甚得顧礻介看重。

其實當日顧婉娘闖到書房，一見到顧礻介，便行禮如儀，道：「請爹爹寬恕則個，六娘擅作主張，將並州家中並城外莊子裡的糧草，一併送與十七皇孫殿下了。」顧礻介聞言，果然摒退左右，細問她並州城中的種種情形。顧婉娘本是當事之人，當下口齒清楚，話語伶俐，將李嶷如何在船中捉得韓立，又如何與定勝軍相爭，並李嶷其人種種，皆說得清楚。又道：「女兒這些時日，皆在並州，親眼所見十七皇孫為人疏朗大方，能征善戰，鎮西軍上下，盡皆服膺。如今十七皇孫已經收復無數州郡，天下半壁江山在握，民心所向，西長京已是囊中之物，孫靖雖一時驍勇，卻不過坐困愁城而已。」

顧礻介聽了這麼一番話，大感意外之餘，不由得重新又上下打量自己這個女兒，顧婉娘卻是十分從容，神色自若，任他打量。

過得片刻，顧礻介方才道：「婉娘，從前妳在為父面前，從來沒有這般說話，也從來沒有說過這麼多話。」

顧婉娘不禁微微一笑，說道：「爹爹，從前您是國朝的太平相國，彼時做您的女兒，和如今做您的女兒，自然是不一樣的。」

顧礻介心中微微一動，神色卻仍舊淡淡的，問道：「哦，如何不一樣，妳說說看。」

那顧婉娘柔聲細語，說道：「從前做太平相國的女兒，只需要遵從父母，孝敬親長，愛護手足，平時，針黹、賞花、玩月、撫琴、吟詩……即可。」

顧祄仍舊不動聲色，問道：「那如今呢？」

顧婉娘道：「您爲孫賊數次脅迫，仍舊不屈。京中士族，皆以父親爲典範；皇孫殿下提到父親您，也滿是敬佩之意。此時做您的女兒，自然要觀時局，懂天下大勢，爲父親知無不言，言無不盡。只要父親覺得我一個小女兒略可堪用，婉娘便心滿意足。」

顧祄聞得此言，沉吟片刻，忽而一笑，從容道：「倒是從前看錯了妳。」

顧婉娘亦是微微一笑，道：「父親憂於國事，家中之事甚少關注，不然以父親一雙慧眼，如何談得上看錯。」

父女二人，不由得相視一笑。

自這一席談話後，顧祄便常常叫了顧婉娘到書房說話，也因此之故，闔府上下，皆知這顧婉娘乃是最得郎君看重的，便是顧祄的長子顧詧，也沒得顧祄如此這般指點。

也因此，今日顧祄問女兒願不願意冒險出城，那顧婉娘不假思索，就答願意。

當下顧祄安排妥當，原來西長京被圍了一月有餘，但鎮西軍與定勝軍爲了誘降之故，卻是圍而不攻。

城中民心惶惶，最開始聽信了所謂僞帝認定西長京中皆是附逆，決意屠城之類的謠言，倒是上下一心，皆要艱守。後來秦王奉天子駕臨城外，天子就駐蹕在距離西長京不過三十里之外的行宮，秦王又遣使入京，稱只殺孫靖一人，如有出城降者，皆可赦。

因此人心浮動，別說城中尋常百姓，便是孫靖任命的那些朝中大臣，此時也人心思變，起了種種心思。守城的本是孫靖親將之師，除了禁軍之外，還有朔西府兵。雖然那些上頭的將領跟著孫靖在宮變之中，將天家李氏闔族幾乎屠戮殆盡，自知絕無可退，只能與孫靖一併踞城而戰，但那些低階的士卒，哪個不人心惶惶。都說城外的秦王乃是七殺星轉世，不然，如何在雀鼠谷大破段兗十萬大軍？那可是十萬大軍啊！

更有人傳得越來越玄，說秦王哪裡是七殺星轉世，明明就是天上紫微星下凡，不然，焉能如同太宗皇帝一般，年紀輕輕被封秦王？不說別的，僅僅一年多的工夫，就從牢蘭關一路勢如破竹，直取西長京，這不是紫微星下凡又是什麼？

城中本來就謠言四起，守城的士氣已經低到了極處，都覺得這天下大勢，只怕又要變上一變。城中頗有些富貴人家，擔憂城破之時覆巢難存，又擔憂若是戰事危急，只怕孫靖要在城中大開殺戒，因此百般生法，想要偷偷潛出城去。而那些守城的士卒上下勾結起來，私自放人出城，趁此良機，大撈特撈了一些財帛。

城中既然如此混亂，顧氏一族又是城裡數一數二的士族，當然也有門路。顧祄付了六百金，只說要送最小的兒子出城去，希冀保全一點血脈，那在其中拉攏門路生財的中人也並未起疑。顧祄的小兒子才只七八個月，乃是一個嬰童，因此這六百金，講定除了顧祄的小兒子之外，還得送一個乳母、一個自幼服侍小郎君的侍女，一共三人出城。

重陽這日，下了整天的雨，到了夜間，無星無月，夜雨時停時下，寒風秋意，砭人肌骨。顧婉娘作家僮裝束，冒作侍女，抱著尚在繈緥之中的幼弟，連同乳母一起，跟著中人，在黃昏時分就躲在了城門下。孫靖爲了守城，在城內貼近城牆處，亦掘了有壕溝，他們便躲在壕溝裡。那中人也不止做這一單生意，陸陸續續，又去街坊中接了好幾個人過來，都命他們藏身在溝內。待得起更之後，孫靖的一隊親衛巡過，那中人便喚起諸人，躲躲閃閃，登上城樓。

西長京原有十二道城門，因被圍城之故，各門警戒森嚴。這一處城門，喚作安化門。他們這一行，總有七八個人，跟著那中人一起，悄無聲息登上安化門。城樓上自有兵卒，對他們這一行人卻視若無睹，可見近日已經做慣了此般營生。上了安化門之後，那中人帶著他們又走出了一箭之地，左顧右盼許久，這才從牆根處摸起一根繩索搖了搖，再過得片刻，方看見影影綽綽，走過來十餘個壯漢，看服色正是守城的士卒，這些人卻一言不發，亦不點燈，只蹲下摸索。

此刻又淅淅瀝瀝下起雨來，顧婉娘小心地將繦緥之上的布料拉攏起來些，又背過身去，靠著城牆避開風口，用袖子遮住熟睡幼弟的臉龐，不令他淋雨受了風寒。那乳母早駭得一聲也不敢出，縮在她身旁，用牙齒緊緊咬著自己袖子，不敢發出半分聲音。只見那些壯漢忙碌了片刻，卻架起極大一個轆轤，又抬起一個籮筐，原來他們在城上如此這般，用粗大麻繩繫了籮筐，慢慢將人縋下城去。

秋後入夜本就風涼，那冷雨一陣一陣地打在身上，顧婉娘直冷得瑟瑟發抖，只能躬身護住懷中的幼弟。那些壯漢行事謹慎，過得片刻，方才點起極小極小一盞羊角風燈，提照著繫緊繩索，又再三檢查有沒有繫牢。

等將繩索繫好，又晃著試了試籮筐。壯漢中爲首的那個長臉漢子，這才拎起燈來，往前照了照眾人的臉，卻是指了指那乳母，說道：「妳，坐到籮筐裡去。」

那乳母只嚇得如同一攤軟泥一般，哪裡還邁得開步子。顧婉娘扶了她一把，她卻全身哆嗦，緊緊抓著顧婉娘的胳膊，只將她捏得生疼。那長臉漢子又低喝著說了一遍，乳母卻是死死抓著顧婉娘，藉著那盞小小的羊角燈，顧婉娘見乳母滿臉水痕，也不知道是嚇出來的眼淚，還是雨水。她心裡發急，便從乳母指間拽出了袖子，低聲道：「將軍，還是我抱著小郎君先下去吧。」

那長臉漢子也就是個隊正，見她稱呼自己作將軍，不免也瞥了一眼，但見是個身量未足的小女娘，卻作家僮打扮，臉上塗得汙糟糟的，知道這定是城中富貴人家親眷，作此裝扮不過是想掩飾其閨閣女子身分。他收了這些人的重金，只想賺錢，倒也沒別的邪念，見她自告奮勇第一個出城，便點了點頭。

顧婉娘也不害怕，抱著幼弟跨進籮筐，屈膝坐下，一手抱著弟弟，一手緊緊扶著籮筐上的繩索。那些漢子更不多言，上來七手八腳抬起籮筐，放在城堞之上，然後輕輕往外一推，那籮筐晃晃悠悠，就綳直了粗如兒臂的麻繩，直懸於城牆之外。

顧婉娘雖然膽大，但這麼一晃，再往下一望，黑洞洞深不見底，如何不知道已經置身於城牆之外，但四處風雨茫茫，不過片刻，她身上衣衫濕透，懷中幼弟也被驚醒，張嘴便要啼哭。

她連忙從袖中取出一塊飴糖塞進幼弟嘴裡。果然幼弟咂著糖，並沒有哭出聲來，她輕輕拍著繦褓哄著，只聽城頭轆轤咯吱有聲，麻繩晃動，正在將她藏身的這籮筐慢慢往城下放去。

上不著天，下不著地，雨點如同飛蛾一般，直朝她身上撲來，四處漆黑一片，只聞沙沙的雨聲。她索性閉了眼，感受著那懸空的搖晃。籮筐一寸一寸地往下降，風越來越大，麻繩浸飽了水，放著更是吃力。風吹著籮筐，時不時就擺動著磕在城磚上，每次都令她心驚膽寒，心想若是磕翻了跌下去，豈不是粉身碎骨。幸好那籮筐是柳條編的，極有彈性，每次磕在城牆上，便又被微微彈開，筐中又坐了人，重心極穩，不曾顛覆。

也不知過了多久，她也不知籮筐已經降下了多高，忽然城牆上傳來一陣喧嘩聲，這種漆黑的夜裡，風雨連綿，似乎連聲音都傳不遠。她不由抬頭望去，過得片刻，忽又見安化門樓上，忽然出來一隊燈火，顯然是有人從城樓上直奔這邊來了，她心下一緊，不知出了何事。

城牆上的諸人早就亂了，原來，今夜風雨大作，孫靖卻不知因何故，親自帶人到城牆上巡查來了。他雖然還未至這安化門，但守城的諸將早就忙碌起來，當然要搶在大都督巡查之前安排好一切，因此負責安化門這一帶城防的宣威將軍魯湛，慌不迭親上城樓來。偷做送人出城營生的那些士卒，雖買通了一些軍中上司，但卻也夠不著魯湛這一層，頓時慌亂。爲首的長臉漢子聽聞魯湛親自來了，即命將餘下還未下城的幾個人速速帶走，偏那魯湛來得甚快，轉瞬便已見燈火喧嘩直奔這邊而來，也不知道是不是有人告密。這一隊中，早有人兩股戰戰，問道：「鄔隊正，怎麼辦……」一語未了，只見那長臉的鄔隊正扭頭看了看越來越近的燈火，咬牙猛放了一陣麻繩，只見轆轤如輪，吱呀呀轉得飛快，但是燈火越來越近，眼見便來不及了，鄔隊正便沉聲道：「把繩子砍了！」

那些兵卒早慌了手腳，拔出刀子來亂砍亂割，那麻繩甚是粗大，一時竟割不斷，那鄔隊正一把奪過刀，三下五除二就割斷了麻繩。眾人協力，將架在城堞上的轆轤拆下來，扔到了城牆外。

話說抱著幼弟坐在籮筐中的顧婉娘，起先看到燈火從城樓過來便知道不妙，後來又猛一陣放繩，風雨中籮筐速降，轉瞬間，上頭突然繩子一鬆，整個籮筐連同斷繩，齊齊向底下墜去。

這一切便如電光石火般，顧婉娘只道今日此命休矣，卻不想下一刻，只聽「噗」一聲，冰冷的水湧上來，嗆上她一頭一臉。她本就驚駭萬分，這麼一嗆，連忙掙扎著爬起來，只是四處一片漆黑，只聽見雨聲嘩嘩，不知身在何處，更不知自己到底是死了還是活著。正恍惚間，忽聽見不遠處「嗵」一聲，不知是什麼聲響，旋即又是一陣大雨澆過，懷中幼弟被冷水一激，終於哇哇大哭起來，她連忙捂住幼弟的嘴，摸索了片刻，又往他嘴裡塞了顆飴糖。嬰孩的哭聲漸漸低下去，她輕拍哄著，好容易哄得不哭了，又伸手摸了摸四周，觸手全都是冰涼的水，她心道莫非墮入了無間地獄？

她又是冷又是怕，過了好久，方才哆哆嗦嗦從袖中取出了火摺子，用袖子遮掩著，盡力不令火摺子被淋濕，這才小心地摘下了銅蓋，都不及等她去晃，一陣風過，火摺子瞬間明亮起來。她在黑暗中甚久，就火摺子那點光都刺得她雙目生疼，差點流淚，連忙小心地舉高了火摺子看去，四處全是濁黃的水，無邊無際，似在湖中。她不由怔住了，籮筐如舟，搖搖晃晃就浮在這一片水面上，不遠處半漂半浮著一個東西，也看不清到底是什麼，過了片刻，那東西漂得更近了，她才認出來，正在適才架在城牆上的轆轤。

城牆上出事了，她幾乎可以篤定，但不知出了什麼事，才逼得城牆上的人割破了麻繩，害得自己差點死在此處，還把轆轤也扔了下來。

八成是被發現了吧。

她極力讓自己鎮定下來，即使被發現了，自己現在業已出城，城牆上的人這麼久沒有追出來，那也算暫時安然無虞。她極力按捺住一顆怦怦直跳的心，蹲下來，伸長了胳膊，去探籮筐外的水。水很深，她怕弄翻了籮筐，也不敢用力，但是憑胳膊是探不到底的。她小心地用火摺子照了照，四處全是水，什麼都看不到，但是城牆下是不會突然有湖的，也許如同城牆內一般，爲了防守掘了壕溝積了雨水。她以手作槳，奮力划著，心想自己總可以划到岸邊。

也不知划了多久，她的手突然觸到了泥土，心下大喜，連忙又用力划了一下，取出火摺子，果然是草。草裡混著泥水，但她拔了一下草葉，拔不動，底下生著根，她狼狽地抱著幼弟翻出籮筐，跌跌撞撞地，差點倒在泥水裡，掙扎著爬起來，又往前走了兩步，只覺得四野茫茫，更不能辨，唯有身後是水，便鐵了心朝前走去。

入夜後帳中點了牛油巨燭，照得四下裡如白晝一般。這牛皮所製的中軍帳甚是闊大，李嶷自出牢蘭關以來，還沒住過這麼氣派的軍帳，好的屋子，好的吃食，從來都是讓給傷兵的。但今時不同往日，圍城月餘，圍的便是軍心穩定。城中慌亂，自兵臨城下之後，不曾短兵相接，自然也沒有傷兵，而且封秦王一事之後，他也不再在這等細處糾結，以免適得其反。

天子本不肯棄東都那個安樂窩，朝中文武對西征之後移交東都之事亦議論紛紛，奈何秦王李嶷早有決斷。他乃是行營大總管，大權在握，在朝中明言若不移交東都，則不可取信定勝軍；若不與定勝軍一起出兵合圍，西長京固不可收復，若孫賊反覆，那天下社稷再傾覆，亦未可知。朝中諸臣明知必得與定勝軍合圍方有勝算，因此雖有腹誹，但也勉強同意。

待西征諸事預備齊全，李嶷竟令裴獻入行宮，強自奉天子起駕，把李桴架到了金輅之中。李桴這個皇帝到了軍中，本來處處嫌棄約束，待到了西長京城外紮營，定勝軍大軍前來匯合，兩軍相加，浩浩蕩蕩，無邊無際，氣勢驚人，可見收復西長京指日可待。而那崔倚在兩軍相會之後，曾到鎮西軍中拜見過一次天子，雖然稱不上恭敬，但未有失儀之處，因此李桴也就頗為滿意，甚至覺得自己如此親臨陣前，頗有天子的威儀了。

天子本來自信滿滿，但眼見圍城月餘，城中竟絲毫不亂，反倒是天氣漸漸冷起來，各處兵馬喧嘩，他不禁又慌了，幸好信王李峻請來的世外高人吳真人，一見天子便連連叩拜，說李桴有眞龍元氣，乃是紫微星下凡，天命所歸，中興之主，因此才有信王、齊王、秦王諸王，並崔倚、裴獻諸將，前來護衛天子，此戰必勝。李桴聞言龍顏大悅，當即便封吳眞人爲吳國師，又因恰逢重陽，便藉著佳節爲由，犒賞三軍，更令人給崔倚、裴獻都賜了禮物，乃是吳國師親自煉就的金丹，據說吃了之後可以不食不眠，上陣如猛虎。

裴獻倒也罷了，他對這位舊梁王、新天子的糊塗勁兒知之甚詳，所以接過這金丹，令幕僚立時敷衍了一篇什麼陛下垂愛感激涕零云云的奏疏；崔倚哪裡有這等好脾氣，等送金丹的使者一走，便沒好氣地連匣子帶金丹都扔到了帳角。

相較之下，這位陛下犒賞三軍的肉食，彷彿更得人心一些，起碼令軍中眞心實意，好生山呼萬歲。

李嶷忙了一天，回到帳中才看到，這位天子、自己的父皇竟也賜了自己一匣金丹，不禁又好氣，又好笑。正拿那匣金丹無可奈何之際，忽見裴源走進帳中，便隨手塞給他。

裴源本來還沒看清是何物，待燭下一瞧，看得分明，不禁苦笑。「十七郎，這是御賜之物，給我不大好吧。」

「拿走拿走。」李嶷連連揮手，「別讓你爹看到，趕緊找個地方偷偷埋了。」

裴源見他換了衣裳，不由問：「已經起更了，你還要出去？」

李嶷道：「不出去。」喜滋滋地說道，「待會兒節度使也來。」雖然李嶷自己兼著鎮西節度使，但既然提到節度使，那麼必然是指盧龍節度使崔倚。

原來黃昏時分，李嶷與崔倚、裴獻馳馬看過城外地形，約定了晚間相聚，再議攻城之事。李嶷乃是兩軍名義上的主帥，所以便約了在他帳中議事。

裴源滿腹牢騷，捧著金丹出帳門，不想正好遇見自己的父親裴獻帶著諸將走進來，與他撞個正著。帳前火炬照著他手中捧著的匣子，那匣子貼了金箔，被火光一映，流光溢彩，甚是顯眼。

裴獻不由眉頭一皺，裴源連忙道：「殿下令我幫他好生收起來。」

裴獻明顯不信，狠狠瞪了他一眼，裴源連忙躬身行禮，順便替裴獻掀起帳簾。父子兩個正打眉眼官司的時候，忽又聞馬嘶聲、人語聲，正是崔倚帶著定勝軍諸將到了，正於營中下馬。

這麼一通忙亂，裴源終於趁著裴獻與崔倚見禮之時，偷偷溜出去把那匣金丹藏了起來。待他回到帳中，李嶷已經居中而坐，左手邊乃是崔倚，右手乃是裴獻，三人圍著輿圖，聚米畫沙，不斷推演。待商議已定，已經是二更時分。因定勝軍乃是客軍，李嶷分外客氣，冒雨一直將崔倚送到轅門外，這才回轉。待進了帳中片刻之後，果然有人一掀簾子進來，正是崔琳。

雖然鎮西軍與定勝軍同在西長京外，但數十萬人，鋪陳開去，軍營連綿，諸事繁雜。李嶷身爲主帥，攻城在即，更是忙得不可開交，兩人已是旬日未見。今日她仍舊穿了校尉服色，侍立於崔倚身後，說了一晚上正事，他都沒能有機會仔細看一看她，或是私下裡說句什麼話，此刻見她果然回轉，他心中一喜，只叫了一聲：「阿螢。」

兩人相見，心下俱是歡喜，他牽著她的手，讓她在案前坐下，轉身卻取來一物，原來正是一碟重陽糕。她素來愛這般甜食，想是他特意給她留著此物，此時糕早就已經涼透，米麵凝結，也早就硬了，但她掰了塊糕，放在嘴裡，細細嚼著，只覺得清甜。兩人坐在燈下一邊吃糕，一邊喁喁說著話。

「我還有一事要託付妳。」

見他言辭慎重，她不禁拈糕一笑。「就知道你這糕不是輕易好吃的。」

兩人想起昔日並州城外，他買的那方糖糕，讓她與他同取並州城，兩人不禁相視一笑，心中俱是甜蜜。

李嶷細細說起先太子妃蕭氏其人，以及自己先前如何與她同謀，去將如今的天子、彼時的梁王相救出來。她雖知救出梁王必是宮內有人策應，卻萬萬想不到這宮內策應之人，竟然是先太子妃蕭氏，此刻聽他說來，這蕭氏忍辱含垢，在孫靖身邊周旋，眞比臥薪嘗膽更要小心和難爲得多。

聽完蕭氏的來歷與行事，她不禁長長嘆了口氣。李嶷道：「按照咱們今日商議定的，只怕到時候定勝軍會先攻入宮城，若是如此，還請妳替我好好留意，務必保全先太子妃。」

她點了點頭，說道：「你放心吧。」

帳外雨聲一聲緊過一聲，兩人不由得都出了會兒神。他十三歲即離開西長京，在此之前，對這位先太子妃的記憶也甚是模糊，因爲梁王一脈，在先帝面前不甚受寵，除了年節宮宴，他也難得入宮，更難得見先太子妃一面，大約還是小孩子的時候見過罷。模糊的印象裡，不過是個雍容華貴的婦人罷了，但是身在敵側，苦心周旋，那絕不是尋常女子能去做、敢去做的。

崔琳卻在想，這麼一位奇女子，若是有緣得見，那該多麼好啊。但願她可以在亂軍中被保全。再說，他還是第一次鄭重其事，託付她事情呢，只是怕等到了那一日，宮中混亂，不過自己可以令桃子帶一隊人馬，一進宮就直奔他說的蕭氏所居的雲光殿去，盡全力而爲，想法子護住這位先太子妃。

外面雨下得越來越大，嘩嘩的風雨聲連成一片，她起身道：「該回去了。」

他去取了油衣來，又親自幫她穿好，拿著燈細細繫好釦絆，唯恐她淋濕了，雖然明知道雨夜馳馬，肯定會衣衫盡濕的。他本欲送她出營，她笑道：「留步吧，不然眞被人瞧出來。」——她是悄悄折返的，在這裡又逗留半夜，被人知道了終歸不好。

她悄悄出營，冒雨策馬而歸，雖穿了油衣，卻果然仍被澆了個濕透。她剛進轅門的時候，忽然外面有一隊人進來，紛亂似出了什麼事情。桃子出來接她，於是去問了個仔細，原來是營外巡夜的士卒捉到個奸細，細審之下又彷彿不是，那人自稱乃是顧相的女兒，喬裝出城，口口聲聲要見鎭西軍的元帥秦王殿下。

崔琳聞言，不由得一怔，過了片刻方才道：「那請顧小姐到我帳中來。」

她這麼吩咐下去，不過片刻，果然那些人押送個泥人進來。說是泥人也不像，不過衣衫上盡是泥水，也不知道是跌了多少跤，還是在泥水中滾過。幸得臉龐大概是被雨水淋得濕漉漉，並沒有沾染多少泥汙，倒還算潔淨，只是那臉色如紙一樣白。一見了崔琳，她不由就愣了一下。軍中本來就罕見女子，何況這處軍帳雖不算豪華，但十分闊大，明顯她在軍中地位甚高，什麼時候軍中有這般女郎了？

顧婉娘立在當地，蹙著眉，兀自發怔。崔琳倒是先開口了，她已經認出了顧婉娘，雖然彼時只在船上匆匆一面，但畢竟見過。她便問道：「顧小姐，妳說有要緊事要見秦王？」

顧婉娘看著她，四處燈火照得分明，她終於也認出來，原來這個人就是那個什麼定勝軍的何校尉，當初在船上的時候，曾經見過一面。在船上的那一切，可謂驚心動魄，甚至可以說，她顧婉娘的整個人生，都可以分成兩段，一段是，遇見李嶷之前，一段是，遇見李嶷之後。

在沒有遇見李嶷的時候，她所思所想無外乎是，活下去；如果可以，就努力活得好一點。但遇見李嶷之後，她像是突然平步青雲，她不但活下去了，而且憑藉送糧給李嶷，她成功地在自己的父親、府中最有權力的人面前，獲得了信任，同時也獲得了尊嚴。她不再是從前那個唯唯諾諾，縮在人身後藏拙的顧婉娘了，她現在是父親期許最高的一個孩子，遇見大事，父親只會與她商議，連父親的長子、自己的嫡兄都不曾有這般待遇。

她在不經意中微微挺直了腰，在這位軍中女郎面前，她不敢有絲毫的懈怠，更不想有絲毫落了下風。她記得她，記得她踏上船，只跟李嶷說了一句話，那句話明明是認輸，但她卻像是贏得所有一般驕傲。

這樣的女郎，不像明月，而是如同太陽一般熠熠生輝，誰見了她一面，敢輕易忘卻呢？

在那夜之後，顧婉娘曾經無數次在心裡回想當夜船上的種種情形，一遍遍地想，仔細地想。她知道一切都不同了，自從遇上李嶷之後，她變成了另一個人。從前書上有句話她讀過很多次，但也沒懂，更不會用——「擒賊先擒王」。在遇見李嶷之後，或是說，在回到西長京之後，忽然她就明白過來了。在自己那個家裡，主母並不重要；嫡母再惱恨自己，再不喜歡自己，只要父親有所表示，那一切都會不一樣的。

果然，嫡母如今仍舊痛恨她，厭煩她，顧三娘也仍舊百般挑唆，但是沒用了，現在她因爲有父親的垂青，誰也奈何不了她。反倒是從前的另一個庶姊，之前總是和顧三娘一起欺負自己，如今竟也向自己示好了。

閨閣中這些，都是雞毛蒜皮的小事，第一次她踏入父親的書房時，自然十分惶恐，後來，她已經泰然自若了。父親因爲她聰明，因爲她懂得，所以願意與她說話，也願意與她商量，更不遺餘力地栽培她。

這世上不僅男兒可以栽培，女郎也一樣可以被栽培。眼前這位何校尉不就是定勝軍中的要緊人物嗎？定勝軍的那些人將自己送進帳中時，對著這位何校尉神色可恭敬了。

她也緩緩朝這位何校尉行禮，姿態優雅，如在閨閣中。

那夜船上的事她已經想了千遍萬遍，琢磨了千遍萬遍，所有細節都在她的心裡，滾瓜爛熟。她已經琢磨明白了，李疑，彼時的十七皇孫，如今的秦王殿下，爲何那日在船上那般神情落寞。

因爲他喜歡眼前這位何校尉，不，不僅僅如此，應該說，他心悅何校尉，而何校尉也心悅他。這兩個人互相看著對方的時候，眼神和看別人的時候完全不一樣。

他們互相看著對方的時候，眼裡只有對方，只有那一個人，彷彿天上地下的萬事萬物，都不及眼中那個人要緊，彷彿天上所有星河，都不如那個人璀璨奪目。

「顧婉娘見過何校尉。」她聽見自己柔柔的聲音，似在閨閣中見到了另一位女郎，帶著一絲故人重逢的輕快與愉悅。「船上一別，將近年矣，校尉安好？」

崔琳自幼是被當作男孩養大的，後來又常年在軍中，所以甚少有這種閨閣意態。見這位細語輕言向自己柔聲問好的小娘子，只覺得格格不入，於是點了點頭，說道：「勞顧小姐記掛，我挺好的。」

當下顧婉娘將自己出城之意向崔琳和盤托出，並言辭懇切，託崔琳照拂自己的幼弟——她抱著嬰孩被定勝軍的巡卒發現，差點被當作細作，後來一問，方才知道乃是顧相的女兒。她懷中嬰孩被大雨淋了這半夜，早就凍餒啼哭，便被定勝軍的人帶走，匆匆讓軍醫看過，這軍醫對小兒自然束手無策，只得命人熬了些祛寒扶陽的湯藥。

崔琳一邊聽，一邊已經揚聲吩咐人，先去行宮請太醫。天子御駕前，素有幾名御醫侍奉，雖然此刻這幾位御醫之中也並無小兒聖手，但醫術是極好的，自然比軍中的醫士強許多。

顧婉娘聽她這般吩咐，心想萬幸天無絕人之路。幼弟才八個月，又被雨淋，又被水泡，折騰了這半宿，幸得撞見定勝軍的巡卒，此刻這位何校尉竟又能命人去請御醫來看，想來幼弟不致有大礙。

而崔琳吩咐延醫之後，亦命人備車，送她去見秦王。

崔琳道：「外面雨太大了，妳又不會騎馬，還是坐車去吧。」又道，「妳弟弟一個嬰孩，就留在我們營中，待御醫看過，我自會命人細心照料。」又說道，「妳衣服都濕透了，秋夜裡風寒，莫受涼生病，我叫人拿身衣服來給妳換上。」

難為她事事想得周全，顧婉娘眼底不由一熱，幾乎湧出眼淚來，感激不已。待換上乾淨衣服，再三謝過這位何校尉，方才登車而去。

她被輾轉送到鎮西軍營中的時候，已經是五更時分。車停在鎮西軍轅門外的時候，雨已經漸漸停了，正是天明前夜色最濃稠的時候。李嶷帳下的親衛，舉著火炬一直迎出來。李嶷雖然睡得晚，此刻卻早就已經起來，營中剛剛聚將點卯，因此她一路被親衛引著走進中軍大帳的時候，那些抱著頭盔匆匆出帳的大將，也有人偶爾好奇地瞥了她一眼，但也就只一眼，便目不斜視，徑直各自歸營。

中軍大帳中生得火盆，烘烤得水汽蒸騰，也爲這深秋的拂曉，帶來了難得的暖意。李嶷見顧婉娘被引入帳中，十分客氣，自座中站起，顧婉娘一見了他，不知爲何，只覺得喉頭哽咽，幾欲落下淚來。心中暗暗提醒自己不要失態，因此極力自持，盈盈下拜：「見過殿下。」

她抬起眼眸，有些倉促地看了他一眼，只一眼，便覺得眼前之人，似乎與當初不同。其實這不過是第二面而已，彼時船上初遇，他還是十七皇孫，此時此刻，他已經是國朝功高勳重的秦王。上次匆匆別後，算來已經有將近一年的時光，他似乎身形更加高大挺拔，但眉眼深邃，仍舊是那般說不出地好看。他起身之後微垂著眼，只說：「顧小姐多禮了。」並未朝她看上一眼，這正是他的守禮之處，畢竟男女有別，她是閨閣女兒，因此他目不斜視如君子。顧婉娘其實很盼他能看自己一眼，但旋即又被自己心中這麼大膽的想法唬了一跳。當下她強自鎭定，眼觀鼻鼻觀心，將父親顧祄交代之語一一稟明。李嶷凝神細聽，從頭至尾，並沒有打斷過她的話，她起初說得有幾分緊張，唯恐自己記錯了或說錯了什麼，後來漸漸流利從容，甚至，偶爾她也敢大著膽子偷瞥他一眼，反正他是君子，目光微垂，永遠似看著地上的某一處。

待她原原本本全部說完之後，他沉吟片刻，又問了她幾個問題，得知她是藉著幼弟的名頭偷偷從城頭縋出，便又問她顧家小郎此刻在何處，待得知是何校尉將嬰孩留在定勝軍營中，又請了御醫，方才忍不住嘴角上揚，微微一笑。

這是她第一次見著他笑，今日的第一次，也是自初識後的第一次，那也是因著那位何校尉之故。適才她說到何校尉的時候，他的眼睛彷彿驟然亮了許多。

他笑著說：「如此甚好，顧相的意思我都明白了，顧小姐眞是辛苦了，必然又記掛顧家小郎，我派人送顧小姐去定勝軍營中吧。」

言畢他便揚聲喚人，不多時，便見一名身形高大的少年郎走進帳中——正是謝長耳。李嶷匆匆吩咐幾句，謝長耳請顧婉娘仍上車，自己騎了馬親自護送，直將她一直送到定勝軍營中。

而御醫早看過顧家小兒，開了藥方煎了藥，桃子自餵顧小郎吃過藥了，此刻嬰孩睡得十分安穩，就是乳母困在城裡還未及出來，桃子不知從哪裡尋得一碗牛乳，煮熱又晾溫嗷了，方才也餵嬰孩吃了。顧婉娘見幼弟無礙，自然千恩萬謝，桃子說道：「我們校尉說了，妳就暫時住在這裡吧，我會命人每日送牛乳來的。」

顧婉娘還要道謝，桃子早就簾子一挑，出帳去跟謝長耳說話了。顧婉娘在帳簾間隙之中，見兩人說說笑笑，十分親暱熱鬧，這才恍然大悟。

話說顧婉娘在這定勝軍軍營之中，一住就是十來日。秋雨連綿，卻是一連好幾日，陰雨不停。終於又過了幾日，方才天氣晴好，晨風吹來，頗有幾分深秋的寒意。帳外早就降下一層露水，因此處有嬰童，所以桃子前幾日就送來火盆與火炭，供他們取暖。晨起炭火微熄，顧婉娘往盆中添了幾塊炭，又提起小陶罐，給幼弟煮牛乳，預備他醒來吃。她雖是閨閣女子，但幼時在家中並不受寵，後來又被送回並州祖宅幽居，這些日常瑣碎活計，幹起來也甚是得心應手。

顧婉娘正看著陶罐，調理著炭火，不欲令牛乳從罐中沸出來，忽然聽見驚天動地「嗚嗚」連聲，如龍鳴，如悶雷，大地似乎也喧嘩震動起來。床上的嬰孩被吵醒，哇哇大哭，她一邊抱起幼弟拍哄著，一邊側耳細聽。

她知道這種乃是軍中的號角之聲，但平時所見不過一只兩只號角，今日竟似千萬只號角在齊齊奏鳴。又過得片刻，似乎天地都被震動起來，號角一聲連一聲，越來越激昂，像是無邊的潮水，撲向了岸邊的岩石；又像是雄鷹展翅，翱翔於九天之上。激烈、清越、雄渾、磅礴……天地間充斥著這種聲音，氣勢驚人。

她懷中的嬰孩也止住了啼哭，大眼睛愣愣地看著她，她胸中似乎心潮起伏，坐立難安。便在此刻，一名老卒匆匆送了一罐牛乳進帳。他這幾日總是送牛乳來，顧婉娘也算與他熟識，便開口問道：「蔡大哥，外頭怎麼如此鬧騰？」

那姓蔡的老卒將牛乳放在几上，笑咪咪地道：「今日大軍出營啦，咱們定勝軍和鎮西軍一起出發去攻城啦。」

顧婉娘心中一驚，說不出心中是何種滋味，是期待，是惶恐，是盼望，是……是什麼呢？

孫靖謀逆，弒先帝及諸王，國朝傾覆。誰也想不到，從遙遠的牢蘭關，十七皇孫李凝帶著鎮西軍，一路殺回中原，收復無數城池。今日，他率部要在西長京，與孫靖決戰了。

她便是一介弱質女流，此刻也覺得心潮澎湃。千軍萬馬，直指京都，血染沙場，誅滅叛賊，這是何等驚天動地的大事啊，縱然她什麼都不能做，也做不到什麼，只能懷抱著小小嬰童，在這後營之中，遙想數十里外的種種廝殺。

這一仗，他是一定會贏的。

她十分篤定地想。

民心向背，軍法謀略，這些她都不懂，但自從他如同天神般，凜凜從天而降的時候，她便知道，他一定會贏的，不論是什麼事。他天生就該當如此啊，他是如神祇一般的人，難道這天下萬事，不該順從他的心意嗎？難道這天下萬物，不應該任由他探囊取之嗎？

且不說顧婉娘在帳中胡思亂想，今天作爲攻城的主帥，也是鎮西軍、定勝軍兩路勤王之師的主帥李凝，可沒心思去想旁的。自從顧婉娘帶出顧祄的謀畫之後，李凝又與裴獻、崔倚再三商議，最後決定打硬仗，一舉攻城。

今日是攻城首日，所以兩路大軍由各部將負責，老老實實鋪陳開去，連綿數十里，從西長京的西方一側，全力攻城。

這般硬仗，打的是底氣，亦是毅力。孫靖聞說攻城，也並不慌張，立時著甲，率領部將上城督促防守。

李嶷也沒玩什麼花巧，先用弩炮齊射，粗如兒臂的巨箭直射得城牆之上磚瓦迸碎，城頭不時有士卒被碎磚擊中，頭破血流，然後便是拋石機、鉤車、衝車等齊發。一時城牆之上，飛矢如蝗，石如雨下。城上的守軍早知此戰難免，更兼孫靖親臨督戰，亦未見慌張，居高臨下，亦用弓箭飛石等還擊。

兩廂如此苦戰，到了黃昏時分方才稍歇，鎮西軍與定勝軍皆退回，預備來日再戰。城頭士卒傷亡不過寥寥，但城中卻是民心浮動，皆曰不可守。孫靖恐生變故，於是命親衛將城中世族為首之人皆帶至宮中為質，其中亦有顧祄，但未料各世族皆倚仗家僮奴僕眾多，閉門堅拒抗令不遵。若是強行破門帶人，只怕連夜就會激起民變，孫靖只得作罷。

第二日鎮西軍與定勝軍仍舊合力攻西側城牆，蓋因此處城牆雖是磚砌，卻因地勢之故，夾層夯土最是薄弱，又沒有甕城[6]。孫靖仍集中軍力全力防守，城上城下交戰激烈，甚是膠著。

到了午後，悶雷滾滾，過不多時，卻是又下起瓢潑大雨，雨勢越來越大，轉瞬間就白茫茫一片。雨中作戰不利，鎮西軍與定勝軍皆鳴金收兵暫歇。城上諸軍見兩軍退卻，雖明知只是暫退，卻也忍不住一陣歡呼。雖然才接戰短短兩日，但孫靖之師坐困愁城，孤立無援。雖然攻城難守城易，卻是越戰越沮喪，士氣低落到了極處，所以雖然敵

6　編按：城門外修建的小城圍，用於加強防守。

方只是暫退，卻人人歡呼，只盼捱得一刻是一刻罷了。

李嶷雖然退兵，卻也毫不沮喪，西長京乃是國朝經營百年的都城，這百年來大裕雖偶有戰火，但皆在邊陲之地，從來不曾有敵人兵臨西長京城下。在李嶷心中，也早就將西長京的地形地勢、城牆防守，琢磨了個滾瓜爛熟，何況還有裴獻與崔倚，這兩位百戰百勝、統兵數十載的大將軍。三人商議多次，又用沙盤推演，種種皆已經料到，包括雨時如何，晴時如何，作戰得力時如何，作戰不利時如何，皆有預演。

因此雖然下雨，李嶷也不慌不忙，回到帳中，一邊就著剛剛生起的火盆烤乾衣裳，一邊又在沙盤邊沉吟計算。待匆匆吃過乾糧，又去傷兵營中親自看過一遍，這才返回帳中。剛坐定不久，老鮑忽然一掀簾子進來，對他說道：「十七郎，上好的差事，如何忘了哥幾個。」

李嶷不由笑道：「什麼上好的差事又讓你相中了？」

老鮑道：「你不是早就跟崔家定勝軍商議好了，若是下雨，便藉著雨勢和土地鬆軟，挖掘地道，這等有趣的事，如何能不讓我們去。」

老鮑口中的「我們」，自然指的就是他和黃有義等明岱山諸人。李嶷卻嘆了口氣，說道：「秋雨寒涼，就你身上那十七八道舊傷，若是此刻再冒雨去掘地道，只怕來日更加不好了。」

老鮑卻「呸」了一聲，口口聲聲李嶷瞧不上自己，嫌棄自己是無用的老卒了。又道，聽說定勝軍也在挖掘地道，若是此番讓定勝軍搶在前頭，旁人自不打緊，自己在鎮西軍中二十年，這張老臉卻要往哪兒擱。

李嶷被他纏磨不過，只得答應。老鮑這才轉怒爲喜，笑道：「你等著瞧吧，咱們定然搶在定勝軍前頭，把這地道給掘好了。」

老鮑既說出了這樣的話，帶著黃有義、趙有德等明岱山眾人，也是一鼓作氣，冒著大雨在城下挖掘地道，果然比定勝軍更快，不過半日工夫，就掘到了城牆之下。老鮑自然是奮勇當先，親自拿著鐵鍬，在坑道中不斷挖掘，因爲坑道狹小，並肩只得兩三人，所以每挖一段，便只能輪換上前。

黃昏時分雨勢稍住，但因著連日陰雨，土地濕軟，掘起地道來更是事半功倍。老鮑在坑道之中一鼓作氣，揮鍬不停，直滾得身上像泥人一般。黃有義等人想勸他歇一歇，自己上前替換，也被他推辭。老鮑見泥水越來越多，一鍬下去，一股白花花的水忽然直沖而出，澆得他一頭一臉，他卻歡喜大笑，說道：「成了！」

連日多雨，城內壕溝積水盈丈，這下子掘通了地道，水湧進來，直沖得坑道裡的人七零八歪，站立不穩。眾人正在高興的時候，忽然轟一聲響，也不知道是何處發出，旋即泥沙夾雜著圓木石塊順著水直沖出來。原來他們好容易將地道掘過城牆，不想孫靖部下守軍在城內看到壕溝水面漩渦，知道必是城外在挖掘地道，於是以圓木巨石堵塞，這下子，剛挖進去的地道又被壅塞堵截。

老鮑等人並不氣餒，雖然被發現，但一旦坑道被掘通，那麼城內堵塞只是暫時，眾人大可再挖開，一時群情激蕩。錢有道早就按捺不住，扛著鐵鍬衝上前去，三下兩下，朝著坑道側面挖去。過不多時，只聽眾聲喧嘩，原來這坑道又被挖出一大片破口，城內守軍紛紛湧過來，但坑道狹窄，根本容不下許多人接戰。一時鎮西軍眾人據坑道而戰，城內守軍雖然可以守住洞口放箭，但卻也不敢下坑道攻擊。

正僵持間，忽然守軍中不知何人生出一計：火攻。原本城頭就備有菜油，便運來好幾甕油傾於洞中。雖雨停水退，但坑道之內仍有淺淺的積水，那油傾於坑道，皆浮在齊踝深的水面上。老鮑素來機警，忽聞到菜油氣味，便大叫一聲：「不好！」忙率著眾人退出坑道，饒是如此，那油既傾入，點起火來，燒得何其迅猛！老鮑拚命督促眾人快退，自己斷後。黃有義等人逃出坑道一看，火已經一路燒到身後洞口，老鮑卻不見蹤影，嚇得張有仁哇哇大叫「老鮑」，只差要抹眼淚。

忽見一個渾身是火的人從洞口鑽出來，眾人連忙上前撲打，錢有道眼疾手快，連忙抱著那火人一起滾進積滿雨水的壕溝。被積水一浸，那人衣上的火終於全都滅了。錢有道攙著那人爬上壕溝，果然乃是老鮑，幸得他沒受什麼傷，只是頭髮鬍鬚被火燎去了大半，氣得他指手畫腳，在城牆下跳腳大罵。

城中守軍伏在城牆上，見火攻奏效，老鮑諸人模樣狼狽，不由哄然大笑。但到了第二天，守軍可笑不出聲了，因爲城牆根兒前每隔數十步，便有木製的盾牌連綿遮掩，鎮西軍與定勝軍的士卒便藉著這遮掩擋住城上射下的箭枝，挖掘地道。

令城上守軍頭痛的是，明知道這些挖掘，十之八九有詐，其中不過一兩隊眞挖地道罷了，但若是放箭，只是射在盾上；若是不放箭，任由眞的挖掘地道，那還了得？

到了夜間，鎮西軍與定勝軍更是輪流歇息，挖掘不停，城上守軍非但不敢睡，且若眞的敢睡，只怕夢裡聽見的，都是挖掘地道的鐵鍬嚓嚓之聲。

如此又過了兩日，城中漸漸騷亂起來，坊間悄悄流出的謠言，卻是說鎮西軍與定勝軍合圍勢大，破城之日，孫靖便要舉城自焚，令闔城百姓爲自己陪葬，不然爲何孫靖在城頭屯了無數油料之物。城中人心惶惶，孫靖再三派人去坊間宣揚安民告示，亦是無用。孫靖明知此乃李嶷派人潛在城中使出的種種動搖民心之計，但苦無對策，只得令手下嚴查是何人傳謠，捉了幾個市井無賴當街斬了，也算是殺一儆百。

這日城牆之上又響起擂鼓聲聲，原來趁著老鮑等人挖掘坑道，吸引城內守軍注意，鎮西軍早繞至西長京南邊的延平門，全力用大木撞擊城門。

裴源冒著箭雨，親作前鋒，只聽巨木撞在城門之上，每一下便如同悶雷一般，直震得幾乎連城樓上的瓦片都在簌簌作響。孫靖聞訊，火速派了心腹大將蔣紓前來此處支援。蔣紓一邊指揮著人放箭，一邊將帶來的援軍火速布置到兩側敵樓之上，蓋因延平門內其實另有甕城，所以蔣紓並不如何慌張。

正在蔣紓自以爲胸有成竹的時候，突然城中騷亂起來，登高一望，原來竟是遵善寺走水，只見火光沖天，不僅遵善寺，連同寺旁坊間大片民宅亦燃了起來。

這麼一來，城中自然就亂了。人人聽信了謠言，以爲孫靖眞要放火焚城，頓時哭爹喊娘，扶老攜幼，皆要出城逃命。孫靖一面派親衛前去救火，一面彈壓，但這個時候，定勝軍亦從通化門攻城。孫靖知道今日之事不可善了，城中騷亂亦不可鎮壓，長嘆一聲，令人開啓光化門，親率諸部而出，直襲城西的鎮西軍中軍，打算與李嶷一戰而決。

李嶷聽聞孫靖出城了，也不慌不忙，他早已著甲執劍，此刻正上馬準備出營迎敵，便對謝長耳道：「去告訴裴源，孫靖出城了，不論我這裡戰況如何，絕不准他回頭相顧，我只要延平門。」

謝長耳遵令而去。李嶷這裡與孫靖接戰，就在城外灃水之東擺開陣仗，因這裡是個狹長的平原，所以擺成長陣，一面依灃水，一面依山。還未完全鋪陳開，前軍已經喧嘩起來，只見孫靖來得極快，如同一把尖刀一般，直扎進陣中。

李嶷極爲沉著，孫靖氣勢如刃，他卻用兵綿密，一層層纏上去，乃是實打實的苦戰。一個多時辰之後，謝長耳忽然闖了回來，稟報李嶷：「殿下，小裴將軍已經破了延平門，定勝軍也破了通化門。」

李嶷點一點頭，他這裡既然知道，孫靖處自然亦獲知此等消息，畢竟兩軍陣後，各自皆有傳遞軍情的飛騎來往不斷，但孫靖毫不氣餒，竟然越戰越勇。過得片刻，忽然全軍震動，原來孫靖竟然卸甲赤膊，手提馬槊親自上陣了。孫靖所率之師不由士氣大振，一鼓作氣，竟然令鎮西軍前鋒陣腳微微動搖，有了一絲混亂。

李嶷毫不猶豫，吩咐左右，頓時鎮西軍中嗚嗚吹起號角，旋即整個軍陣都動了起來。孫靖正廝殺得痛快，忽然鎮西軍前軍如潮水般分開，當中殺出一路人馬，當先一人騎著高頭大馬，手持雪亮銀槍，身後數騎擁著幾面旗幟，獵獵風中，依稀可見旗幟上

「秦王」、「鎮西」等字樣，看來此人便是李舜了。

孫靖冷笑一聲，奮力拍馬上前迎敵，忽然聞得自家陣後騷亂起來，孫靖不由得回頭一望，只見煙塵僕僕，大隊人馬自他陣後掠出，正是裴獻所率的騎兵。

原來裴獻將小兒子扔在延平門外不管不顧，竟然埋伏在此，預備抄他的後路。

孫靖這回頭一望，不過瞬息間的事，身側諸將見到裴獻的旗號，皆是面面相覷。一名老將王效便出言勸道：「大都督，要不還是走吧。」

「天下之大，還能走到哪裡去？」孫靖冷笑，「此刻便是決一死戰之時。」當下再不言語，打馬上前，親自領軍與李舜對衝。

這一衝兩軍相撞，便如犬牙交錯，頓時血肉橫飛，死傷無數。雙方皆陷陣中，唯有拚力廝殺而已。

血水淋漓地落在草葉上，原上荒草被大軍踐踏，漸漸被踩入泥中，又過了片刻，泥上凝起一汪汪的血水，無數人倒下，亦有無數人掙扎而起。有人在嘶吼，有人在呻吟，死去的士卒空洞的眼睛望著天空，受傷的人勉力再起而戰。裴獻所率的騎兵便如絞盤一般，每次衝鋒便絞殺無數孫靖後部士卒的性命。

孫靖陷入一種廝殺的狂熱之中，像回到第一次上戰場。那時候他還是個少年郎，敵人溫熱的血噴了他一脖子，他回手就是利索的一刺，順手一絞，了結了對方性命。

在戰場上，不是你死，就是我活，他已經麻木了。

也不知戰了多久，他終於覺得雙臂痠軟得舉不起來，身側的人也陷入了亂戰。他茫然地抬頭，西斜的太陽正將溫暖的光撒在大地上。這光真好啊，他累了，累得只想躺下去，躺在太陽如此溫暖的照耀之下。

他聽到了利箭破空之聲，本能地揮刀抵擋，果然斬落了一枝箭羽，但旋即，他背心一痛，身側有人在驚呼，他有些茫然地低頭，看著胸口透出的箭鏃。

有人大聲地歡呼起來，他身子晃了晃，並沒有落馬，有人搶過來將他抱住，正是適才勸他走的王效。

他噴出一口血，手指緊緊抓住了王效的衣袖，終於說：「走！帶著人，走……」

王效眼神也是茫然的，似乎手足無措，十幾歲他就跟著孫靖了，出生入死，但從來沒有茫然過。孫靖又噴出一口血，旋即就頭一歪，再無聲息。無數人鋪天蓋地地衝上來，所有人都在大聲叫嚷，也不知道是鎮西軍，還是孫靖所部，也不知道他們在叫嚷什麼。王效用力將孫靖的身體拖上自己的馬，旋即掉轉馬頭，朝灃水逃去。

射中孫靖的那一箭並非李嶷射出，他陷在陣中，重重被圍，正在苦苦鏖戰，一片混亂中，不知是誰朝孫靖射出了那一箭。王效抱著孫靖逃走，鎮西軍亦不知孫靖到底如何，只知道他受了傷，而孫靖所部亦轉身而逃，李嶷忙率大軍追擊。

一直追到灃水之側，兩軍又戰，這一次不過半個時辰，孫靖所部便大敗而潰。待得入夜時分，孫靖所部幾乎十不存九，餘下潰兵四散逃竄，李嶷命裴獻遣將追擊，自己率部返回西長京。

城中已經混戰多時，裴源所率之軍在延平門的甕城內與蔣紓血戰四個時辰，雙方死傷無數。而定勝軍破通化門，便徑直往北，朝皇城而去。

待到天明時分，裴源才將蔣紓所部全殲，而定勝軍亦已經攻破皇城。一輪紅日從東方升起，這日是難得的秋高氣爽的好天氣。遵善寺的大火燃了整整一夜，到天明之後，也終於漸漸熄了，只遺下遍地焦黑的灰燼，如此宏大的百年名刹，竟就此付之一炬。

李嶷自丹鳳門入宮城，一路行至紫宸殿前，只見遍地狼藉，地上橫七豎八，撲倒著守軍的屍首，階前有大片大片血跡，胡亂扔著一些兵器。

他不由在殿前台階下站定了，晨風吹拂著他的戰袍，秋日的朝陽照在他身上。舉目四望，只見含元殿、宣政殿依次巍然而立，翹角飛簷，映著西長京深秋湛藍的天空，不見一絲雲彩。也不知過了多久，忽聞得身側有人輕喚了一聲：「殿下。」他回頭一看，原來是裴源不知何時來了。李嶷看了看身後的紫宸殿，又抬頭看了看不遠處巍峨如山的含元殿，不知爲何，卻是輕輕嘆了口氣，悵然道：「當初我才十三歲，被罰去牢蘭關，啓程之前，按例到宮中來拜別先帝。那時我犯了錯，先帝也十分生氣，並沒有賜見，只是命人出來傳話，叫我安守本分，不要再給李氏子弟抹黑。」說到此處，他不由怔怔出神，也不知是想起了什麼，或是少年辭京，離家萬里，而如今闔族幾乎都被屠戮殆盡。也或許是憶起牢蘭關中無憂無慮的過往，不過短短一年半載，便恍若隔世一般。

裴源道：「殿下如今收復西長京，可慰先帝在天之靈。」

李嶷沉默了片刻，方才問：「派去追孫靖殘兵的人，可有回報？」

裴源道：「有一個孫靖的親信大將被擒後降了，說孫靖傷重已死，王效帶著他的屍首逃了，但父親不肯信，仍舊命人繼續追擊。」

李嶷點點頭，又問：「那崔倚呢？」

裴源道：「崔大將軍自攻破皇城之後，率隊入宮，在含元殿前下馬，入殿後謁過凌煙閣，說，意興闌珊，不過如此。然後就率隊出宮，自往城外定勝軍大營去了。」

李嶷不禁又是一聲長嘆，說道：「我也想如他這般，破城殺敵，說一句不過如此，拂衣而去，這才是眞正的大將風範。」

裴源不由道：「殿下，您與他，是不同的。」

李嶷說了句心裡話：「可是此時我卻十分羨慕他。」

裴源沉默片刻，終於道：「殿下出牢蘭關，率兵勤王平叛，一路重整河山，如今收復西長京，大功已成。從今往後，殿下再不與天下任何一人相同了，殿下以後，也再不能說羨慕旁人了。」

李嶷道：「所以，無趣得很。」

裴源不由叫了一聲：「殿下……」似想再出言相勸。

但李嶷已經轉身，緩緩拾階而上，往紫宸殿後而去了。

在玉暉樓上，崔琳站在樓上，望著朝陽下連綿的琉璃瓦，也不禁嘆了一聲：「哎，當眞無趣得緊。」

桃子嘟了嘟嘴，左顧右盼。「皇宮原來就是這個樣子啊……除了屋子大一點，房子高一點之外，好像也沒什麼。」

崔琳便與她解說：「咱們站的這裡，叫玉暉樓。妳看前面，最前面是含元殿，然後是宣政殿，還有紫宸殿，這些宮殿都是前朝，是皇帝理政的地方。」然後她又抬頭一指，說道，「那裡，高牆之外，就是東宮。這裡，以玉暉樓爲界，後面，就是後宮。」

桃子說道：「這麼大片的屋子，得多少人住啊！咱們一路進來，怎麼沒看到什麼人？」

崔琳不禁微微一笑，說道：「先帝原先有幾十個兒子，活到成年的，也有三十幾個兒子，還有百來個孫子，人丁興旺，宮裡不夠住，只能給諸王分府，讓諸王成婚之後，都住到宮外去。」

「天啊！」桃子不由感慨，「先前那個皇帝，可眞能生。」

「後來孫靖把李氏闔族的男子，幾乎都殺掉了，他竊居宮城，咱們圍城之後，他又令自己的家眷子女逃走。等咱們攻城的時候，宮裡亂了，宮娥寺人都害怕得藏了起來，所以這宮裡才顯得沒什麼人。」她說道，「也幸得如此，不然，蕭妃娘娘難保全性命。」

桃子說道：「依我說，她藏得還不夠好，孫靖若是想殺她，仍舊能找著她，不過當時孫靖一心想出城打仗，所以才顧不上殺她吧。」

崔琳不過一笑罷了，說道：「走吧，咱們去看看蕭妃娘娘醒了沒有。」

原來甫一入宮，崔琳便牢牢記得李嶷相託之事，派人四處搜尋先太子妃蕭氏。不想找到蕭氏之後，卻發現蕭氏身中奇毒，早就奄奄一息，幸得桃子隨身帶著藥箱，立刻將各種解毒之藥，流水一般餵給蕭氏，好容易將她搶回一口氣來。蕭氏仍舊昏睡不醒，性命卻是暫且無礙了。

也因此，崔琳才有閒暇，帶著桃子出來玉暉樓上，看看這宮城何等模樣。

桃子道：「哼，妳就將那個秦王交代妳的事，當作十萬火急。他也就會支使妳，一會兒叫妳幹這個，一會兒叫妳幹那個，盡給妳吩咐一些難事。妳看蕭妃娘娘中的毒，要不是我，只怕早就沒命了。」

崔琳道：「是了是了，回頭定然讓秦王好好謝一回那位謝長耳，偏他又姓謝。」她說到此處，忍不住噗哧一笑。

桃子嗔道：「妳笑什麼啊！再說了，我的功勞，憑什麼謝他！」

「是，是，妳的功勞，不能謝旁人。」崔琳卻鄭重其事起來，「桃子，謝謝妳啊。」

桃子不由得一怔，說道：「妳謝我做什麼？又不是妳欠我人情。」

崔琳忍不住又是一笑，桃子這才回過味來，忍不住與她笑鬧一番。兩個人說笑著下樓，只見鎮西軍的一隊人馬，正過玉暉樓往北去東內，領頭的正是老鮑。桃子見了老鮑，卻大驚小怪：「鮑大哥，你頭髮怎麼啦？」

老鮑卻笑嘻嘻摸了摸自己的光頭，說道：「在坑道裡讓火燎的。」當下黃有義、趙有德、張有仁、錢有道諸人都圍上來，七嘴八舌，向她們分說當日被火攻的驚險之事。

桃子聽得讚嘆不已，只是張有仁偏又多嘴，說道：「鮑大哥倒是沒受什麼傷，就是只怕這火燎過的頭皮，將來不長頭髮了。」老鮑笑道：「不長就不長。」他語氣輕鬆，錢有道卻道：「那不行，鮑大哥若是不長頭髮了，將來被人認成和尚怎麼辦？」

張有仁與他鬥嘴鬥慣了，說道：「認成和尚又沒什麼不好，若是行路，還被禮讓三分呢！」

「那咱們一群軍漢，跟一個和尚混在一起，旁人怎麼想？」

「咱們一群軍漢，自然鮑大哥也是軍漢，誰說光頭就是和尚了？」

他們兩個一吵起來，當然沒完沒了，纏七裹八，桃子早就從腰間革囊裡取出一瓶傷藥，說道：「鮑大哥，這個藥你塗在頭上，頭髮就會長出來的。」

老鮑忙接過去，連聲道謝，桃子與崔琳都走出老遠了，還聽見身後張有仁和錢有道二人仍在高聲吵嚷什麼和尚軍漢，不由笑著搖頭。

崔琳從玉暉樓下來，問明了李嶷在何處，便讓桃子先回去雲光殿，照看先太子妃蕭氏，自己則朝含章殿去。果然含章殿後，只見鎮西軍各色人物，匆匆往來，皆是入城進宮之後，來向李嶷各種覆命請示的。

李嶷在含章殿偏殿之中，這裡乃是前朝舊宮所改。雖是偏殿，但殿宇宏大幽深，門窗洞開，午後的太陽映進殿內，他匆匆處置了幾樁要緊之事，一抬頭見她進來，不由笑逐顏開。

她見他身上滿是血汙，臉上亦有汙漬，知道他廝殺許久，便也不急著與他說話，先令人尋水盆與布巾來。被她喚住的人甚是機靈，不知從何處弄來一盆熱水，他便一面洗臉擦手，一面與她說話。

聽她說先太子蕭氏暫且安然無虞，他才微微鬆了口氣。她說起蕭氏中毒之事，他不由嘆道：「太子妃高義。」

原來蕭氏有意毒殺孫靖，但孫靖狡猾多疑，飲食又特別注意，下手十分不易，若是一次失手，只怕再無機會。蕭氏便託他尋得一種奇毒，這種毒藥有一股花香味，發作得慢，不知是不是孫靖早有提防，還是中毒太淺之故，孫靖直到出城決戰之時，亦無中毒之跡。反而是蕭氏，被這種毒蝕入心脈，差點喪了性命。

她聽他如此說來，方知蕭氏中毒之故，兩人不由唏噓感慨一番。這時候正巧裴源命人送了午食來，說是午食，也不過是軍中自攜的乾糧而已。他率軍苦戰一天一夜，早就餓了，接過來一看，除了四個炊餅，另有幾片魚鮓，他便將魚鮓都遞給她，她卻搖了搖頭，說道：「我不餓。」

「那也陪我吃一些。」

聽他如此說，她便拿起一片魚鮓，撕下一塊，夾在炊餅裡，卻遞給他。他著實餓了，一接過來，就咬了一大口，她這才從魚鮓上撕下一小條，放在嘴裡，細細嚼著。

他三下兩下吃完一個餅，卻扎煞著雙手，等著她替自己包第二個餅。果然她見他吃完，就又拿起一枚餅來，撕開魚鮓包在餅裡遞給他。他接過餅，心滿意足地咬了一大口，含糊不清地問她：「妳今天就留在雲光殿嗎？」

她笑著搖了搖頭，說道：「我讓桃子留下來照料，我待會兒還是出城，回定勝軍大營去。」

他不由悵然。「那我又有好多天，見不著妳了。」

確實，他還有諸多大事要忙。不說別的，入城之後，接管京都城防，安置大軍，清理宮室，說不得，還要預備迎天子入城，太多太多事情了。

說話間，他已經吃完了第二個餅，她於是又包好了一個餅，遞給他時卻看見他手肘之上的血跡，不像是沾染的，倒像是從衣甲內透出來的，忙問：「這是怎麼了？」

李嶷抬肘看了一眼，渾不在乎。「不知道什麼時候擦傷了，沒事。」

她卻瞪了他一眼，立時遣人去問桃子取傷藥，又令人重新打了熱水，待解開他袖甲一看，傷口長約六寸，闊約半寸，傷口處皮肉綻開都翻起來了，更顯得傷口駭人。

她不免氣急。「這是擦傷嗎？」

他笑嘻嘻的只是不說話，她仔細而小心地用布巾擦拭掉傷口旁的血汙。血汙早就凝結，她怕觸痛他，所以擦得極是小心，正在那裡一點點用濕布巾蘸去血汙，忽聽他道：「阿螢，妳生氣的樣子真好看。」

她不免橫了他一眼，說道：「盡說些混話，難道就為著這個，你故意惹我生氣？」

他卻只是一笑，看她低著頭，一點一點，細心地蘸去血汙，心裡只覺得前所未有地輕鬆和舒適。

那傷口既長又深，所以她仔細地擦了很久很久，才將四周的血汙都慢慢擦掉，然後又輕輕地掃上傷藥，另用乾淨的細布包紮起來。待一切停當，她抬起頭，忽然發現他已經就那樣歪靠在憑几上睡著了。

也不知道他到底多久不曾闔眼了，也許兩天兩夜？甚至也許更久。自從開始攻城，他身爲主帥，自然是每日千頭萬緒，夙夜不懈，昨日城外苦戰，又是一夜未歇。今日收復西長京，直入宮城，大局終定，她又在他身邊，他終於放心地睡著了。

她輕輕地，無聲無息地，小心地放下他的手肘。他身形高大，就這麼歪在憑几上，睡得定然不甚舒服，但他眉眼是舒展的，坦然而安逸地就那樣睡著了，長長的睫毛覆下來，遮住了眼下的一痕烏青。他大概好幾天都沒闔眼了，熬得眼睛都微微凹進去了。太陽從長窗裡照進來，光裡飄浮著萬點金塵，他的呼吸綿長而深重，是一個困乏太久的人，走了太遠的路，經歷了太久的廝殺，這時候終於能歇一歇了。這一刻眞安逸啊，連她都想俯身也依靠著他，一起歇一歇。

但她怕吵醒了他，只是輕輕地，無聲地坐在一旁，有幾分癡怔地看著他的睡顏。他太年輕了，也太好看了，其實她見過很多翩翩濁世佳公子，他與眾人都不一樣，牢蘭關的風沙讓他粗糙而疏朗，可他明明是個眉眼如此好看的人啊，好看到甚至可以稱得上精緻。她抿著嘴無聲地笑起來，這天下所有的人，都比不上她的十七郎。

他也沒睡多久就驚醒了，一抬眼看她支頤展顏正看著自己，不由得說道：「我怎麼睡著了？」

她笑道：「也就一炷香的工夫，沒多久。」又告訴他裴源遣了人來，她問過不算是十萬火急的事，便暫且沒有叫醒他，讓他多睡了這半刻。他聽說了，忙忙傳人進來，待說完軍務要事，一轉頭，才發現她早就走了，一問，果然是出城回定勝軍大營去了。他抬起手肘，看她替自己包紮好的傷處，不由得心頭悵然。

到了黃昏時分，忽然她派人送來一匣東西，他打開一看，原來是滿滿一匣肉脯，想是她午間見他吃得狼吞虎嚥，怕他晚間又忙得無暇用飯，所以特意送了此物來。另有一封信箋，他打開一看，竟然是素絹之上，繪著自己正斜靠著憑几打盹，只是將他畫得如稚童一般，圓圓的臉頰，小小的身子，肉乎乎的小手，還仔細地在短粗如藕節的胳膊上畫出了被細布縛好的傷處，連那細布被她繫成的花結都一絲不苟地畫上去了，甚是有趣。旁邊題跋卻是一本正經寫著「秦王酣眠圖」。

他不禁一笑，看了又看，心中只覺得萬般甜蜜，過了許久，方才將素絹仔細折起，放在衣甲內貼身的衣袋裡。

第九章 長至

午後下了一場小雪，雪珠子打在瓦上，沙沙地輕響。過不多時，雪珠子變成了雪片，但西長京地氣蘊暖，雪疏疏下著，院子裡並沒有積雪，雪花觸地即融，令得院中青石板濕漉漉的一片。

書房中生了炭火，溫暖如春，今日是長至之前朝會最後一日。過了今日，天下所有大小官吏一齊休沐。長至例行有七天假，在節前三日，節後四日。反倒是長至節這天，天子要到南郊的圜丘祭天，還要大宴群臣，臣子們亦得入宮朝賀領宴，皆不得歇。

這日乃是長至前第四日，正是長至前三天假期之前。下了朝，顧衸回到家中書房，換了一身夾絲棉袍，十分閒適地親自煮水預備烹茶，這才命人去將女兒婉娘喚來。

顧婉娘見下雪，便穿了一件輕裘大氅，蓮步姍姍，扶著秋翠走進書房。見父親正親自挾了炭火，連忙上前接過炭夾，小心地將銀炭堆架於黃泥小爐中。

顧衸沉吟片刻，卻說道：「今日在朝中，秦王作了負氣之語。」

原來收復西長京後，秦王率大軍迎天子回鑾，百官亦隨天子入京。朝中文武百官，各又論功行賞。顧衸被天子任用爲中書令，此乃妥妥的丞相，且是首相。裴獻則官擢三級，成了太宗之後，破天荒地的一品武將，拜太尉，任兵部尚書，另兼鎮西節度使。從來節度使不兼兵部尚書，除非親王遙領，對人臣來說，此乃實打實的恩遇無雙。崔倚亦拜太尉，這卻只是個虛銜了，天子更額外給崔倚頒賞了無數金帛等物。崔倚自率了定勝軍，回東都洛陽不提。

唯有秦王李嶷，交卸了行營大總管的差事——他委實功高絕世，但已經封了秦王，諸王之中，以秦王之封最為貴重，賞無可賞，所以如今天下平定，反倒交卸了身上各種差事，比如行營大總管，天下兵馬大元帥，鎮西節度使等等。

顧衸不愧是能臣，倒是琢磨出一個法子來，覺得朝廷可以齎賞秦王如此功績。於是先由禮部提出來，天子的原配，先梁王妃董氏，病逝多年，當追封為皇后，另上尊號昭成。這是應有之意，天子自然應允。又，天子既已登基，卻是鰥居許久，多年都未曾續弦。蓋因為之前梁王在先帝諸子之中，委實不起眼，連先帝都想不起來自董王妃去世，這個兒子已經做了多年鰥夫，所以一直不曾再給他賜婚新王妃。這中間卻也有緣故，梁王一直寵愛孺人潘氏，但潘氏的父親潘遷，素來被先帝厭惡。梁王明知先帝必不肯答允冊潘氏為梁王妃，便也含糊著拖延，不再上奏另娶。一直拖到孫靖謀逆，孫靖派人入梁王府搜捕，叛軍衝入府中，拖走病榻上的梁王，竟隨手還砍了正在榻前侍疾的潘氏一刀，令潘氏當場喪命。也因此，連潘氏的骸骨如今都下落不明，無處可覓，不知被叛軍扔到了哪個亂葬崗。每每想到此處，李桴便又悔又痛，十分悲傷。

禮部此時提出來，天子鰥居，應該選一位皇后。這也是應有之意，朝中群臣紛紛附和，天子也十分樂意，他早就相中了名門世家，范陽盧氏，只因盧家有位女兒，今年已經二十八歲，卻雲英未嫁。此女自十二歲後，曾數次訂親，不料未婚夫婿都因種種意外而亡。吳國師曾替此女相面，驚道此女命格實在貴重，之前訂親之人都不堪匹配，所以才會夭亡。此女命格只能嫁貴婿，嫁後必令夫主興旺，福壽雙全。就因為這緣故，此女拖到如今二十八歲，都沒遇上貴婿，亦未曾出嫁。

李桴從吳國師那裡，聽說這位盧氏女，既然貴不可言，必嫁貴婿，又旺夫主，那正好可以嫁給自己呀。自己是天子，普天之下，還有比自己更貴重的人嗎？

這個皇后人選，令朝中上下皆為滿意，連文臣都覺得天子破天荒地英明起來，竟然懂得立范陽盧氏為后，以拉攏世家。畢竟天下初定，國朝復辟，根基未穩，如今武將勢大，崔倚率定勝軍自據東都，內憂外患，實在是風雨飄搖，當務之急，確實該娶這麼一位皇后，以安撫拉攏世家。

皇后的人選既然已經定下，禮部侍郎薛僉又上奏，提議追封秦王生母劉氏為皇后。這下子可捅了簍子，別的不說，天子本就是個糊塗小氣之人，追封髮妻董氏，那是禮法應該。他私心裡其實很惦記將潘氏也追封為皇后，他實在是懷念溫柔多情的潘氏，又偏愛潘氏所生的次子齊王李崍，很想也給他一個嫡子的名分，但這種私心，一時又不好聲張，知道朝中群臣定會阻止。畢竟潘氏的父親潘遷，昔年因為貪贓枉法，丟官去職，甚為先帝厭惡，先帝甚至將潘遷稱作蠹蟲。若是他要追封潘氏為皇后，必然會有人將這樁往事扯出來，攻訐早已殞命的潘氏不說，只怕對齊王李崍亦是不利。

不能追封心愛的潘氏為皇后，他已經很委屈了，因為齊王李崍，每次入宮，都忍不住在他面前懷念自己的生母潘氏，有一次還落下眼淚來，說道：「若阿娘得知父皇如今能做天子，不知道多麼歡喜。」

李杼實在是喜歡這個兒子，也實在是懷念陪伴自己多年的潘氏，所以一直暗暗下決心，要找機會追封潘氏爲后，才不辜負潘氏對自己的一腔深情。這機會還沒有找到，誰知禮部竟然提議要追封李嶷的生母劉氏爲后。

這不令潘氏被追封爲皇后的機會更渺茫了嗎？

劉氏？劉氏是誰？他連她長啥樣都忘記了，只記得她出身實在卑微，乃是王妃董氏買來的賤籍奴僕。再說若不是劉氏，怎麼會生出李嶷這樣的兒子？想到李嶷，他便覺得心中一陣煩亂。這個兒子偏偏出生在五月初五，惡月惡子，據說極剋父母親長。果不然，李嶷一出生，就剋死了生母，他一直覺得，這個兒子遲早是要剋死自己的。

他疑心薛侴是想拍李嶷的馬屁，或是受了李嶷的指使。偏偏朝中群臣聽了禮部侍郎這般提議，一想也對啊，秦王收復河山，力挽狂瀾，匡扶社稷，如此大功不賞，頗有點委屈了秦王，如今追封其生母爲皇后，對朝廷來說惠而不費，可眞是再合適不過。一句大白話，劉氏生了秦王這麼一個兒子，於社稷，於國朝，於天下，乃是潑天的功勞，難道不應該追封一個皇后嗎？

雖說劉氏已經病逝多年，此刻追封，不過是個虛名，但是這個虛名，應該可以很好地安慰秦王。果然，李嶷聽說要追封自己的生母爲后，難得地並沒有推辭，反倒罕見地緘默起來。

這說明秦王還是希望他的生母劉氏，能夠有這個虛名的。朝中的群臣不由得精神一振，紛紛上奏。其中一部分人頗存公心，覺得理應如此；又有一小部分人，卻存了私心，因為秦王出自軍中，鼎立天下，對文臣不怎麼親近，這些人竊想藉此機會討好秦王。更有絕少幾個人，卻另有異心，想要藉此捧殺秦王。

因此朝中眾臣難得幾乎所有人都異口同聲，稱秦王之母劉氏，當追封為后。

這麼一來，天子勃然大怒，認為秦王竟然把持朝政，以此來脅迫自己必須追贈劉氏為后。因此在朝會之中，當著李嶷的面，痛斥劉氏出身卑賤，不配被追封為皇后。

群臣初見天子龍顏震怒，倒也罷了，後來聽聞他如此口不擇言，不由得人人色變。李嶷起初被天子斥罵他狼子野心的時候，不過如常跪下聽訓而已；待得天子痛斥劉氏出身卑賤，李嶷不禁將頭一抬，天子見他抬頭望向御座之上的自己，目光凜然竟如冰刀霜刃，李桴心裡不禁一顫，也不知道是驚還是怕，旋即又拍著御案罵道：「你個逆子，為何不發一言，難道是在心裡腹誹朕嗎？」

皇帝如此不分青紅皀白地罵兒子，臣子們也尷尬起來。偏偏李嶷生得倔強脾氣，不論天子如何斥罵，就跪在那裡一言不發。最後還是顧衸實在看不過眼，上前替秦王開解，勸說道：「陛下，秦王乃是陛下之子，亦是劉氏之子，做兒子的，唯有以孝來報父母恩德，秦王殿下不過是對生母的一片孺慕之情，還望陛下體恤。」

李桴雖然糊塗，卻也知道兒子可以罵，但首輔既出言相勸，那是不能不給幾分面子的，當下也就停了對李嶷的斥罵。

顧衸趁機又勸道：「陛下仁慈，難忘故人，這是陛下重情重義之處，不如追封潘氏爲后，亦追封劉氏爲后，豈不兩全其美。」他既作丞相，又是出名的能臣，此時便是存了和稀泥的意思。他知道皇帝念念不忘潘氏，那麼順著他的心意，追封潘氏爲皇后又有何不可，不過是一道聖旨，外加金寶金冊罷了。只要皇帝答應也將劉氏亦追封爲后，這事也就兩全了。

不想李桴聽他如此言語，又見李嶷長跪不起，一言不發，頓時心頭無名火起，怒道：「既然是追封皇后，那就是朕的妻子。潘氏賢良淑德，昔日素得朕之愛重，不在董氏之下，自然可追封爲皇后。但劉氏出身卑賤，性情粗鄙，不堪爲妻，朕絕不能將其追封爲后。」

話音未落，連顧衸都禁不住臉色微變，他實在沒想到天子竟然能將話說到這種地步，絲毫不留餘地，只怕要壞事。

果然只聽「砰」一聲，卻是跪在那裡的秦王重重地磕了一個頭，旋即大聲道：「陛下，父母爲人生大倫，子不能言父母之過，既然生母出身卑賤，性情粗鄙，惹陛下不喜，臣亦不堪驅使，臣願自請褫去王爵，貶去牢蘭關戍邊。」說完也不顧皇帝氣得臉色發青，將手中笏板往地上一擲，竟然轉身不顧，拂袖而去。

這下子變故突然，朝中文武面面相覷，直到李嶷都已經走出殿門了，眾人方才如夢初醒，有人欲去阻攔，被天子厲聲制止。李桴氣得都語無倫次了，連聲音都氣得發抖，只罵道：「目無君父！目無君父！」

天子固然是一時失言，但秦王如此行事，也確實是過激了些。朝中群臣見天子氣成那個樣子，也沒有法子，只得一面勸解，一面又令人速速去勸秦王回轉來，好向陛下賠罪。

派出去的內監寺人，哪個能攔得住秦王？縱然有人大膽想要扯住他的衣袍，哪被容得近身，半丈之外就被他一拂摔開。李桴聽了回奏，頓時氣得厥了過去，嚇得眾臣立時傳來御醫。

等李桴悠悠醒轉，第一道中旨，便是解除李嶷軍中一切職務，令他在秦王府中閉門思過，不得出府門半步。然後將鎮西軍主帥之職，令信王李峻暫代。

鬧到如此地步，顧祄也甚是頭痛，因此下朝回府之後，便傳來了顧婉娘，與她說起朝中今日諸般種種。

顧婉娘聽完之後，卻凝神細想片刻，方才道：「爹爹，女兒倒覺得，此事暫且無妨。」

「哦？」顧祄不由道，「說來聽聽。」

顧婉娘道：「秦王乃是性情中人，如此行事，頗合他本心。女兒雖只見過他寥寥數面，卻知道他是個極重情義之人，對自己的生母一片孺慕之情，如今子欲養而親不在，所以劉娘娘的名分，他定是要爭上一爭的。不是爲了他自己，而是爲了死去的劉娘娘。」

顧祄徐徐頷首，道：「我也是這麼覺得。」他頓了頓，又道，「信王本是陛下長子，生母董氏，乃是陛下原配，嫡長二字，信王已經占到了。而齊王雖是陛下的次子，生母潘氏，從前素得陛下私愛，如潘氏被追封爲后，那齊王亦算得是陛下的嫡子。唯有秦王……」他不禁嘆了口氣，又搖了搖頭，說道，「秦王屢建奇功，陛下卻十分不喜歡他。」

顧婉娘給顧禎奉上一盞茶，細語輕聲地說道：「女兒並沒有幸得見天顏，但女兒知道，父母與子女之間，亦講究緣法，想是秦王自幼，就不得陛下的緣法吧。」

「秦王的生母劉娘娘，出身不高。」顧禎道，「秦王的生辰，偏又是端午，因此陛下甚是忌憚。」

「女兒覺得，除了父母緣法之外，陛下只怕還有另一層忌憚。」顧婉娘道，「女兒從前有個乳母，爲人糊塗刻薄，雖有兩個兒子，但她只偏袒幼子，對長子非打即罵。有一次，乳母的長子去西域行商，萬里迢迢，九死一生終於歸來，得了一筆財帛，特意給乳母置辦衣物、金飾，原以爲乳母會高興，沒想到乳母卻痛罵長子，還拿棍子打他，逼迫他將錢財都交給自己。」她說道，「我那時候年紀幼小，十分不解她爲何如此，過了許久之後，我忽然想明白了。之前乳母因爲偏心幼子，對長子刻薄，長子忽然行商得了錢財，她只怕他想起從前之事，又仗著如今有了錢財，於自己不利，因此先發制人，逼他交出錢財，這樣自己仍舊可以控制欺凌。」

顧禎竟一時聽得怔住，過了片刻，方才勉強笑了一聲，說道：「其中情形，彷彿一二。」

顧婉娘點了點頭，落落大方地說道：「父親，父慈子孝，不是人人如同父親一般，可以待女兒如此。」

顧衸心裡一頓，暗嘆這個女兒真是太聰明了，講到這樣的故事，還怕自己心裡生了芥蒂，因此大大方方地說出來。自己果然沒有看錯人，闔家之中，唯有這個女兒，只怕將來可傳衣缽。只可惜，她是個女兒，不過也幸好，她是個女兒。

教養女兒有教導女兒的法子，他沉吟道：「婉娘，妳覺得秦王此番，是遵旨還是不遵旨？」

顧婉娘道：「秦王必然會遵旨的，他於朝會之上，拂袖而去，已經是離經叛道了。如今天下初定，他必然會顧全大局，遵旨幽居於府的。」她頓了頓，又道，「而且秦王之功，委實空前絕後，實在是賞無可賞，莫說天子忌憚，只怕朝中也頗有人私心竊竊，不如趁此機會，退一步，暫斂鋒芒，說不定反倒更從容周全。」

顧衸說道：「確實如此，大恩如大仇，秦王於社稷有這般大恩，卻無可賞賜，確實乃是令人惴惴不安之事。他如此恣意妄為，雖然頂撞了天子，但也是出於為人子的一片拳拳愛母之心，從私而言，無可指摘，從公而論，對秦王來說，亦未必是壞事。」

顧婉娘道：「不過秦王到底是在朝堂之上，頂撞了天子，陛下是君父，過得若干時日，兩下裡皆平心靜氣了，秦王還該入宮賠罪，以全父子之情，不然，只怕時日久了，被小人離間，生了嫌隙。」

顧衸點了點頭，說道：「再過些時日，我想法子勸一勸秦王。」

顧婉娘忽道：「父親，就不知道我是不是應該去探望秦王殿下。」

顧旂忽然如靈犀一點，上上下下打量著顧婉娘，忽地一笑，說道：「這倒是爲父疏忽了，婉兒，妳想得甚是周到，妳應該去探望秦王殿下。」

顧婉娘說道：「只是，女兒心中有個計較，不宜就這麼去見秦王，還應該給秦王送一份禮。」

顧旂哦了一聲，深知這個小女兒聰慧，便問道：「妳打算給秦王殿下送什麼禮？」

顧婉娘微微一笑，說道：「若是尋常禮物，自然打動不了秦王。既然要送禮，必須送得令秦王銘記於心，永世不忘。」

因下過一場小雪，又是長至節，庭中用乾柴生起火來，又殺了一頭羊，便在火上烤起羊來。老鮑興高采烈，親自拿了鹽缽來，一邊研著粗鹽粒子，一邊蹲在那裡看著火候烤羊。他頭上已經重新長出了頭髮，但長不過數寸，還不能束起來，所以橫七豎八，又因爲一直湊在火堆前，炭灰飄浮，弄得他鬍子上、頭髮上，亂蓬蓬落著灰白的輕灰，乍一看，倒像是落了雪一般。

雪其實早就停了，階下的薄雪也已經化成了一道道水痕。李嶷坐在庭前，看老鮑烤羊，有些發怔。黃有義等人熱熱鬧鬧在簷下生起爐子來溫酒，京裡的酒貴，何況年來一直都在打仗，雖眼下已經安定太平，但正因爲如此，蜀中的酒販到京中來，已經比往年貴了十倍有餘。所以他們買的乃是最便宜的濁酒，便是這酒，亦是李嶷掏腰包。他雖然是秦王，按朝制食邑一萬戶，自收復洛陽後，終於恢復組建起來的行營戶部，按例應該每月給他五千錢的俸祿。但那時候國事艱難，打仗尚且沒錢呢，所以每月這五千錢，由行營大總管李嶷，也就是他自己大筆一揮，從戶部直接劃去兵部充作軍費了。待得收復西長京，天子還都，各州郡的租庸調錢糧終於陸續送到，戶部送來了一萬錢，正是這兩個月他的俸祿。

一萬錢，聽著不少，但花錢的地方實在是太多了。攻城苦戰的時候，鎮西軍有一些死傷，其中還有很多是從牢蘭關就跟著他出來的老卒。兵部雖對戰亡之士有撫恤，但他又派老鮑等人按著陣亡的名冊，給那些戰死的老卒家中各送了些錢帛，這一萬錢就沒有了。

偌大的王府，處處要花錢，還京之後，內侍省又按照親王的規制，給秦王府送來了一些奴僕。他在軍中慣了，並不用那些人伺候，可是王府的規制在那裡，若是特立獨行，只怕反生事端。但府中多了這麼些人，開門七件事，柴米油鹽醬醋茶，不禁令人頭痛。這秦王府原是從前的冀王府，還京之後，百廢待興，哪有工夫營建王府，幸而從前的各王府如今都空著。工部於是上奏，選了從前的冀王府改爲秦王府，門上換了個牌匾，他就這麼住了進來。

先冀王乃是先帝愛子，這府邸建得宏大軒麗，甚是豪闊，於京中竟獨占一坊。不說別的，僅府後花園便有好幾十畝，亭台樓閣，樹木花石，曲折幽深，又另掘成湖，引入清渠之水。湖上築自雨亭，亭中六角飛簷上的驅鳥鈴，竟然都是純金打造的。若按照李嶷的想法，此刻就該把那些金鈴拆了，拿去換米，幸而裴獻得知，派人私下送了些錢糧來貼補他，他這個秦王，才沒鬧出拆亭換米解燃眉之急來。

也因此，老鮑等人想喝酒，奈何李嶷同樣囊中羞澀，最後只得從自搬來府中就鎖著的庫房裡，翻尋出一塊上好的沉香，拿去換了錢，讓老鮑等人沽酒回來。

火上的羊烤熟了，散發著誘人的香味。老鮑先切了一大塊羊肉拿給他，他才回過神來，懶洋洋接過羊肉。老鮑問道：「外頭全是禁軍，咱們真的乖乖貓在這府裡？」

他啃了一口羊肉，說道：「既然下旨叫我閉門思過，那就裝裝樣子吧，反正仗已經打完了，我也懶得去上朝，聽那些文臣們為一些無聊之事，爭來論去。」

老鮑點一點頭，深以為然，說道：「京裡氣悶得緊，十七郎，若是有機會，咱們還是回牢蘭關去。」

李嶷不禁長嘆一聲，他又何嘗不想回牢蘭關呢。只是，展眼望去，王府高牆深院，簷影重重，一片連綿的屋瓦如鱗。從前他覺得梁王府就像牢籠一般，現如今，這京中秦王府，又何異於牢籠。想要回牢蘭關，只怕還要頗費時日，頗費周折罷了。

他端起酒碗，與黃有義等人暢快而飲。這種濁酒，溫完了之後，有一股奇怪的酸味，入口十分不堪，但眾人喝得興高采烈。一邊拿刀子割著烤好的羊肉，一邊舉杯痛飲，不知不覺，一罈酒竟然都喝完了，一整隻烤羊，也都吃完了。

老鮑將一枝羊骨扔進火堆，火堆被羊骨的油脂一激，蓬得燃起一叢火光，又轉瞬而息，只是零零星星，迸出數點火星。時近黃昏，天上不知何時，又飄起了雪花。

「牢蘭河水十八灣，第一灣就是那銀松灘……」不知是誰，先低聲哼起了這首小曲，眾人也跟著唱和起來，漫天雪花飛舞，雪下得越來越大，越來越綿密。老鮑裹緊了身上的羊皮襖子，踢踢踏踏走出去，又抱了一捆柴進來，就在簷下生起火盆，眾人圍著烤火，一邊哼著小曲，一邊看著雪花。

「若是在牢蘭關，下起雪後，就該獵黃羊了。」李嶷有幾分悵然地道。

「是啊。」老鮑在柴火上又烤起了芋頭，他拿著鐵鉗，翻烤著芋頭，十分靈巧。他說：「十七郎，有茶沒有？煎來解解渴。」

眾人飲多了酒，自是口渴，一聽說煎茶，人人贊同。李嶷懶懶地烤著火，說道：「去庫房找找，說不定有。」

老鮑說：「剛才就是我去抱的柴，怎麼現在又讓我去找茶。」

張有仁道：「就是！」扭頭對錢有道說道，「老四，你去庫房找茶吧。」

錢有道也飲得多了，打了一個飽嗝，說道：「我不想喝茶，要不你去找吧。」幾人推三阻四，皆不願意起身，最後還是李嶷站起來，說道：「得了，都懶出花來了，還是我去。」

「殿下身先士卒！」老鮑隨口拍了句馬屁，眾人一片讚嘆之聲，無不嘖嘖，李嶷也懶得理會，徑直去庫房。雪日天黑得早，又正逢長至節，乃是一年之中，白晝最短之時，等他走到庫房前，暮色低垂，天早就黑透，於是他點了燈，在庫房裡翻箱倒櫃。這邊一長列屋子都是從前冀王的私庫，冀王全家都被孫靖殺了，奴僕四散，這庫房就一直鎖著無人過問。他自從搬了進來之後，也沒怎麼打開過這庫房，因爲箱籠太多，隨手打開一個箱子看看，裡面竟然是一些十分華麗的織金綢緞，他心想這麼好看的料子，白放著若是長黴就可惜了，不如送去給阿螢，可是也沒怎麼見過她穿這樣華麗的衣服。倒是從前太清宮的時候，她受傷後衣服汙損不堪，他曾在行宮裡尋了些衣物給她送去。其實她作小娘子裝束的時候可太好看了，美得像畫中的仙子一般，可惜她甚少作那般裝扮，不過如果是自己送去的衣料，想必她還是會裁衣穿著吧。

一想到她，他心下就歡喜起來，先選了兩匹綢緞，放在一旁，心想待會兒還得給她寫封信，同衣料一起送去。然後又打開些箱籠，有的是香料，有的是瓷器，有的是胡椒，卻並沒有尋見茶葉。

市面上的胡椒要賣到百錢一兩，價比黃金，這下無意發了筆橫財，回頭把這胡椒叫老鮑拿去東市上賣了，不知道要換多少錢。正高興時，忽然外面火光一映，旋即聽見腳步聲，想是有人舉著火把過來，果然不久後聽見老鮑的聲音，在院子裡直著喉嚨叫他十七郎，他便推門出去，只聽老鮑說道：「顧相家的六娘子來了。」

顧相家的六娘子，李嶷想了想才明白是誰。他素來敬重顧衸，又感念他在收復西長京時，與城外大軍裡應外合，逼得孫靖出城決戰。

聽聞顧婉娘來了，忙說道：「快請。」

天早已經黑透了，雪還下得很大，廳堂裡生了數個火盆，從外面進來，倒還暖和。顧婉娘穿著一身青蓮色的鶴氅，懷中抱著一卷長卷，那長卷外面套著錦囊，看著倒似一卷畫軸樣的事物。而她身後秋翠替她打著傘遮蔽風雪，入門之後才收了傘。

顧婉娘顧不上撣去身上的雪花，早已經盈盈下拜，說道：「見過秦王殿下。」

李嶷並不肯受她的禮，半側身避過，又遙遙虛扶了一下，說道：「顧小姐多禮了。」又道，「本該前去拜謝顧相，但如今我出門不便，還請顧小姐回府之後，代爲轉達致意。」

顧婉娘淺淺一笑。「殿下客氣了。其實今日前來，並非是家父吩咐，而是六娘自作主張。」頓了頓道，「六娘有一樣東西，想要送給殿下。」

李嶷聽她如此說，當即便推辭道：「顧小姐客氣了，府中諸物不缺，更不該收顧小姐的禮。」

顧婉娘將懷中錦囊打開，秋翠趕緊上前，顧婉娘拿著卷軸上端，秋翠拿著卷軸下端，在李嶷面前緩緩展開，原來這竟然是一軸繡像。

顧婉娘柔聲道：「六娘訪遍故人，幸得京中還有數人曾記得殿下的生母劉娘娘的音容笑貌，我聽她們描述，就繡了劉娘娘這幅畫像，繡好後我請識得劉娘娘的人看過，都說很像。」

藉著燈火的光暈，李嶷怔怔地看著卷軸上的繡像，繡像乃是一名十八九歲的女子，鵝蛋臉，眉目如畫，身姿窈窕，甚是美貌。他素來生得與父親李桴並不相似，與兩位兄長李峻、李崍也無多少相像，看到此繡像中女子的模樣，他忽然差點落下淚來，原來他是像自己的母親啊，尤其是鼻子和嘴唇，兩人幾乎是一模一樣。

他從來沒有見過的母親，原來是長得這般模樣。

秋翠道：「殿下，我們小姐尋了好久，好容易找到幾位曾經見過劉娘娘的人，又問了她們好久，問得可仔細了，再起了草稿，白天黑夜埋頭繡啊繡，熬得眼睛都紅了，終於將這幅繡像趕出來了。」

室中燭火微微搖曳，風雪撲在窗上，漱漱有聲，暈黃的燭光，映著繡像女子溫柔的笑意，栩栩如生。他有些恍惚地看著繡像，情不自禁伸出手指，輕輕撫摸著繡像中母親的容顏，在這一刹那，他忽然覺得，是值得的。或許在旁人眼中，是否追贈皇后，那只是一個虛名，不値得爲了這個虛名，當著百官的面去頂撞天子，冒犯君父。

可是她是自己的母親啊，他怎麼能不替她爭一爭，哪怕，僅僅只是一個虛名。他是她的骨血，她都來不及看他一眼，就難產而亡。漫漫歲月，他不曾有一日享受到她的愛惜與憐伴，但她是自己的母親啊，是她拚盡全力，將他帶到了這個世間來。

如果她還活著，如果她能看到自己長大，她該多高興啊。

彷彿是看透了他此刻心中所想，顧婉娘柔聲道：「殿下，生爲人子，不能承歡生母膝下，自然心中難過，可劉娘娘若是在天上有靈，得知殿下如今這般英才出眾，定然也十分欣慰。」

他定了定神，說道：「多謝妳，這幅繡像，我收下了。」

顧婉娘微微一笑，道：「殿下是通達聰穎之人，自然知道劉娘娘也不願意殿下爲了她的名分，與陛下生分了。」

她信心滿滿而來，覺得與天子僵持，畢竟於李嶷不利，所以趕著繡了這幅繡像，想來勸李嶷長至節後入宮謝罪，給天子一個台階下，也可以解除這閉門思過，重掌兵權。不料李嶷聽得這話，臉上表情微微一滯，似忍住了什麼話一般。

她極擅察言觀色，見他不悅，立時便轉了話語，只說道：「殿下，這幅繡像，我用了金線和銀線，就是想著若殿下平日將劉娘娘的繡像張掛起來祭奠，也不會因爲香火薰染褪色。」

他便道：「顧小姐想得太周到了，十七感恩莫名。」

當下顧婉娘說道：「殿下客氣。」又道，「六娘知道殿下如今不便待客，就先告辭了。」

她知道今日不可再多語，反正已經將繡像送到。李嶷既然收了繡像，日後看到繡像，就會感念自己，既然如此，不如早早告辭，免得他覺得她別有用心。

待回到顧府，雖已經起更，她仍舊還是去書房見了顧祄，仔細將自己在秦王府中的言行都一一告訴了顧祄。顧祄聽聞，不由得搖頭嘆息，說道：「秦王就是太重情義了，乃至於羈絆甚多，日後，必爲之所累。」

顧婉娘問道：「那父親覺得，如此僵局，如何可破呢？」

顧祄道：「如此僵局，伺機可破。」他似是毫不在意，說道，「秦王，國之倚仗，天子其實得倚仗他，軍中大事，亦得倚仗他，別看眼下是僵局，時機一來，必然可破。」

過不多久，時機果然來了。孫靖早就將妻兒送到了南越，王效帶了最後一點殘兵，亦逃往南越。朝廷派兵一直在圍追堵截王效，不想王效率殘兵在普月山與南越兵匯合，竟然返身殺了追兵一個措手不及，又打起大旗來，原來那孫靖竟然沒死，親自從南越借了大軍，一路北上，竟然攻下了昌州。

邊境的急報傳回京中，朝中百官包括天子，在經歷短暫的錯愕與慌亂之後，卻是很快鎮定。孫靖縱然沒死，又借了兵，那又如何？南越地僻，孫靖能借到的所謂大軍，怕不只得萬人，而國朝收復天下州郡，除開各府兵之外，僅鎮西軍便有十餘萬，而且當初孫靖在洛陽被鎮西軍擊敗，在西長京又被徹底擊潰，這次雖然捲土重來，但也並不擔憂，朝中皆有必勝之心。

如此，天子很快做出了決定，以裴源率兩萬人爲前軍，以信王李峻爲行軍大總管，便要出京征伐孫靖叛軍。

裴獻本來再三請命，希望由自己爲主帥，去繳滅孫賊，但皇帝堅決不允。這自然是有緣故的，信王李峻雖然覺得自己乃是嫡長子，對儲君之位勢在必得，但想到李嶷委實是軍功昭著，竟因此獲封秦王，位在諸王之上，心中未免有些擔憂。因此他在皇帝面前，鬧著一定要任行軍大總管。天子一想，孫靖之前已經被打得落花流水，現在不過是垂死掙扎罷了，藉這個機會，讓李峻立功，大大的露臉，倒也挺好的。

這個決定，讓兵部上下都頭痛不已，尤其是現任的庫部司員外郎裴湛。當初他是蔡州牧，很是侍奉了天子父子三人一段時日，對這位信王殿下知之甚詳，知道他志大才疏，小氣多疑，十分任性妄為。朝廷出兵討伐平叛，這等重要的軍務大事，竟由這位信王殿下做行軍大總管，偏他還不肯待在京中遙領，非要親去陣前，口口聲聲說要與士卒同袍共生死，到時候這位信王殿下在軍中胡亂指揮起來，不論是打了敗仗，還是這位信王殿下不小心竟弄丟自己的性命，鎮西軍上下，豈不是吃不了兜著走？

不說別的，作為前鋒將軍的裴源只怕第一個要掉腦袋。

想到幼弟的性命，裴湛不由憂心忡忡，但知道作為臣子，無法抗旨，因此朝議散後，他便讓裴源設法去見秦王。天子自從下旨申飭，令李嶷在府中閉門思過，就調了禁軍來，將秦王府圍了個嚴實。這倒也難不住裴源，畢竟如今這禁軍的底子，乃是當初李嶷從鎮西軍中抽調給梁王的護衛。眼下禁軍雖說由齊王李崍兼任龍武衛大將軍，但說到底，既然是鎮西軍出身，哪個還會不長眼，非要攔著小裴將軍。

所以裴源順順當當進了秦王府，李嶷本來氣悶得緊，躺在床上看閒書，聽說他來了，當下趿鞋迎了出來，一見他的神色，便知道有事。待問明白天子竟然讓李峻領兵出征，李嶷也不禁色變。

「十七郎，此事非同小可。」裴源說道，「將士的性命，國朝的戰局，只怕稍有不慎，就要葬送了。」

李嶷沉著臉，一言不發，裴源雖順利入府，到底不便久留，匆匆與他說過幾句要緊話，就又告辭去了。

李嶷站在簷下，沉吟片刻，並沒有轉身回房，反倒穿過院子，走進後面一重院落。這裡房舍幽靜，他便布置了一間靜室，室中壁上掛著顧婉娘送的那軸自己生母的繡像，繡像之前擺了香案，供了果品什物。

他在案前拈了香，恭恭敬敬祭拜了自己的生母，然後這才回到自己書房，研了墨開始寫奏疏。

這道奏疏遞到天子案前的時候，李桴並不想看。他餘怒未消，因爲李嶷實在是倔強。本來他覺得，這次當著百官的面，李嶷竟然頂撞自己，還摔了笏板，口口聲聲要回牢蘭關去，明明就是撂挑子，想令自己難堪。

這個兒子，仗著能打仗，立下一點功勞，就連自己這個父親都不放在眼裡了。其實若是李嶷進宮來認罪服軟，他也就打算以觀後效，沒想到李嶷聽聞聖旨叫他閉門思過，就眞的閉門不出。李桴密旨令禁軍好好監視，結果禁軍回報說，秦王在府中吃酒烤羊，並無半分悔意。這就更可惡了。

總之，天子覺得這個兒子，恃功而驕，而且，存心就打算目無君父。

怎麼生了這麼一個逆子！

天子也有滿腹的牢騷。

奏疏被撂在案上半晌之後，在近侍的提醒之下，李桴才不情不願地打開了。沒想到竟然是秦王一道請罪自慚的奏疏，言辭懇切，老老實實地認了錯，說自己不該在朝堂之上失禮，該如何追封生母劉氏的名位，一切皆該任由父皇作主。

這還差不多嘛，李桴終於滿意了，他覺得李嶷終於是知道點規矩，懂得什麼叫上下尊卑了，所以這閉門思過，還是有用處的。正打算叫內監去傳旨，解了李嶷的閉門思過，恰好小黃門來稟告，說是齊王李崍入宮求見。

他最愛這個兒子，一迭聲地忙叫進來，李崍也不是空手來的，他帶來了一隻蟋蟀。李桴就愛玩這些東西，可惜現在做皇帝了，不便教臣子們知道，畢竟上有所好，下必甚焉。若是有人得知天子愛這種小蟲，回頭去民間徵尋，只怕要驚擾百姓，鬧得雞飛狗跳，諫議大夫只怕要罵自己勞民傷財，是個昏君。

但是李崍帶來就不一樣了，這隻蟋蟀乃是李崍親自帶著侍從，在齊王府花園捉到的，養了這幾個月，今日才拿進宮來。這就無妨了，做兒子的給父親捉隻蟋蟀玩玩而已。李桴見這隻蟋蟀頭圓而突，全身黑得發亮，鳴叫聲洪亮，便知是一隻上佳的好蟲。當下父子二人，圍著罐子逗弄了一番，又說了些閒話。

李桴便提到李嶷上疏認罪之事，說道：「他既知道錯了，那也就算了吧。他的生母劉氏也是個可憐的人，就追封為賢妃，這樣，也算全了他的臉面。」

李崍當然大拍特拍了一番馬屁，說了些父皇胸襟過人，恩澤浩蕩之類的話語，李桴又留他在宮中用過午膳，等到李桴要歇午覺了，李崃這才告退出宮。

因爲冬天風寒，李崃入宮來坐的乃是馬車，等出宮門口，上了馬車，前後儀仗奴僕簇擁著，已經走到街口了，他忽然改了主意，要去拜望自己的大哥信王。

信王府就在興寧坊，距離宮城不遠，馬車行得快，不過片刻就到了。信王聽聞他來了，也甚是歡喜，兄弟二人雖不是一母同胞，但孫靖亂中二人曾經一起被困在興陽，若不是李嶷解救，差點一起被俘，因此也算患難兄弟。李崃自幼就嘴甜討喜，日常哄得李峻開心，所以李峻待他也十分親厚。

當下兄弟二人在房中坐定，美姬煎茶，信王妃聽聞齊王來了，又親自命人送來了點心。李峻這才揮退了眾人，兄弟二人這才說些私密話。

李崃將李嶷上奏認罪之事細細說了，說道：「大哥，我看父皇有些心軟的樣子，你我都知道，老三哪是肯輕易服軟的性子，他必然是聽說大哥你要帶兵出征，因此急了，忙忙給父皇上書，想讓父皇把他放出來重掌兵權。」

李峻頓時心頭氣惱，說道：「他就是唯恐我領兵大勝，搶了他的風頭。」

李崃說道：「依我看，老三確實過分了，他已經封秦王了，還這麼小氣，唯恐大哥你有軍功。」他說道，「大哥，你是父皇的嫡長子，將來儲位東宮，必定是你。軍功於大哥你不過是錦上添花，但對他李嶷來說，卻是安身立命之本，大哥，你若是有了軍功，從此手握兵權，便是動搖了他的根本啊。」

李峻點了點頭，深以爲然，他頓時下定決心，無論如何，絕不能讓李嶷重掌兵權。

李崍又替他出謀劃策，細細分說了一番，李峻見他眞心爲自己打算，不勝歡喜。冬日晝短，天晚欲雪，李峻便令人設宴溫酒，又傳了舞姬，兄弟二人吃酒賞歌舞不提。

話說李嶷上了認罪的奏疏，卻如同石沉大海一般，沒了下文。最後還是中書令顧衸直接在朝會上問了天子，說道秦王既已經上書認錯，那是不是就該解了他的閉門思過，也顯得天子仁慈。

天子卻支支吾吾起來。本來他也覺得，既然李嶷都低頭認錯了，那這事也就過去了吧，免得臣子們覺得自己這個做父親的也太小氣了，不料長子李峻進宮來，跟他說了好大一篇話，說道絕不能放李嶷出來云云，他又覺得很有道理。他素來倚重這個長子，因此也煩惱起來，他煩惱起來之後就是不願意去想，到底要不要放秦王出來，於是一日拖延一日，直拖到顧衸當著眾臣的面問到此事。

李桴定了定神，說道：「他既知道錯了，那就放他出來，但有一條，罰他半年的俸，不許他再帶兵。」

說到罰俸，顧衸並沒有什麼意見，畢竟秦王確實是錯了，朝堂之上，怎麼能摔了笏板，說那種賭氣的話呢。但是提到不許他再掌兵，裴獻的眉頭不由就皺了起來。

李桴大概是怕群臣反對，暗暗在心裡給自己鼓了鼓勁，拿出天子的威儀來，沉著臉說：「不這般處置，他就不知道自己錯了。」又板著臉補上一句，說道，「朕意已決！」

他的語氣斬釘截鐵，裴獻也不好說什麼，畢竟他處境尷尬，他若是說什麼，越發有人會覺得秦王與鎮西軍私下勾連。裴獻都聽到不知從何處傳出的牢騷，說道鎮西軍乃是國朝的鎮西軍，又不是秦王的鎮西軍。

這句話，其心當誅。但因為無法辯解，更不能辯解，所以裴獻越發小心翼翼。

散了朝，裴獻叮囑了小兒子裴源一句，說道：「你悄悄去探望一下秦王，若是殿下有什麼話，務必要告訴我。」

李嶷能有什麼話呢，他聽聞皇帝如此處置，也不過長嘆一聲罷了，對裴源道：「無妨，我其實早就料到了。」

絆住李峻不讓他去軍中，李嶷其實也有法子。安排妥當之後，他對裴源說道：「雖說不令我閉門思過了，但陛下明顯是受了小人挑唆，疑心我與鎮西軍勾連太深，你這幾日也別往府裡來，落到人眼裡，終究對你不利。」

裴源點了點頭，像來時一般，悄悄出府而去。

第二日正逢朝會，李嶷便上朝去，下了朝回府，仍舊閉門不出，皇帝甚是滿意，覺得李嶷確實有個恭敬悔改的樣子。

如此過了兩三日，有一天已經掌燈，李嶷正百無聊賴，在燈下替裴源謀算此番行軍之途，忽然聞到窗子上輕微有聲，彷彿有人在叩窗，緊接著吱呀一聲，像是窗子被推開了。

他轉頭一看，竟然是阿螢，她風塵僕僕，頗有滿面風霜之色，但一見了他，她便笑了。

他又驚又喜，問道：「妳怎麼來了？」

隔著窗子，她笑盈盈道：「我怎麼就不能來？」

他不想說話，伸長了胳膊，就那樣用力一舉，將她從窗外抱了進來。她就站在他面前，他卻覺得恍然如夢，不由得又問了一遍：「妳怎麼來了？」

「我想你了呀。」她大大方方地說，也大大方方地打量著他。藉著室內的燭火，她很仔細地端詳著他。她必是騎馬來的，所以手冰冷，他將她的手捧在自己掌中，用自己的體溫暖著，又埋怨她：「這麼冷，怎麼不帶手籠？」

她笑著說：「本來帶了，後來嫌累贅就脫了。」

他讓她坐到火盆邊，又忙著要去給她張羅吃食，她卻忽然伸手，就從後面摟住了他的腰，低低地喚了他一聲：「十七郎。」

他「嗯」了一聲，低頭用手指摩挲著她還沒暖過來的手指。她將他抱得那樣緊，扣得指尖都發白了。她必然是得知自己上的奏疏之後，即刻便啓程，這麼冷的天，從洛陽到西長京，快馬也得兩天兩夜，星夜疾馳，一路換馬，她一定是拚盡了全力，才能這麼雲淡風輕地站在他面前。

他回身抱住她，將她摟入懷中，低聲道：「阿螢……」只說了這兩個字，後面的千言萬語，忽然就噎住了。他明白她爲何而來，也明白她爲什麼這樣急著見自己。

所有的委屈，此刻忽然就湧上心頭。

是的，委屈。

他一度以爲，自己都已經是二十多歲的人了，早已經行了冠禮。他是秦王，人人皆知他收復河山，重振社稷，平叛軍，殺逆賊，將孫靖逐出西長京。

他怎麼會覺得委屈呢？他不應該，也不會再覺得委屈啊。他不再是梁王府中那個小小的孩童，受了欺凌毫無辦法，不就是一道認錯的奏疏，寫的時候他就想好了，天子想聽什麼，期望看到什麼，他就寫什麼。反正不過就是低頭認個錯，哪怕自己並無錯處，且這種事，以前也不是沒做過。

有這樣一位父親，在很久之前，在他還是一個稚童的時候，他曾深深地失望過，到後來，就不失望了。人是不可以選擇自己的父母的，既然已經是這樣一個父親的兒子，那何必還有什麼怨言呢？

可是一見了她，他忽然心裡發酸，他覺得委屈，太委屈了。

憑什麼？憑什麼父親就這樣不喜歡他，不論他做什麼，都覺得他是錯的。憑什麼？憑什麼就可以這樣無視他的母親，是因爲他嗎？就因爲他出生的日子不好，所以連他的母親，都不配得到父親的承認。甚至當著文武百官的面，喝斥劉氏出身卑賤，厭惡之情，溢於言表。這一切，便如同利刃一般，插進他的心裡，令他痛楚萬分。

他本來以爲，自己不會再受到傷害的，因爲早就知道，早就習慣了，但是，沒想到其實還是會痛的。

他心裡太委屈了。

這委屈，只有在她面前，他才肯顯露出來，因爲在她面前，他不需要絲毫的僞裝，更不需要做一個時時刻刻、無堅不摧的秦王。在她面前，他只需要做那個眞實的自己就可以了。

她叫了一聲：「十七郎。」將臉貼在他的胸口，他的心跳聲清晰入耳。

定勝軍本就在西長京安排有無數明樁暗探，朝中消息，第一時間就會用各種法子，從西長京送到東都洛陽。她看到那封奏疏抄件之後，立刻就動身啓程，桃子都覺得她是不是小題大作，畢竟，秦王也安然無虞。

但她就知道她一定得來，一定要像現在這樣抱住他。果然，他將她抱得很緊很緊，彷彿這世間所有都會轉瞬即逝，她也會隨時消失似的。

過了許久許久，他才喃喃道：「阿螢，妳爲什麼對我這麼好啊。」

「傻話。」她伸出手來，輕輕撫摸著他的臉頰，說道：「我喜歡你啊，我不對你好，我還對誰好？」

他把臉埋在她的脖頸處，過了片刻，方才悶悶地說：「那妳也不能這麼著急跑過來，路上受了寒怎麼辦，或是摔了怎麼辦？」

她故意說道：「殿下是在質疑我的騎術嗎？覺得我會摔下馬嗎？那小白可要生氣了。」

「妳騎小白來的嗎？」他說道，「那可把小白累壞了。」

小白確實累壞了，雖然中間也有好幾程換馬，但最後牠一口氣跑了兩百里，現在小白正在馬槽前，大口吃著上好的豆料；小黑站在一旁，不時打個噴鼻，似乎對牠的到來，又驚又喜。

桃子也累壞了，謝長耳給她煮了一大碗餛飩，放了很多胡椒，又燙又鮮，她一邊吹氣一邊吃，一邊還與他說話。

「我們校尉一聽說，馬上就決定動身，哎，兩天一夜，我這骨頭都要散架了，動一下就痛。」

謝長耳不由道：「要不我去給妳找藥油來。」

「傻子！」桃子不由瞪了他一眼，自己的藥箱就是百寶箱，要什麼藥油沒有；再說了，拿藥油來做什麼，他打算給她搽嗎？她咕噥道：「眞是傻子，沒救了！」

謝長耳被她這麼一瞪，不知道爲什麼，心裡頭怦怦亂跳，竟然面紅耳赤，轉開臉去，不敢再看她。偏偏桃子問道：「這碗裡你到底放了多少胡椒啊，辣死我了！」

他囁嚅道：「這不是天氣太冷，他們都說，吃些胡椒可以防寒……」

他說的他們，自然就是老鮑等人，她心裡再次長嘆一聲，偏偏他還說：「聽說這胡椒可貴了，既然這麼貴，當然是好東西，我就想多放點好……」

傻到沒救了，她不禁仰天長嘆，心想自己怎麼就遇見一個呆頭鵝呢。

後半夜月亮升起來了，天是一種冰青近乎深藍的顏色，像寂靜的深潭結了冰，其實也沒有那麼冷。樂遊原本來在高處，因著這冬夜之時，萬籟俱寂，越發顯得宏大而遼闊。山林疏疏，月色如銀，照在原上，似給這原上敷上一層淡淡的薄雪，也越發顯得原高而月小。

從樂遊原遙遙俯瞰，西長京街坊齊整，如詩中所言：「百千家似圍棋局，十二街如種菜畦。」[7]萬家燈火，星星點點，便如同整齊的棋子一般，星羅密布，鋪陳在西長京這碩大的棋盤之上。城北隱約可見樓閣玲瓏，燈火飄搖，乃是宮禁所在，所以燈光越發密集，倒似天上的星辰，一齊倒懸傾入大地一般。

阿螢不由嘆了一聲，說道：「真美呀。」

這是他們第一次攜手同遊樂遊原，距離上次洛陽城外相約，其實不過短短一載有餘，卻彷彿也過去了很久一般，今日終於得償夙願。

兩人並沒有驚動旁人，從秦王府中悄悄而出，出城星夜並轡馳馬，直奔樂遊原。等到了樂遊原上，駐馬回首，舉目一望，西長京歷歷可見，天地遼闊，卻沉酣得好似一個美夢。

7　出自唐・白居易《登觀音台望城》。

但明明不是夢，她無聲地笑著，他就在她身邊，兩匹馬親熱地挨在一起，他細心地替她攏了攏身上的氅衣。這件衣裳原是冀王府庫房裡的，雪白的狐裘爲裏，外面是大紅色的織金綢緞。雖是織金，但圖案皆是暗紋，唯有在燈下方可見花紋，此刻被月色一映，隱隱流光溢彩一般。看見這件衣裳的時候，他就想著她穿著一定好看，今日她穿上了，頓時令他心滿意足，果然好看嘛，他的阿螢，天上地下，獨一無二。

兩個人在樂遊原上，看了一會兒沉沉冬夜中的西長京，又縱馬而馳，一直穿過樹林。月色籠罩著大地，湖水上泛著一層淡淡的白霧。雖然天氣冷，但湖水並沒有結冰，沿著湖畔繞行片刻，又穿過一片小樹林，眼前便豁然開朗，乃是一片連綿的野原。兩人便拾起柴禾，生起火堆。

曠野無人，也沒有風，火苗靜靜地燃著，四周寂靜。曠野之中，彷彿只有他們兩個人。天地遼闊，兩人如同芥子一般，但篝火是暖的，坐在火前，她依靠在他身上，他伸長了胳膊攬住她，兩人一時覺得甚是適意，都不想說話。

過了許久，他才說道：「春天這裡開滿野花，可好看了。」

她說：「那等春天的時候，咱們再來。」

他說道：「如今天下太平，仗也已經打完了，我想設法迎回太孫，勸父皇立太孫爲儲君，將來等這些事都辦完，局勢更穩當一些，我就回牢蘭關去。」

她本想說一句話，但此時此刻，終究還是忍了回去，只是微笑著道：「那你要是回牢蘭關，我也會去看你，也正好去看一看，你說過的大漠和荒原，還有雪豹。」

他頓時嘴角一彎就笑了。其實他笑到最開心的時候，唇角會有一個淺淺的小渦，但他開懷大笑的時候太少了，尤其這年來，她幾乎都沒有見他這麼笑過。

他說道：「我就知道妳一定是明白我的。」

她說道：「那確實是，知己知彼，百戰不殆。」

他不由得挑起眉毛來。「百戰不殆，妳還打算跟我對陣嗎？」

她斜睨了一眼，說道：「是又如何，你怕輸嗎？」

他說道：「輸給旁人或許有些丟人，但從此之後哪怕都輸給妳也沒什麼。」這話說得太過於坦蕩，她不由得微笑了起來。一時兩人都沒有再說話，月色太美了，月色下的樂遊原也太美了，尤其心愛的人就在身邊。他忽然說道：「阿螢……」

一句話猶未出口，她便吻住了他，她知道他想說什麼，但這一刻其實什麼也不必說了，就這樣吧。

月色如水銀，如薄雪，如輕紗，籠罩著天地萬物，一切都美好得如同夢境一般。月亮已經快要落到樹梢之下了，大地在黎明前沉沉睡去，冬夜如此寂靜，但是距離春天已經不遠了。

桃子倒是安安穩穩，在屋裡睡了一場好覺。她醒來的時候，天光早已經大亮，身上蓋著厚厚的被子，床前又放著火盆，因此特別暖和。她懶洋洋伸了個懶腰，推開窗子一看，果然謝長耳在簷下，認眞地做著哨子。

昨天晚上他把自己的床舖讓給她，自己去老鮑那裡擠了一夜，今天一早，他就開始做哨子了。昨晚他問她想要什麼，她想也沒想，就說要一個哨子，吹響的時候別人都聽不見，只有他一個人能聽見的那種。

本來他臉色甚是爲難，她也以爲肯定做不出來，沒想到一大早，他就在院子裡削木頭，看來是想出法子來了。

等她洗了臉，梳好頭髮，果然他喜滋滋拿著朝食進來，還有那個哨子——看著做工粗糙，不甚精緻。她好奇地拿起來，吹了吹，並沒有聲音，但他臉上卻露出一絲奇怪的神色，還不由自主地按了按自己的耳朵。

她問：「你能聽見？」

他點了點頭，說道：「太刺耳了。」說出這句話，又馬上安慰她似地說，「這樣挺好的，到時候只要妳一吹哨子，我哪怕隔得遠也能聽見。」

這句話還說得有模有樣，她滿意地將哨子收起來，一看朝食是一大碗熱騰騰的湯餅，就問他：「妳吃了沒有？」

他有幾分不好意思似的，說道：「還沒有。」

她說：「那拿個空碗來，我撥你一半。」

他一時竟有點呆了，說道：「那妳吃不飽怎麼辦？」

她只想仰天長嘆，爲什麼李嶷那麼聰明，這個謝長耳卻這麼傻。雖然自己比不上何校尉那麼聰明，但是自己和她相差的，總不至於像謝長耳和李嶷相差的那麼遠吧？

好容易吃完了朝食，她又問：「我們校尉呢？」

謝長耳被她耳提面命，吃了半大碗公湯餅，心中不知道爲什麼熱乎乎的，兩耳都發紅。聽她這麼問，就老老實實地說：「不知道，她和十七郎，都不在府裡。」

她不由微微一驚，但旋即又覺得，這也沒什麼，大概這兩個人是悄悄出去了。難得校尉可以來一趟京裡，若是她，若不是遇上這隻呆頭鵝，她也願意出去逛逛呢。

偏偏呆頭鵝這個時候問她：「廚房有芋頭，我拿幾個來烤給妳吃好不好？」

這不剛用完朝食，就又問她吃不吃烤芋頭，她沒好氣地道：「我不想吃芋頭，我想吃豬頭。」

沒想到呆頭鵝半分沒有露出爲難之色，反倒挺認眞的。「妳想吃豬頭啊？那我去西市買一個，老鮑可會料理豬頭了。」

說完他起身就走，都已經要跨出房門了，總算並沒有笨到家，忽然轉身問她：「妳要不要去西市逛逛？」又說，「除了豬頭，西市有各種各樣的東西賣。」

這還差不多，她高高興興地說：「去！」忽然又想起一事，問道，「那萬一校尉回來了怎麼辦？」

謝長耳此刻忽然機靈起來，說道：「沒事，我跟府裡的人說好，只要殿下和校尉一回來，就馬上派人去西市告訴我們。」

桃子聞言，這才興沖沖跟他一起出門。自勤王之師收復西長京，掃除孫賊，天下平靖，連胡商都陸陸續續又回到了西長京，因此西市之中，熱鬧非凡，比先帝在位之時的太平光景，竟有過之而無不及。兩個人先去買了豬頭，又看了胡商販賣的各種小玩意，桃子在一間胡肆中，見著一枝琉璃花精巧可愛，不由拿著在鬢邊比一比，忽然在銅鏡裡看見謝長耳正呆呆地望著自己，不由回頭問道：「怎麼了？」

謝長耳面紅耳赤，過了半晌，方才道：「真好看。」

她嗔怒似地睨了他一眼，心裡其實甜滋滋的，心想這個呆子，說他嘴笨吧，真嘴笨，但笨也有笨的好處，比如有一些話，一聽就出自赤誠。

那胡商操著一口流利的京都官話，說道：「小娘子，這是西域的琉璃，這麼一枝運過來十分不易，只賣十金。」

聽到十金之數，桃子連忙放下，說道：「太貴了！」拉著謝長耳就要走，謝長耳被她拽著，一陣風似地出了胡商的鋪子，猶自未解地問：「妳不是喜歡嗎？為什麼不買？」

「太貴了，一枝花而已，就要十金。」

謝長耳以為她沒帶夠錢，連忙說：「我帶了錢，回到京裡，就發了餉饋，我攢了有錢，有三十金呢。」說著就要將腰間的革囊掏出給她看，她連忙止住，說道：「這可是鬧市裡，財不露白。」

說完，她又拉著謝長耳去了另一間鋪子，挑了好幾枝春勝春幡，一共也只花了幾十錢，她卻高高興興地說：「你看，這不都挺好看的。而且馬上就是正旦了，正是戴春幡的時候。」忽然又惆悵起來，「等校尉回來，我肯定要跟著她回洛陽去，八成眞到了旦日的時候，你也見不著我戴著春勝春幡的樣子。」

謝長耳也覺得心中一陣難過，他想了一想，忽然解下腰間的革囊，遞到她手裡，說道：「桃子，這些錢都給妳。」

桃子愣了一下，只聽他說：「妳要是想起我來的時候，妳就拿著這錢去買東西吃，然後妳就不難過了。」

桃子說：「那可不行，這些都是你辛辛苦苦攢下來的，你還是拿著自己用吧。」

謝長耳從來很聽她的話，這次卻堅持不肯，說道：「我在秦王府有吃的有住的，平時根本就沒有花錢的地方，這些錢攢下來，就是想要給妳花的。」

她想了一想，最後說：「那我先替你收起來吧。」

他們兩個在西市逛了半晌，這才回府去，待吃過了午飯，又過了片刻，方才見著李嶷和阿螢悄悄回來。

畢竟阿螢的身分特殊，又是匆匆入京，不便久留，於是用過飲食，她與桃子便悄然離去。

她們來的時候日夜兼程，心急如焚，等踏上返程的時候，卻從容很多。雖然還是一路換馬，但是並沒有馳得那樣快，該打尖歇息的時候，亦是打尖歇息，更兼天氣陰霾，隱隱似有雪意，風也刺骨起來，所以晚間並沒有急著行路，不過是朝行暮宿罷了。

如此過了四五日，兩人方返回洛陽，剛剛進城入府，還未來得及洗去一路風塵，便有宋殊前來請見，她連忙命人請進來。

宋殊一見了她，只拱了拱手，說道：「公子回來了。」

阿螢聞言不由得一怔，旋即又驚又喜，忙問道：「公子此刻在何處，快帶我去見他。」

柳承鋒正在花廳之中，與崔倚說話。崔倚征戰多年，難免有些舊傷，每年寒冬時節最爲難熬。花廳裡原有火炕，所以自大破西長京，折返洛陽之後，崔倚日常便在花廳起居，柳承鋒能夠如奇蹟般生還回來，崔倚自然也是驚喜不已，當下便在花廳之中，親自攜著他的手，細問他受傷落水之後的種種情形。

阿螢走進花廳時，只見父子二人，皆是唏噓感嘆不已。柳承鋒入府之後，早已經沐浴更衣，身上披著一件崔倚的裘衣，因衣不合體，越發顯得身形憔悴單薄。

她心中不勝歡喜，上前叫了一聲「公子」。

柳承鋒一轉臉看到她，也不由驚喜萬分。

柳承鋒自述能活著回來，眞的是九死一生。

原來他墮河之後，被水流沖出去很遠。他失血過多，昏迷不醒，幸好阿恕只是受了些皮肉外傷，等到了淺灘之處，拚死將他拖上河岸，又砍樹枝做了副擔架，誰知拉著他沒走幾步，阿恕失足，兩人一起從山崖滾落，也不知在山谷裡昏迷了多久，才被上山砍柴的樵夫救了。

那處山谷僻靜無人，那樵夫久居山中，採得不少草藥，更有祖傳的治傷靈藥，見柳承鋒傷重，就用草藥和熊膽熬了藥，給柳承鋒灌下去。也是他命大，原本奄奄一息，誰知吃了大半個月的藥，傷勢竟然有了幾分起色，只是阿恕的腿也摔斷了，兩人在山谷中住了兩月有餘，慢慢將養，好容易柳承鋒可以下床走路，阿恕的腿也好了許多，這才從山中出來，想要尋找定勝軍。他們二人一傷一殘，身無分文，衣衫襤褸，一路吃盡了苦頭，直又走了數月，這才尋到定勝軍營中，被送歸洛陽。

說起這幾個月來種種，他神色恍惚，似有如夢之感。

阿螢也安慰道：「公子回來就好。」

「大難不死，必有後福。」崔倚對這個兒子素來疼惜，便說道，「如今已經是天下太平，你且在府中多將養些時日。」

柳承鋒輕輕應了一聲「是」。

他此番歸來，仍舊如從前一般，就在崔倚所居之東的院子裡住下。自他傷重落水，崔倚心痛悲傷之餘，並未遣散從前伺候他的奴僕，甚至將他當初留在洛陽城中的一應書籍、諸多物品，都一一封存，原打算帶回范陽家中去留作念想，不想他竟然能奇蹟般歸來。

柳承鋒回到自己所居的房舍，只見屋中打掃得十分潔淨，諸物齊全，連自己愛看的書冊，亦在原處，心中感慨萬分，不由伸手撫摸了一下書案之上的一只水盂。這水盂原是從前他學寫字的時候，崔倚給他置辦的，是一只青瓷小盂。阿螢幼時淘氣，在書房與他兩人拿了竹劍打鬧，不慎打翻了他這只水盂，因此水盂邊沿上缺了一個小小的豁口，爲此他和阿螢都被夫子狠狠地打了三記掌心。崔倚見水盂上缺了這麼一點豁口，曾欲給他換一只銅水盂，卻被夫子阻止了。

小時候夫子是十分嚴厲的，自己雖是武將的兒子，但崔倚總說人生來不能不讀書，因此延請名師。阿螢與他兩個人，學武倒也罷了，學文上頭，卻也是狠狠下過一番功夫的。阿螢能寫得一手極好的隸書，他自己的飛白書，皆是幼時練就的童子功。

他撫摸著青瓷水盂上那個小小的豁口，因爲時日太久，這豁口早已經失了稜角，似也同水盂邊緣一樣圓滑厚潤了，彷彿這不是一個後來打碎的豁口，而是一直都存在於此一般。他用手指輕輕摩挲著，以前每每想到與阿螢幼時的那些過往的時候，他總是很愉悅，這一次也不例外。但過了片刻，胸中忽有一種酸楚悲傷之意，如潮水般幕天席地般洶湧而來。他慢慢地拿起那個水盂，仔細地看著那個豁口，沒想到旁邊竟還有一道細小的紋路，這紋路不是新的，從前他並沒有仔細看過，這道紋路雖極細，但一直延伸到水盂的大半。原來當初打翻這個水盂的時候，除了那個豁口，也早就將它摔得裂了，只是這紋路太過細小，所以並沒有漏水罷了。

他無聲地笑了笑。

阿恕不知道什麼時候，已經走進了屋子，見他立在書案前，便沒敢驚動。過了片刻之後，他並沒有轉身，卻低聲道：「阿恕。」

阿恕連忙上前，應了一聲「公子」，靜靜地聽他吩咐。

只聽他道：「這個水盂裂了，換一個新的吧。」

阿恕知道這是他平時用慣了的心愛之物，聽到他如此說，不由得怔了怔，問道：「那這舊的呢？」

柳承鋒語氣平靜，像在說一件再尋常不過的小事，這也確實是一件再尋常不過的小事，他說道：「舊的就扔了吧。」

第十章　歲首

今日是上元節後的第一次大朝會，偏偏散朝的時候又下起雨來，文武百官出了丹鳳門，衣帽盡濕。各家奴僕連忙打著傘湧上來，七手八腳遮護住主人。文官倒也罷了，匆匆上了車轎，武官大多騎馬，所謂天街小雨潤如酥，雨絲將宮門外長街的青石板洗得一塵不染，平滑如鏡，馬蹄也難免打滑起來，因此行得甚慢。

裴獻上馬行了不過數步，忽見一騎絕塵，打馬長街，匆匆而來。看那馬上之人的衣帽服色，正是軍中傳訊的急足，果然行得近了，已經可以看清那人背上油衣遮護之下突起的竹筒，以及用作十萬火急的標記、數枝被雨淋得濕透的雉羽，支稜著從油衣邊緣冒出來。

這是邊關或是前線有了最要緊的訊息。裴獻心中一沉，連忙勒住了馬，果然只見宮門大開，那急足快馬馳進宮裡。裴獻帶著馬避在路邊，果然不過片刻，宮中有人快步奔出來，一見了他，忙道：「裴太尉，陛下請您入宮商議要事。」

原來李嶷雖然上書認罪，但皇帝也並沒有再次給予他兵權，只是將他的生母劉氏追封為賢妃，這一場紛揚鬧劇，才就此平息。按照國朝舊例，既然追封董氏為后，就得營建陵寢移靈；元辰之時，又得令嫡子祭奠先皇后，諸多事宜之下，李峻自然不能離京。李崍本來躍躍欲試，想領兵南征，但皇帝本來就私愛他，哪肯讓他去冒險，只說前線烽火刀兵，那不是鬧著玩的，當下便依著兵部的意思，仍舊由李峻遙領嶺南道大都督，裴源爲行軍總管，帶兵急赴昌州。

李峻並非頭一回操弄軍事，當初被困興陽的時候，被孫靖麾下的陶沓打得一敗塗地，狼狽不堪，但他現在身分又更不同，乃是天子的嫡長子，門下自然聚集了無數附庸者。李峻又擺出一副善納愛才的模樣，因此這些門客之中，有個叫楊鶇的，甚得李峻之心。

楊鶇原是個屢試不第的落魄之人，自覺懷才不遇，滿腹屠龍之技，因此投奔到李峻門下。一見了李峻，楊鶇便毫不客氣地道：「殿下雖居嫡長，如今卻危如累卵。」

李峻聞得此言，不禁皮笑肉不笑，淡淡地問：「何出此言？」

楊鶇道：「殿下居長，又是嫡出，在天下人眼裡，自然是東宮的不二之人，但偏偏殿下有兩個弟弟，齊王甚得天子私愛，這倒也罷了，唯有秦王，爲殿下心腹大患也。」

李峻心中震動，深以爲然，心想自己有門客數百，每日聒噪，都是溜鬚拍馬，竟無一人能像楊鶇一般，能夠如此耿直諫言。因此忙將楊鶇延入內室，以上賓之禮待之。

那楊鶇談起此番軍事，亦有一番推心置腹之語，對李峻道：「裴源，如秦王臂膀，殿下何不趁此良機，斷秦王一臂。」

當下楊鶇定下一條毒計，首先是讓裴源只領兩萬兵馬出征，然後就近從江南道給裴源供給糧草。李峻封地在江南道多年，頗有幾個心腹，早先皇帝登基之後，他趁機悄悄將這些心腹安插在江南道各州郡之中，這些人如今得了李峻的密信暗囑，心領神會，藉口兵禍連年，糧食欠收，倉稟不足，裴源所率之師，十停糧草不過供給一二停而已。兵部明知此事不諧，屢屢向天子上稟，請求援兵和糧草。

李峻早就得了信，卻進宮私下跟皇帝道：「昔日鎮西軍未得朝中半粒糧草，如何就可征戰千里打敗孫靖？當年李嶷帶著裴源，哪次不是以少勝多？不說別的，雀鼠谷一戰，他們鎮西軍不是口口聲聲吹噓，大破敵軍十萬，到了今日，對付孫靖的幾千殘兵，他裴源率著兩萬人呢，怎麼就既要糧草，還要援兵？父皇，兒臣以為，這裴源就是不安心打仗，恃功自傲，想以此來脅迫父皇，逼父皇再令李嶷領兵。」

皇帝聽後，深以為然，因此哪怕兵部一再上奏，裴源數次將催糧奏書遣快馬加急送入京來，天子皆置之不理。等裴源好容易到了緬州，恰逢雨季，瓢潑大雨，半月不停，瘴氣四起，皇帝卻又聽信了李峻的言語，疑心裴源怠敵不出，連下數道中旨，言辭嚴厲，強令裴源出擊。

裴獻見皇帝如此，當下替裴源分辯了兩句，不想皇帝冷笑道：「這兵部到底是你們裴家的兵部，還是朕的兵部？」顧衿見如此言語，連忙出言轉圜，但亦是來不及了。

裴獻激憤之下，舊傷復發，一病不起。李嶷憂心如焚，捱到了晚間，方才換了身衣服，悄悄進了裴府探望。裴獻面如金紙，躺在榻上，裴湛、裴泫諸子，皆侍疾榻前。裴獻聞說秦王來了，還想掙扎起身相迎，裴湛忙上前扶住，李嶷早就快步走到了榻前，亦扶住了裴獻。裴獻卻強自笑了笑，說道：「倒教殿下擔憂了，我這傷勢，到了寒冬之時便有幾分不好罷了。」

李嶷心如刀割。他自幼不爲生父所喜，自到鎮西軍中，卻是被裴獻視作親子一般教誨，兩人雖名爲將帥，其實情同父子。當下李嶷卻連安慰的話都說不出來，裴獻這是心灰意冷，他自己又如何不是心灰意冷呢？

裴獻道：「陛下既然見疑，只怕阿源此番凶險，幾無生理。」

李嶷道：「裴叔叔放心，我自有辦法相援阿源。」到了如今，他終於好似從前在鎮西軍中一般稱呼裴獻。自從離了牢蘭關，他卻是久不作此等稱謂，因爲他也知道自己身爲秦王，出自鎮西軍中，與裴家如此深交，莫說天子，便是朝中群臣對此也甚是忌諱。

裴獻知道他的性子，於是看著他半晌，方道：「殿下本來就是嫌疑之人，只怕反倒更遭嫌疑，不可如此。」

李嶷道：「那也不能讓阿源眞落如此險境，無糧無援，這是要阿源的性命。」

裴獻還想說什麼，李嶷卻阻止了，只令他好好歇息，又問醫方脈案。

裴湛素來是個精細之人，待送李嶷出府之時，便悄然道：「殿下可已經有了解局之法？」

李嶷點了點頭，說道：「我不能出面解此危局，但有一信任之人，可迎刃而解。」

裴湛心中甚慰，回轉來又勸裴獻安心養傷，裴獻卻長嘆一聲，說道：「糊塗啊。」

他說的自然不是李嶷糊塗，而是天子糊塗，但他身爲臣子，忠心耿耿，自然不便出言詆毀君上。

裴湛心中雪亮，這位天子確確實實是糊塗之極，耳根子又軟，非人臣之福。

李嶷出了裴府，回到自己的秦王府，便開始寫信。老鮑諸人早就得知裴源的困境，本就是一軍同袍，更兼征戰之中結下過命的交情，也因此擔憂不已。老鮑見李嶷寫信，便問他：「可是想出法子來解救小裴將軍？你要親自領兵出京？」

李嶷搖頭，說道：「我是暫時無法領兵，不過，阿源那裡，還是要想法子，令人救援他的。」

老鮑甚是不解。「那你是給誰寫信？還有誰能去救小裴將軍？」

李嶷低頭不言，只是筆走飛龍罷了。老鮑瞥見紙上抬頭，忍不住一驚，說道：「你竟然寫信給何校尉，讓她率定勝軍去相救小裴將軍？」

李嶷道：「戰局危險，不請她率定勝軍相援，又從何還有援軍？」

老鮑上上下下將李嶷打量一番，豎起一個大拇指，在李嶷面前晃動不停，說道：「你真是厲害，吃軟飯吃到如此地步，不愧是天字第一號小白臉！」

李嶷不徐不疾，亦不生氣，從容道：「只要能救阿源，便做一回天字一號小白臉又何妨？」

老鮑不由搖頭嘆道：「你啊，將來一定怕老婆。」

李嶷微微一笑，只是寫信，再不言語。

李嶷將信快馬送出後不久，便接獲阿螢的回信，信中只有四個字，乃是「請君安心」。之後定勝軍也不問朝中請旨，徑直揮師南下。朝中聞訊，皇帝雖然生氣，但拿崔倚擅自出兵之事無可奈何。皇帝還是打從心眼裡害怕崔倚的，知道他不像裴獻，對自己有著做臣子的恭敬。

話說定勝軍出兵不久，朝會散後，裴獻便在宮門外遇見了送來緊要軍情的急足，他匆忙折返宮中，皇帝卻是喜憂參半。

原來定勝軍還未趕到緬州，裴源迫於朝中接二連三的中旨，只得硬著頭皮出戰。因爲人地皆疏，糧草匱乏，裴源到底一敗，只得往長州退卻，孫靖殘兵緊追不捨，雙方多有接戰，幸而定勝軍終於趕到，當下與孫靖殘兵打了一場大仗，接應著裴源退到了長州。

孫靖殘兵見勢不妙，本想退回百越，卻中了定勝軍的埋伏，由此被全殲，俘獲了孫靖從前的大將王效。從他口中才得知孫靖早在西長京兵敗之時便已死，王效護著孫靖的屍身和殘兵逃到了百越，勸說孫靖的夫人袁氏祕不發喪，假作孫靖還活著，再與百越借得了援兵，一舉北上，試圖反撲。

崔倚見狀，一不作二不休，索性親自領兵滅了百越，又俘得孫靖的妻子袁氏和長子，並百越國國王與諸王子。崔倚留下數千定勝軍鎮守百越，自己率大軍返回長州，然後這才奏報朝中。

皇帝高興的是，孫靖終於死了，死得透透的，從此江山社稷穩固。憂的是，崔倚滅了百越，卻率大軍停駐在長州，明顯是打算將長州據爲己有了。皇帝最近上朝聽政，耳濡目染，也知道長州之地十分要緊。崔家如此，已經坐擁半壁河山，甚至比孫靖當年之勢有過之而無不及。

皇帝叫來了裴獻，便是商議能不能令裴源暫不返京，掉頭與崔倚相爭長州。裴獻自從上次大病一場，此時早就對這位君上心灰意懶，聞言淡淡地道：「小兒能力不足，若要長州，非秦王不可。」

皇帝被噎了一噎，後來一想，裴源確實打了敗仗，如果不是崔倚忽然不聽朝中號令私自出兵相救，那裴源只怕連命都丟了，確實不能讓裴源去跟崔倚打仗，那是打不贏的。

但是讓李嶷重獲兵權，他委實不願意。

幸好不久之後，李峻李崍都得知了孫靖之死和長州之事。李崍最是會盤算，一想崔倚占據長州，此事可大大地不妙，若朝廷失去長州，崔倚眞的反了，那可比孫靖當年還要厲害，只怕十天半月就要攻到西長京。他一想到孫靖當年作亂，自己東躲西藏惶惶不可終日的情形，就一陣陣後怕，如今孫靖終於死了，崔倚卻又成了另一個心腹大患。又想李嶷雖然賦閒在家，但在軍中仍舊威望極高，莫如令他去長州與崔倚交戰。俗話說二虎相爭，必有一傷，不論是崔倚敗了，還是李嶷敗了，那皆是一樁於己有利之事。

而李峻聽了楊鵪的主意，也忙不迭進宮來，勸皇帝道：「崔倚那老頭太凶狠了，不如讓李嶷帶兵去打，他不就是愛打仗嗎？」

皇帝說道：「那豈不又要把鎮西軍交到他手裡？」

李峻道：「論公，父皇您是天子，他是臣子；論私，父皇您是父皇，他是兒子，鎮西軍交到他手裡，那得父皇您許可，等打完了崔倚，再叫他將兵權交還給朝中，他也不敢不答應。」

李崍就說得更輕巧了，他也是獨自進宮，私下裡勸皇帝道：「父皇，李嶷贏了固然好，輸了也不錯。」

皇帝一想，確實如此，如果贏了，那就除掉崔倚這麼個心腹大患，如果輸了，那正好名正言順令李嶷從此不得再領兵，將他與鎮西軍徹底切割開來。

但是皇帝的如意算盤打得山響，李嶷卻稱病了，既不上朝，又不領旨。皇帝大怒，卻又無可奈何，李崍見此情況，忙自告奮勇，到秦王府勸說秦王。

李崍是個慣會從細處下功夫的人，所以輕車簡從，在秦王府外就下了馬。他還是第一次到秦王府來，先在府前一望，只見門庭緊閉，兩道粉白的牆壁連綿開去，牆內林木森森，配上粉牆朱柱，連綿整齊的琉璃瓦，重簷飛角上的金色鴟尾，端的是軒麗大氣，只不過不像其他王府一樣，有典軍守衛，四下裡靜悄悄的，並無人聲。

李崍正看時，忽然大門吱呀一聲，從裡面打開了。正是老鮑，他探頭一望，見是李崍，連忙滿臉堆笑，十分殷勤地問：「齊王殿下如何來了？」一邊說，一邊又喚出兩名軍士，將大門洞開，好迎齊王入府。

李崍認得老鮑，知道他乃是李嶷的心腹，當下也十分平易近人地笑道：「老鮑，多日不見你，你越發地發福了。」

老鮑拍了拍自己的肚皮，說道：「自從進了京都，嘿，天天吃喝不愁，又不操練，可不就胖起來了。」

李崍問道：「你們秦王殿下呢？」

一提到李嶷，老鮑頓時愁眉苦臉起來，說道：「殿下，您不知道，秦王殿下他病了好幾天了，打從牢蘭關出來，不，打從他到軍中去，我都沒見過他生這麼厲害的病。」

李崍不動聲色地哦了一聲，問道：「那找御醫瞧過沒有？」

「瞧過了。」老鮑說道，「范醫正、胡大夫、石大夫都來請過脈，說這病雖然來勢不凶，但瞧著纏綿，不好治。范醫正還開了個方子，其他兩位大夫看了脈案，都說范醫正的方子就挺好的，不用另寫方子。」

李崍聽他滿嘴胡說，也不生氣，微微一笑，說道：「范醫正的醫術是好的，素來有藥到病除的名頭，秦王吃藥了嗎？病好些了嗎？」

老鮑長嘆一聲，說道：「咱們殿下那個脾氣，您也是知道的，別說是吃藥了，讓他好好躺著養病，那也是不能的，這麼著可怎麼才能好起來呢？」

兩人一廂說著話，一廂已經進了蒔春軒，這裡原是從前冀王府的書齋。先冀王是個富貴閒人，從來不肯讀書，但這書齋卻收拾得十分精緻，房舍清雅，屋後山石點綴著數杆翠竹，庭前花台中遍植牡丹和芍藥，所以叫蒔春軒。此時剛過正旦不久，春意尚早，花草皆未萌發，漢白玉的花台之上，頗顯冷清。

老鮑躬著身子，神色恭敬地將李崍讓進屋內，李嶷果然沒有躺在床上，他連裝病都懶，不過是披著件衣裳，斜倚在窗下軟榻上閒看話本罷了。見著李崍進來，到底是兄長，忙趿著鞋子起身，命人去點上好的香茶，多多放上果仁與胡椒，好與齊王殿下驅寒。

李崍見他這般客氣，便也笑著先往他臉上望了一望，說道：「三弟這氣色，瞧著倒還好。」

李嶷道：「自從進了三九[8]，從前那些舊傷就發作起來，只說休養幾天，不想過了節，卻更不好了，眞是病來如山倒。」

李崍笑道：「那確實是得好好養一養。」又勸道，「三弟雖然年輕，但這傷病可不是鬧著玩的，還是要好生將養起來。」一時又說了幾句閒話，旋即老鮑率人捧茶上來，先奉與李崍，李崍嘗了一口，就笑道：「三弟府中，想是無人精通煎茶之法。」

李嶷也不覺得窘，就點了點頭，說道：「不瞞二哥說，這茶葉還是從前庫房裡找出來的呢。」

李崍心道，這茶餅倒是上好的，可惜眞暴殄天物。從前冀王出了名地好華服，精美饌，私庫之中有無數珍藏，之後皆便宜了李嶷。不過李崍自己素來得天子私愛，早選了從前的郯王府作自己的齊王府，不論是方位，還是大小，更遑論房舍之精緻，更有雕欄玉砌、花石園林，無一不比這秦王府更勝一籌。

至於從前冀王那點私藏，他還眞不用放在眼裡。

李崍來了興致，說道：「這茶餅是眞不錯，來來，老鮑，你把茶具拿來，我親自煎茶給你們家秦王殿下嘗嘗。」

老鮑頓時眉開眼笑，說道：「那可眞好，我也跟著沾光，今日也能開開眼界。」當下便搬來了一整套錯金鏤銀的茶具，又取了炭火小爐來，李崍興沖沖地親自烹水煎茶。

李嶷看著那一套眼花繚亂的器具，心中厭煩，臉上卻還只能含笑，說道：「多虧兄長耐心，這種精細之事，我是做不來的。」

李崍笑道：「你也不用精通這種吃喝玩樂的精細之事，你能打仗就行了。」

話說到此處，李嶷卻懶得搭腔，恰好壺裡的水已經漸漸沸了，嘟嚕嘟嚕響著，屋子裡熱氣氤氳。李崍瞇著眼，伸手從小爐上拎起煮水的銀壺，卻也不經意瞥了一眼李嶷的神色。

茶煎好了，放入椒鹽和芝麻等物，果然噴香撲鼻。李嶷拿著茶盞，慢條斯理地品著，李崍道：「三弟，你素來是個聰明人，今日我來，你也猜到了我的來意。」

李嶷微微一笑，說道：「難道二哥不是來探病的嗎？」

李崍被噎了一下，渾不在意，隨手拿起盤子裡的一塊茶點，咬了一口，含混不清地說：「得啦三弟，明人面前不說暗話，我知道你爲什麼病了，換作是誰，心裡都覺得

8 編按：從冬至起，每九天為一單位，第三個九稱為「三九天」，為一年中最冷的時候。

委屈的。」他頓了頓，又道，「咱們這位大哥，是糊塗了一些。不瞞三弟，我私下勸過父皇，追封皇后這事，不就是一道聖旨。咱們一共才兄弟三人，大哥的母親董娘娘，原是父皇的原配王妃，那是該追封爲皇后；我的母親，當初死在孫賊亂兵的手裡，父皇格外憐惜一些，也追封爲皇后。就把三弟你的母親劉娘娘也追封爲皇后怎麼了？但是大哥那個性子，你也是知道的，不知道他在父皇面前說了什麼，總之我一提到此事，父皇就叫我滾出去，還罵我不孝。」

李崃又道：「咱們是做弟弟的，也不好說兄長的錯處，我反正只會吃喝玩樂，也不會別的，大哥也容得下我。三弟，你啊，錯就錯在太能幹了些，但是你如果此番稱病不帶兵，那萬一大哥又想出什麼歪理來，從此再讓你不能插手軍務，三弟，那就太不划算了呀。」他吃完了點心，拍了拍手上的碎屑，說道，「這點心不行，回頭我讓人給你送些，我新得了一個好廚子，做得一手極好的細點。」

他素來就有這種自來熟的本事，說起話來，推心置腹一般。其實從前他與李嶷也未必有多親密。李嶷十三歲就去了牢蘭關，彼時李崃也早就遠赴江南道的封國，兩人在幼時更是針鋒相對，但既然他要做出一副兄友弟恭的樣子，李嶷也不推辭，點點頭：「多謝二哥。」

李崃又坐了片刻，老鮑就端著一碗藥湯進來，一迭聲催促李嶷喝藥，李嶷十分厭煩，老鮑左勸右勸，口口聲聲說這是范醫正開的方子，必要勸李嶷吃藥。李崃見坐不住，只能告辭而去。李嶷還裝模作樣想要親自相送，早就被李崃攔住，笑道：「三弟你既病了，可別招了風。」

待李崍一走，李嶷立時將那藥碗推開，皺著眉問：「這都是什麼藥湯子，黑漆漆的，一股辛辣氣味。」

老鮑笑嘻嘻端著那藥碗，一口氣喝完，這才抹了抹嘴，說道：「這還眞是范醫正開的方子，不過不是開給你的，是開給我的。上次范醫正來替你號脈，我也蹭了一下。范醫正說我臟腑有傷，叫我以後不要上陣使力，還給我開了這個方子。」

李嶷聽聞此話，不由皺眉。「你怎麼不早告訴我？」

老鮑說道：「告訴你作甚？」見李嶷愁眉不展，便笑道，「你這又是什麼鹹吃蘿蔔淡操心？如今都天下太平了，去哪裡上陣使力打仗。你就叫我去打仗，那我也是不去的。」他就在椅子上坐下來，蹺起腳來搖了搖。「十七郎，就憑咱倆這過命的交情，我既然有了內傷，你是不是得將我養起來，從今往後再也不差遣我了，讓我好好享受一下榮華富貴。」摸了摸下巴上的鬍子，又興沖沖地說，「要不你給我在京裡置辦一所大宅院，再給我三十萬錢，我去把怡紅院的頭牌花魁蕊娘贖了，娶回去當老婆，讓我從此也快活快活！」

李嶷見他如此憊懶模樣，滿口胡說八道，這才放下心來，哼了一聲，道：「滾蛋，我哪來的三十萬錢！」

「過河拆橋！」老鮑耿著脖子嚷嚷，「明兒那齊王殿下又來了，看我還幫不幫襯你！」

老鮑這個烏鴉嘴，一語料中，第二日李崍竟然又來了。這次他倒沒有空手來，眞帶了熱氣騰騰的糕點，還帶了上好的茶餅，並幾罈城外的山泉水，又親自給李嶷煎茶。李嶷煩不勝煩，但也只得應酬一二。

這次吃完了茶，不等老鮑端著藥碗進來，李崍起身就走，還笑咪咪地說道：「三弟你好生歇著，我明兒再來看你。」

一想到他明天還要來，李嶷便與老鮑合計：「這樣一直裝病也不是辦法。」

老鮑眼珠一轉，說道：「要不我去找齊王府的典軍，大家一起去喝個花酒。」

李嶷略一思索，便點了點頭。見他點頭，老鮑便攤開手，一直伸到他面前，理直氣壯地說：「五千錢，喝花酒。」

「五千錢？」李嶷不由得吃了一驚，「我身爲秦王，一個月的俸祿才五千錢，要養活全府上下連你在內，將近百來號人，你吃一次花酒就要五千錢？那這個月咱們吃西北風嗎？」

老鮑說道：「去怡紅院，進門就要給都知一緡錢；想見蕊娘，那要三千錢，好嘛，再備一桌酒宴，那不還得一緡錢，這不就得五千錢。給幫忙的、跑腿的，各種小錢賞錢，都還沒算在裡頭呢！」

李嶷聽他這麼說，便道：「就選個便宜的地方吃酒不行嗎？」

「這你就不懂了。」老鮑說道，「吃酒跟吃花酒，那是兩回事！你便請人吃十回酒，也沒請人吃一回花酒管用。」

李嶷狐疑地打量著老鮑，老鮑一副你就是不懂的神氣。畢竟李嶷自從到了鎮西軍中，很多本事都是老鮑教的，且牢蘭關地處僻遠，李嶷從來沒吃過花酒，只聽過那些老卒閒來吹牛，將吃花酒這事講得天花亂墜，彷彿世間最無上的享受。因此半信半疑，又問了一句：「就不能選個便宜的地方吃花酒嗎？」

老鮑嘆了口氣，說道：「那倒也不是不行……」

「只有五百錢。」李嶷果斷地說，「沒有更多了。」說著便開了抽屜，拿出錢袋來，還未打開細數，已經被老鮑一把搶走。

李嶷又氣又好笑。「裡面有六七百錢呢！」

老鮑頭也沒回，拿著錢袋就朝外走去，一邊走一邊說：「多餘的錢我買幾斤豬頭肉回來，大夥兒打打牙祭。」

李嶷無奈，只得躺倒再翻閒書，到底是忍耐不住，坐在案前，提筆又寫起信來。信自然是寫給阿螢的，雖然定勝軍占據了長州，令朝中群臣悚然，但他並不在乎，畢竟是他求她去相救裴源，她既然救了裴源，順勢占了長州，這才是她素來行事的作派。

從來如此，她反正不肯吃半點虧，他又是甜蜜，又是煩惱地想著。下筆卻極快，說的都是瑣碎家常的小事，比如黃有義等人從府中廊橋上經過，趙二哥一腳踏空，險些摔壞了，這才知道橋板被白蟻蛀壞了，想要修一修；找營造的人來看了，竟然索價幾千緡。如此，想拆了也罷，誰知營造的人說，拆橋也要幾千緡，真匪夷所思。再比如假山旁的梅花開了，想折一枝最好的附在信後寄給她，云云。

信還沒寫完，謝長耳忽然闖了進來，大冷的天，他卻滿頭大汗，一見了李嶷，就將一個竹筒遞給他。李嶷看竹筒上封著火漆，卻鈐著一枚圓圓的小印，正是阿螢素來傳書用的私印，他心下一沉，忙拆開火漆來看。

信是桃子寫的，筆墨慌亂，說是阿螢受了風寒，起初還好，但自到長州之後，忽然添了咯血之症，桃子給她診脈竟有肺癆之狀。阿螢素來身體康健，更兼習武，比常人體魄要好很多。桃子不願相信，又多次換藥方悉心調養，但阿螢病勢卻一日沉重過一日，這兩日咯血得更厲害，因此桃子才著急，立時寫信給李嶷，遣快馬送入京中。

李嶷看完了信，立時憂心如焚，桃子也給謝長耳另寫了信，說了此番情形，所以謝長耳才急得滿頭大汗，立時拿著竹筒來尋李嶷。李嶷想了一想，卻很快鎮定下來，說道：「老鮑出去請齊王府的人吃酒了，你去尋老鮑，悄悄告訴他何校尉病了這件事，他必然明白。」

謝長耳點一點頭，轉身便出去了，李嶷心中實則焦慮難安，但將桃子的信又從頭到尾看了一遍，把朝中各種軍事布置細想了一遍，這才漸漸安下心來，重新提筆繼續給阿螢寫信，也不說別的，更不提她的病情，只是仍舊絮絮地說了些家常閒話，又說道別後甚是想念之語，封固好了，鈐上自己的私印，仍舊遣快馬送走。

老鮑胸有成竹，十分圓滿地完成了任務。他素來是個有心眼兒的人，說是去找齊王府的典軍們吃花酒，其實只裝作偶遇，對方知道他是秦王面前的紅人，更早得了李崍的囑咐，有心交結秦王府的人，老鮑也故作豪爽之態，說相遇既是有緣，當下尋了個小館子，雖不是什麼十分豪闊的食肆，卻賣得私販來的蜀中好酒。酒過三巡，耳酣面熱之際，老鮑又與齊王府那些人吹噓起怡紅院花魁娘子的美貌，齊王府帶頭的那個隊正老高便問：「鮑大哥眞的親眼見過花魁娘子？」

「那我當然……」老鮑本來提高了嗓門，卻瞬間壓低了嗓音，左右顧盼一番，扭捏道，「偷偷看過。」

一群人早已經心癢難耐，那高隊正忙問：「如何偷偷看過？」怡紅院正在西長京第一繁華要緊的街市，名喚平康坊，那裡仍是著名的煙花之地，但門牆高聳，如高隊正這些王府典軍，哪有銀錢敢去那等銷金窟，但那花魁娘子，哪個漢子閒下來不肖想一二，於是七嘴八舌，盡在那裡詢問老鮑。

當下老鮑便拿出錢來結了酒帳，拍著胸脯，帶著眾人潛入平康坊，果然那怡紅院後頭有一道小門，原是給下人們送柴米用的，此時早就被一把大鎖，鎖得牢牢的。

老鮑掏出一根細銅條，不知道如何捅了幾下，就打開了那鎖，令人嘖嘖稱奇。當下老鮑帶著眾人悄然而入。老鮑果然是來過的，對地形十分熟悉，七拐八拐就拐到了一幢小樓前，那樓前假山堆疊，花木扶疏，老鮑便一指那小樓，壓低聲音道：「那便是花魁娘子的住處。」

眾人正在遙想之時，忽聞樓上吱呀一聲，竟然有人推開了窗子，旋即有腳步聲傳來。老鮑忙按著眾人伏在假山花木之後，只聞陣陣馨香，果然幾個家僮扶著一個麗人走過，徑直上樓去了。樓前燈光晦暗不明，但仍依稀可見那麗人容貌絕世，皎然如月一般，只看得眾人瞠目結舌。

正在眾人心旌神搖之際，忽有個家僮挑著燈過來，正好兩廂撞見，那家僮見他們鬼鬼祟祟伏在假山旁，張口便大叫：「有賊！」院中頓時燈火通明，不知道多少家丁拿著燈籠棍棒等物衝出來。

老鮑見勢不妙，更兼眾人愣在當地，大喊：「跑啊！」

他這麼一喊，眾人一哄而散，老鮑跑了兩步，卻又大喊：「你們快走，我斷後！」一邊喊，一邊就轉身，跟那些家丁廝打起來了。

那些齊王府的典軍一哄而出，直奔出了半里開外，過了好片刻才又鎮定下來，這才面面相覷。那高隊正說道：「殿下專門囑咐過的，叫我們來跟這老鮑做朋友，咱們如何將他撇下，也忒不講義氣了，是不是該回去救人？」

眾人你看看我，我看看你，也覺得理應如此，因此拿了傢伙，返身又往怡紅院去。剛走了數步，正好遇見老鮑，他鼻青臉腫，衣衫也被撕破了一些，模樣狼狽。

高隊正連忙一把攙住他，連聲叫：「鮑大哥。」老鮑連連擺手，示意無礙，當下眾人又找了個吃酒的小肆，急急拿了燈來照著，幸好老鮑也就是受了一些皮外傷，並無大礙。高隊正問道：「鮑大哥如何脫身出來？」老鮑笑道，「我看他們人多，撕扯了兩下，當下就趁亂跑了。」

眾人經了這麼一番情形，頓時親密了不少，一時又叫了酒水，直喝了半夜，那高隊正醉得舌頭都大了，摟著老鮑的肩膀，硬要與他做結義兄弟，眾人起哄，難免又說了些掏心掏肺的話語。酒喝得夠了，換了酸湯上來，每人熱騰騰飲了一大碗，高隊正打了個飽嗝，問老鮑道：「鮑大哥，你是秦王殿下面前最得意的人，如何不升你個典衛做做？便是俸祿，也多一些？」

老鮑此時滿臉通紅，顯然也是飲得醉了，大著舌頭道：「兄弟，這你就不懂了，咱們王府的人，跟別的王府不一樣，我們都是從前跟著殿下從鎮西軍中出來的，做不做典衛，俸祿都是一樣的。而且，典衛乃是七品官，要聽朝中的升遷，多沒意思，不如留在殿下跟前，我們殿下從來都不虧待我們的。」

眾人聽了他這番話，無不豔羡。高隊正摟著老鮑的肩，顯得越發親密，說道：「原來如此，我聽說秦王殿下平時待你們挺親厚，是不是賞錢挺多的？」

老鮑道：「殿下待我們是挺親厚的，不過他也沒什麼錢。」

座中人人皆是一愣，旋即哄笑起來。秦王爲諸王爵之首，雖然與其他諸王封邑是一樣的，但說堂堂秦王殿下沒有錢，眾人如何肯信？更兼眾人皆是齊王府的典軍，同樣都是天子的兒子，齊王殿下如何富貴，犒賞門下時又如何大方，眾人更不肯信秦王沒有錢了。

老鮑見他們不信，這才急了，藉著酒意，含含糊糊抱怨了幾句，並不敢提及天子，但話裡話外的意思，到底還是說明白了秦王不得陛下寵愛，齊王日日得的賞賜，秦王一樣也沒有。眾人這明白過來，原來這位秦王殿下真的沒有錢。

高隊正說道：「要說這等事，原也尋常。我們村子裡有個地主，在我們那十里八鄉，也算了不得的富人，這人生得五個兒子，老大是長子不能不留在家裡，其他幾個兒子，都趕出家門去，叫他們去做買賣，自立門戶，家產都與他們無關。唯有小兒子，如同心肝寶貝一般，供著讀書，還要把家裡的田地，留給他大半。」

老鮑說道：「就是啊，從來偏心這種事，可不就也不稀奇嘛。」

眾人一時嗟嘆不已，高隊正又問道：「那秦王殿下，就沒什麼打算嗎？」

老鮑滿腹牢騷，說道：「能有什麼打算呢？殿下說了，他心灰意冷，就想回牢蘭關去。至於什麼長州之圍，去他的，不想管了。」

高隊正聽了這句話，前後一想，覺得這確實是實情，遇見這樣一位偏心眼的父親，誰不心灰意冷呢？

老鮑說了這句話，似乎也自悔失言，當下又端起碗來，醉眼迷離地道：「來來，喝湯喝湯。」

高隊正朝眾人使個眼色，眾人也七嘴八舌亂以他語，也就此揭過不提。

老鮑跟這些人廝混了大半夜，真的假的，掏心窩子的話說了幾籮筐，這才醉醺醺回到秦王府中，酒氣熏天地睡了一個大覺。

李嶷雖然鎮定，心中著實惦念阿螢之病，因此叫人又請來了范醫正。這范醫正出身醫學世家，其父老范醫令做了多年太醫署的太醫令，此時已經八十多歲，不再診脈開方，范醫正承了他的衣缽，眼見就是下一任的太醫令，醫術自不必說，做人也是周到無比。上次奉令來爲秦王殿下請脈，便心知肚明，知道秦王不過是想裝病，他家學淵源，慣於侍奉貴人們，因此滴水不漏地開了方子，那方子中正平和，補氣益血，秦王便是一天吃上三劑，都不會有什麼害處，但要說治病嘛，反正秦王殿下只是舊傷有疾，又何須對症用藥呢？

這次他又被秦王殿下召入府內，笑咪咪地替李嶷號過脈，新寫了一副方子，又聽李嶷說起家中親眷新得了嗽疾，語氣甚是焦慮煩惱，忙又細細相詢。幸好桃子在信中將脈象說得十分細緻，李嶷便逐一相告，范醫正沉吟片刻，方才皺眉道：「確實聽著像是肺疾，但細微處又不甚像，我學疏才淺，得回去請教家父，查閱醫書，若能號一號貴眷的脈，那就更好了。」

李嶷心中嘆息，恨不得肋生雙翼，帶著范醫正一起去看視阿螢，但這事確實急不來。幸好不過幾日，李崍就捧著聖旨登門了。

原來王府的那些典軍，回去將老鮑的那些話學給齊王聽。李崍素來是個心思活絡的人，心想李嶷竟然打算什麼都拋撒了，就此回牢蘭關去，這倒像是李嶷的爲人。

李崍深知兄長李峻是個志大才疏、刻薄寡恩的人，如今對自己尚算友愛，那也是因爲自己加意小心，且自己對李峻來說，目下尚無危害。而李嶷，無疑乃是李峻的眼中釘，肉中刺。如果李嶷眞的拋名棄利，回牢蘭關去做個戍邊之將，長州之事難解不說，那朝中只餘自己與李峻，只怕李峻立時便要對付自己。

因此他前思後想，琢磨了一番花言巧語去說服了李峻，又想了一番話去說服了皇帝，最終皇帝願意讓李嶷重掌鎮西軍，還額外給予李嶷嶺南道大都督之銜，並且赦免裴源戰敗之罪，由裴源作行軍總管。

哪怕有了這樣一道聖旨，李嶷還是淡淡的，說道：「二哥，我身上傷病，實在無力征戰。」

李崍發了狠，又想法子將裴湛調去戶部作侍郎，並說服皇帝，給裴獻另加了大司馬。到了如此地步，李嶷這才半推半就地接受了聖旨，願意率軍去長州，並且推說身上舊傷仍舊不適，讓范醫正陪自己一道出征。

這等小事，李崍覺得壓根不値一提，只覺得李嶷是裝模作樣，如今下不了台，只能帶上范醫正，好做戲做全套，心中暗暗好笑。李崍現管著太常寺，正是太醫署的上司，一句話吩咐下去，范醫正也只好收拾醫箱行囊，跟著大軍踏上征程。

李嶷之前推三阻四，但一旦領兵出城，卻是如同疾風迅雷一般。何況裴湛如今在戶部替大軍籌備錢糧，後顧無憂，因此曉行夜宿，兵如神速，不日就趕到了與長州隔水而望的南定。

南定本是個小縣，自與百越大戰之後，裴源帶著部將，被崔倚安置在此處。李嶷率大軍至此，裴源當然望眼欲穿，一直迎出了幾十里，兩人相見，卻是相顧無言，過了片刻，裴源方才道：「裴源無能，倒累得殿下辛苦至此。」

自被封秦王之後，尤其自收復西長京之後，裴源幾乎已經不再喚他作「十七郎」，而是規規矩矩，將他稱作殿下。

李嶷心中煩惱，又何止是十七郎變成了如今的殿下呢？他說道：「不怨你，怨朝中有人使了壞心。」這是兩人心知肚明之事，但是再多的話，也是不能說了的。他們二人素有默契，當晚便在中軍帳裡密談。

裴源雖然打了敗仗，到底是將門之後，並不如何慌亂，反倒冷眼旁觀，將定勝軍兵力布置，長州城中情形種種，皆記於心，一一細述與李嶷。

裴源道：「從前沒見過崔倚用兵，此番見識到了，他用兵之法，確有獨到之處。」又道，「殿下若要與他對陣，須得提防他們騎兵厲害。」

李嶷聽了，不過點點頭罷了。

裴源本來想問一句話，但見他如此，話到嘴邊便又忍住了。兩人又說了些別來的情形，李嶷說道：「阿源，你近日來辛苦了，這兩日便好好歇一歇，長州之事，非一日能解，我自然會想到法子的。」

裴源說道：「殿下既然親至，那長州之事當然是迎刃而解。」他終於還是忍不住，說道，「殿下，今時不比往日，殿下一人，繫全軍，乃至天下所有利害，絕不能輕置險境。」

李嶷明知他在說什麼，他與裴源素來親厚，兩人雖名為君臣，其實如同手足一般，但到了此刻，也只能佯作不知，笑道：「阿源，你就放心吧，我絕不會讓自己身處險境的。」

他越是這樣說，裴源越有一萬個不放心之處，但也知道他素來任性妄為慣了。他心中悲痛，默念前世不修，但亦無可奈何，最後只能說道：「殿下初來，要不咱們今晚就秉燭夜談吧。」

「不了。」李嶷十分乾脆地拒絕了，「我連日行軍，十分累了，讓范醫正給我煎個藥，我就要睡了。」

裴源是聽說李嶷還帶了范醫正來，他早就私下問過老鮑，老鮑的說辭是，十七郎這是一舉兩得，一來是裝病裝了這麼久，帶著范醫正一起出征，也免得朝中起疑；二來嘛，就是十七郎確實仗義，聽說他老鮑有內傷，特意帶上了范醫正，好隨時給他調理治傷。

裴源此刻聽了李嶷這等話語，如何肯信，但狐疑半天，也不知道如何反駁李嶷，再說了，論起君臣上下來，他也委實不應該反駁李嶷，因此只能悻悻地告辭出去。果然出去之時，正看到范醫正背著藥箱進來，似要給李嶷診脈的樣子。

裴源心中忐忑，回到自己的住處，雖然躺在了床上，但輾轉難眠，翻來覆去一個更次，好容易迷迷糊糊睡著了，卻夢見李嶷被崔倚捉去，竟然要被當即殺了，他又氣又急，就急醒了。醒來只見屋中燈盞如豆，風吹窗櫺，微有風聲，腦中漸漸清醒過來，心道幸好是個夢。

話說阿螢病了這些時日，起初還支撐得住，這幾日連神思都倦怠起來。吃了桃子調的藥，雖然咯血止住了，但每到夜時，總是昏睡沉沉，而且心悸冷汗，自己也知道病勢漸重。

她黃昏時分就睡著了，待一覺醒來，夜色早就沉寂，連室中紅燭都燃去了大半，聽著外面的金柝聲，細細數了數，方知道已經是三更時分了。

她腹中饑餓，昏沉沉掙扎坐起來，喚了一聲桃子，桃子答應了一聲，連忙走進來。自從她病後，桃子焦心無比，每日就睡在她內寢外間的一間耳室裡，所以一聽她喚，連忙披著衣服就走進來了。

她說道：「我有些餓了。」

桃子道：「爐子上燉著甜羹，我去盛一碗。」

桃子匆匆出去。自她病後，廊下日夜不停，生著小爐，煎藥，也預備一些熱食。阿螢身上軟乏無力，靠在枕上，昏沉沉似又瞑然睡去，也不知過了多久，聽見輕輕的腳步聲，似有人走近到了她床榻之前。

她心想必是桃子，但不知爲何，實在倦得睜不開眼睛，便咕噥了一句：「我乏得很，不太想吃了。」

桃子似是躬下身來，將一隻手搭在她肩上，要將她扶起來。她心中厭煩，知道又到了要喝藥的時辰，她素來就不愛吃藥，這次病重，吃的又全是苦藥，更令她厭煩，因此手上拉住了被子，一直蒙過了頭頂，說道：「就不能少喝一碗藥嗎？」

若是平時，桃子必然要勸著哄著，定要勸她將這碗藥吃下去的，但今日不知爲何，桃子竟然一言不發，只是手上用力，將她扶了起來。

她心道桃子如何有這般力氣，輕輕鬆鬆，如抱嬰兒一般，就將自己扶起來了？回頭一望，只見燭火搖動，那人笑著看著自己，竟然乃是李嶷。

她心中不知爲何，卻是一鬆，彷彿生病的孩童，不知不覺就扁了扁嘴，過了片刻，方才說道：「你怎麼才來啊？」

李嶷伸臂將她攬入懷中，心中有千言萬語，但最後只是低低喚了她一聲：「阿螢。」

她瘦了，大概因爲病，輕盈得像一隻蝴蝶。她將下巴擱在他的肩頭，抱怨說：「你都不知道我吃了多少苦藥。」

他笑了一聲，安撫似地拍了拍她的背，說：「剛才桃子又叫我端進來一碗。」

她抬眼一看，可不是，一碗還冒著熱氣的湯藥，正放在床前的小几上，她十分不情願地說道：「那過會兒再喝吧。」

他起身去端了藥碗，說道：「桃子說喝藥的時辰一刻也不能錯，現在就喝吧，喝完了再吃些甜羹。」

她有些自欺欺人地扭過頭去，說道：「你一來就讓我吃藥，都不肯陪我多說一會兒話。」

他哄她道：「等吃了藥，我再陪妳說一宿的話都成。」說完，他就嘗了一口那藥汁，忽然面露訝異，道，「咦，這藥一點也不苦啊。」

她說：「我才不信……」話音未落，他的唇已經覆上她的唇，過了許久之後，他才依依不捨地放開她，低聲問：「苦不苦？」

她不由瞪了他一眼，說道：「只有你，一肚子陰謀詭計，偏用來騙我。」

他笑著說：「這怎麼能叫騙妳呢，妳適才不就嘗過了，真的不苦。」她正待要說話，忽然聽見屋瓦之上，有極細微的一聲輕響，李嶷也聽到了不遠處的輕微異響，兩人四目相對，皆有所頓悟。

她輕聲道：「快走！」

李嶷倒是沉得住氣，說道：「來不及了。」

確實來不及了，兩人剛剛從床上起身，門已經被推開，甲冑鮮明的衛士們簇擁著崔倚走進來，崔倚亦是擐甲執銳，不待她說話，冷冷地瞥了一眼李嶷，沉聲質問：「何校尉，此人三更半夜，鬼鬼祟祟潛入我定勝軍大營，是要脅迫妳吐露軍機，伺機奪下長州，是也不是？」

她忙道：「節度使，不是……其實……」

一語未了，崔倚已經怒不可遏，喝道：「將這私潛入府的奸細綁了！」

親衛們轟然相應，一擁而上，將李嶷團團圍住，立時掏出鐵索，將他五花大綁，李嶷倒也坦然，並不反抗。倒是阿螢心下發急，待要阻止，卻被李嶷以目光示意她不可，她心中兀自糾結，崔倚早就一聲令下，要將李嶷帶走。

她不由得又叫了一聲：「節度使！」

崔倚卻板著臉孔，毫不容情，聲音更是如同三九寒冰：「何校尉，這種私闖大營、意圖竊取軍機的小賊，按我們定勝軍的軍規該如何處置，妳如何不知？今日他闖進來，妳卻知情不舉，亦有罪責。」又道，「妳既犯了錯，便按軍規禁步三日吧。」言訖，便令左右押著李嶷，一同大步離開。

突然生了這般變故，她心中又急又躁，正焦慮之間，忽聽門扇吱呀一聲，原來是桃子被崔倚的兩名親衛押入室內，旋即又聽見落鎖之聲，原來崔倚下令，立時將她們主僕二人關在這屋子裡禁足了。

桃子與她不由面面相覷，桃子道：「我遠遠看見節度使率人朝這邊過來，正想給妳報信呢，偏就被節度使伏在暗處的親衛拿住了，不令我出聲。」

阿螢道：「此事也不能怪妳，只是阿爹這次，著實生氣，不知道……不知道他會如何處置李嶷。」

桃子寬慰道：「校尉，節度使縱然生氣，總不至於眞殺了秦王。」

阿螢心想，以爹爹的脾氣，那可還眞的難說。雖然上次李嶷送自己歸營，他生氣萬分，最後到底看在自己面子上，沒有過多追究，但此一時，彼一時也。李嶷軟硬兼施，讓定勝軍出兵與鎮西軍同取西長京，也因此，不得不承認天子繼位，爹爹心裡總歸是有幾分不悅的，這次他又深夜潛入自己臥房之中，爹爹震怒，理所應當。

她不由長嘆一聲。「只怕他這次要吃一些苦頭吧。」

桃子不以爲然。「那也是活該，適才秦王來的時候我就說，這深更半夜的，不如明日堂堂正正來見，難道還怕見不著嗎？他偏說明日太晚了，這不，就叫節度使逮個正著？倒連累著妳我，也在這裡被禁足。」

阿螢不由得一笑，問道：「謝長耳難道沒來嗎？」

桃子說道：「他倒是來了，只不過秦王叫他在外面望風……我還沒見著他呢，節度使就忽然來了。」

阿螢聽她語氣中滿是懊惱，不由笑道：「這也難不住我們的桃子，妳那裡不是有哨子嗎？妳把哨子吹響，他不就來了？」

桃子發愁道：「節度使把這屋子周圍，都布下了人，只怕他一時進不來。」

「謝長耳雖然憨直，卻也不傻。」阿螢渾不以爲意，「秦王既然叫他望風，現在秦王失陷在此，那謝長耳就一定能想到法子來見我們。」

阿螢說的話不錯，桃子吹響哨子，約莫過了半個時辰，謝長耳不知道用何法子，竟然身穿定勝軍的服色，手捧托盤，盤中放著一些飲食，假作是給她們送夜宵的人，就那樣大搖大擺走進屋子裡。

桃子一見就認出了他，奈何屋外皆是看守，因此不動聲色，接過他手中的托盤，壓低聲音問：「你帶了多少人來？」

謝長耳見到她，來不及歡喜，也學著她的模樣，壓低聲音說道：「十七郎就帶了我一個人來的。」忙忙又與何校尉見禮，說道，「何校尉，如何這屋子外面都是看守，還布置有弓弩，我費了好大的周折才混進來的。」

阿螢不由得輕笑一聲，說道：「十七郎被節度使抓起來啦，咱們得想法子救他。」

謝長耳聞得此語，也不著急。在他覺得，何校尉是自己人，桃子當然也是自己人，既然她們都是自己人，那節度使把李嶷抓起來了，又有什麼可著急的？十七郎那麼聰明，何校尉跟他一樣能幹，那定然會被救出來的。

他於是興興頭頭地問：「咱們怎麼想法子去救他？」

阿螢說道：「節度使命重兵圍了這裡，我身上又病著，不能打鬥。如果咱們把外面的看守騙兩個進來，打暈了綁起來，換上他們的衣服，就可以像你剛剛一樣，大搖大擺地出去了。只不過，我想了想，既然你進來了，又穿了有這身衣服，不如我換上這衣服出去，桃子你和長耳留在這屋子裡，扮作我仍在此處，不然，只怕立時就會露出破綻。」

桃子與謝長耳素來知她極有謀略，知道她哪怕孤身一人，定然也有法子救出李嶷，不由連連點頭稱是。

話說李嶷被崔倚親自押了出去，崔倚睬也不睬，便令人將他關進水牢。這長州城原是安南都護府所在，自孫靖作亂以來，屢遭刀兵，連都護府都被亂軍焚毀大半。定勝軍此番駐守長州，選了這都護府舊址作大營中軍所在，這水牢亦是從前都護府羈押重犯所用，皆是石頭砌成，十分牢固。

李嶷既被押入水牢，手上腳上都捆上了重重鐐銬，又將他單獨關在一間牢房裡，顯然是怕他逃走。李嶷見如此境況，卻也並不慌張，就在那牢房裡靠著石牆席地而坐。這牢房四面石牆，只有朝外的那面石牆上留著一個丈來高的石洞，安著厚厚一扇木門。因這門矮，所以進出皆要彎腰。這木門雖厚，幸而石牆並不平整光滑，門外乃是一條通道，道旁石牆上插著火把，便通過這門四周的縫隙透進來縷縷光亮，令這牢房之中隱隱約約，亦可見物。

李嶷百般無聊，見地上雜亂鋪著些稻草，便抽了些出來，三下兩小，編成一個小人模樣，拿在手裡看了看，覺得甚是有趣。於是又抽了些稻草，亦編成一個小人，兩個稻草小人一個編作男子束髮，另一個編作女郎梳鬟，他便將這兩個稻草小人，一個當作自己，一個當作阿螢，如同皮影一般，舉著說起話來。

「阿螢，不知道妳吃了藥沒有？妳爹爹好凶，盡板著一張臉，也不怕嚇著妳，早知道如此，我就應該一闖進來，就帶著妳一起遠走高飛。」

他手指微屈，那作女郎打扮的稻草小人便如同點點頭一般，說道：「好呀，十七郎，咱們一起私奔吧。」

正說話間，忽聞木門之外，有人輕笑一聲，低語輕嗔，說道：「誰要跟你私奔，你別在這裡做夢了。」緊接著外頭鎖鑰作響，木門吱呀一聲被打開，卻正是阿螢，她穿著崔倚親衛的服色，手中提著一盞燈籠，徑直走了進來。

他心中大喜，連忙站起來，說道：「妳可算是來了。」

她斜睨了他一眼，說道：「我要是不來，怎麼知道你連待在牢房裡都不老實，還在編排我要和你私奔。」

他興沖沖將那一對稻草編的小人舉起來給她看。「妳看，像不像我和妳？」

她舉起燈籠，仔細看了看，李嶷又舉起那個作男子束髮的稻草小人，在自己臉側對著一比，她忍不住噗哧一笑，說道：「這個嘛，跟你倒是有幾分像。」

李嶷將兩個稻草小人都塞進她手裡，說道：「給妳留著玩吧。」

她說道：「你都被關在牢裡了，還有閒情逸致編這個玩。」

他笑道：「反正妳總會來救我的。」她啐了他一聲，說道：「我才不是來救你的，我是奉了節度使之令，拿手書來提你出獄去審問。」

他不由得眉開眼笑。「那節度使的手書，妳一定仿得很像。」

節度使的手書其實仿得很粗糙，她倉促之間，雖將崔倚的筆跡模仿得極是相像，但用印花押，其實不能細看。好在牢中燈火昏暗，幾名獄卒又見她穿著崔倚親衛服色，從容自若，並未起疑，只是笑著叮囑她道：「上頭說這個人力氣很大，切勿解了此人的鐐銬。」見她鄭重地點一點頭，便任由她押著李嶷出了水牢。

待出得獄中，又穿過數重院落，此刻早已經明月西斜，正是夜色最沉寂之時，唯有朦朧的月色照著院中花木扶疏。一陣夜風襲來，她忍不住咳嗽數聲，李嶷見狀早就脫下了外衣，想要披在她肩上，她擺手示意不要，強自壓著咳嗽，指著一棵大樹說道：「從那邊越過院牆，就可以出去了，你快些回去吧。」

李嶷說道：「我既來了，就暫且不想回去。」

她又氣又是好笑，說道：「你率大軍至此，你要不回去，我爹爹把你扣下來脅迫三軍可如何是好。」

「阿螢，妳跟我一起走吧。」李嶷握著她的手，十分認真地說道，「我還帶了范醫正來，他醫術好，我想讓他好生替妳瞧一瞧病。」

她嘴角一彎，正待要說話，忽聞得不遠處喧嘩起來。

原來崔倚雖然將李嶷關進水牢裡，但思前想後，覺得此子素來狡猾，偏自己視作掌珠的女兒，竟從來都向著那小子，說不得，這次也會暗中偏幫。他一想到此處，便難以入眠，索性披衣而起，徑直帶人去水牢，要連夜提審李嶷。結果進了水牢一問，李嶷竟然適才就被拿著自己親筆手書的親衛提走了。他都不用遣人去看女兒，一想便知到底是怎麼回事。這一下子，頓時氣得一佛出世，二佛升天，立時便令人調重兵來，將這都護府裡裡外外，圍得鐵桶一般，絕不令李嶷逃脫了去。

定勝軍皆是精銳，況且這都護府又不大，片刻之間，就搜到了李嶷與阿螢所在的這重院子。一見到兩人，崔倚二話不說，拔出腰間長劍，便向李嶷刺去，直嚇得阿螢趕緊擋在了李嶷身前，倉促間叫了聲：「節度使！」

「妳還知道我是節度使。」崔倚不斷冷笑，「讓妳禁足妳卻偷偷出來，還想私自放走重犯，妳這是視定勝軍軍規於何物？」

阿螢本來就是病中的人，聽到父親這般責問，卻是嗓子一甜，頓時又咳出一口血來。崔倚與李嶷二人都嚇住了，到底李嶷手快，忙一把扶住她。阿螢咳嗽不止，李嶷道，「節度使，我不會逃走，先送阿螢回房歇著吧。」

崔倚見女兒臉色蒼白，又知她今夜迄今未眠，就是為了救眼前這臭小子，雖然怒意勃發，卻也強自按捺住，先命人將女兒送回去。阿螢還欲要留下來，但李嶷朝她使眼色暗示，她知他定然有法子脫身，再加上直咳得氣都喘不上來，自己留下來，說不得反激怒父親，便也暫且回房去吃藥。

待得阿螢被送走，崔倚也不令人再將李嶷關進牢裡，而是徑直將他帶回了自己居處。

進了屋子，摒退左右，崔倚這才問道：「秦王，你夤夜至此，費這般周折，想必是因為心儀我女兒。」

李嶷大感意外，不知他為何忽然有此坦蕩一問，但旋即心中一喜，點頭道：「是！李嶷心儀阿螢已久，還望節度使成全。」

崔倚見他老實承認，當下也點了點頭，說道：「既然你心儀我女兒，阿螢又對你青眼有加，我也不是不能成全你們。」

李嶷聽到這句話，反倒遲疑起來，果然，只聽崔倚道：「只要你放棄秦王爵位，入贅我們崔家，接掌定勝軍，我就將阿螢許配給你。」

李嶷不由苦笑，他明知崔倚定然會給自己出個難題，只是沒想到，崔倚開口便說出這般話語。他嘆道：「節度使，倘若是別的事，哪怕上刀山，下火海，李十七也絕不會皺一皺眉，唯有這件事，您明知道我辦不到。」

崔倚淡淡一笑，話語之中，滿是嘲諷：「怎麼？是捨不得秦王的爵位？還是擔心入贅我們崔家，墮了你的威名？」

李嶷正色道：「節度使，李嶷從來不是貪圖富貴名利之人，若為了阿螢，王爵何足惜，區區薄名又有何足惜？但節度使亦知曉，從來君為臣綱，父為子綱，身為陛下的兒子，我若是入贅崔家，那就是背棄君父。而崔家竟以皇子為贅婿，此舉必然會被朝野上下視作對陛下的羞辱。主辱臣死，朝中必定會主張征滅定勝軍，令天下復又陷入戰火綿延中，若因此重起兵戈，令朝中與定勝軍廝殺如敵寇，必是李嶷一生最痛悔之事，所以，我不能答應。」

崔倚怔了怔，心道這番話倒是有理，如果李嶷真答應入贅崔家，別的不說，朝中上下，必將此視作奇恥大辱，兵戈再起，那是必然的事。他沉默了片刻，只是淡淡地道：「那也不用多說了，你就回水牢去吧。」

李嶷拱手朝崔倚行了一禮，說道：「節度使，晚輩不想回水牢去。」崔倚聞言不由冷笑一聲，正待要喚人進來將他押走，忽聽李嶷說道：「阿螢病了，我十分懸心，從京中帶得良醫就在南定軍營中，我想留下來照顧她一些時日，並請良醫來為阿螢診治，待她康健之後，我再任憑節度使處置。」

崔倚瞪了他一眼，喝道：「你夜闖我定勝軍大營，又試圖越獄，須得遵照我定勝軍軍法，要麼受三十鞭子，要麼在水牢裡被關上三十天。是進水牢還是受鞭刑，你自己選吧。」

李嶷卻是毫不猶豫，說道：「李十七自當受鞭刑。」

崔倚心下喟嘆，心道此人雖然狡猾，但確實是眞心喜歡自己的女兒。

話說阿螢被送回房中，桃子和謝長耳兀自不知露餡，待得知李嶷又被崔倚親自截了回去，謝長耳不由得發急。阿螢心中確實也十分焦慮，接過桃子端來的藥碗，一邊咳嗽，一邊指點謝長耳：「趁著府中此時戒備稍怠，你趕緊出去，回你們鎮西軍的大營去，若是小裴將軍問起，就說……就說秦王一切都好，因擔憂我的病，要在這裡勾留兩日，請他務必不要輕舉妄動。」

謝長耳點了點頭，藉著天猶未明，混沌夜色，闖出府去，徑直歸南定的鎮西軍大營。

阿螢吃了藥，她本是病人，又折騰了這麼大半夜，心力耗盡，只累得昏昏沉沉就睡了過去。這一覺也不知睡了多久，待醒來時，早已經天光大亮，日頭透過窗櫺照進來，映在屋子平滑如鏡的青磚地上，卻是長州春日裡難得的晴天，無數塵埃在這春日暖陽中打著旋，像虛空中飄浮著無數澄澄的金粉，又恍惚似個美好的夢境一般。在她床榻之前，原本放著一張高几，是桃子預備她飲食吃藥時便宜，此刻卻有個人就伏在几邊，睡得正沉。

是李嶷。昨晚雖然有燭火，到底看得不分明，好些時日不見，他變白淨了許多，大概是不怎麼打仗了，又或是京中冬日，素來雨雪纏綿，見不到多少日頭，才會令他變白了。他枕著胳膊睡得很沉，少年郎的眉心微蹙，竟也有了淺淺的紋路。他是太累了，平日歡喜的時候也特別少，她都知道。她心裡不由得微微一酸，起身下床，拿著自己蓋的夾被，輕手輕腳走到李嶷身邊，本來想給他搭上夾被，不料他素來警醒，眼皮一抬，竟然醒了，兩人四目相對，近在咫尺，呼吸相聞，極是親暱。她不由怔了一怔，他卻嘴角一彎就笑了。「妳鬼鬼祟祟的，莫不是想偷偷親我？那我醒得不巧了，要不我重新裝作睡著了，妳只管親便是。」

她聞言微惱，將夾被往他肩頭一擲，說道：「誰想偷偷親你？」他探手一摟，就將她摟進懷中，另一隻手早就接住了夾被，卻是就手一掀，將那夾被展開，整個將兩人都籠住，含糊道：「是我想親你！是我……」

她不由用手抵著他的胸口，躲閃了一下，說道：「聽說這病會過人的。」

「那就一起病。」他十分乾脆地說，「要病一起病，要死一起死，要死我也要和妳埋在一塊兒。」

「呸！什麼生呀死的，不吉利。」她推了一下並沒有推開他，也就罷了，別後相思甚苦，好不容易又能重逢，她伸手緊緊摟住他的脖子。是啊，如果是他病了，她也會如此，要病一起病，要死一起死，哪怕死了，她也是要和他埋在一塊兒的。

過了片刻之後，她才想起來問他：「節度使怎麼沒再把你關起來？」

他還在有一下沒一下地，輕吻著她的嘴角，含糊道：「我用誠意打動了他。」她斜睨了他一眼，說道：「巧舌如簧，你到底用什麼言辭騙了阿爹，你從實招來。」

他輕笑一聲，道：「我跟他說，長州城我不要了，他一高興，就不再關著我，讓我來陪妳了！」

她斥道：「胡說八道。你別想再騙我，你眞要這麼說，阿爹八成會反問，你以爲你帶著鎭西軍來，就能打下長州？尙未一戰，焉知勝負。秦王既然想要長州，那就沙場上決一生死吧！」

他不由得一笑。「妳學節度使說話，學得眞像。」

她哼一聲，說道：「說吧，你到底答應阿爹什麼了，能讓他放你進來陪我。」

他嘆了口氣，說道：「什麼都瞞不過妳，我就跟他說，妳十分記掛我，如果看不到我，飯也吃不下，藥也不願喝。爲了妳早日康復，還是放我來陪妳吧。妳阿爹雖然不情不願，到底還是放我進來了。」

她半信半疑，見他泰然自若的樣子，終於還是信了。

「我就知道，你還是會拿我挾制阿爹的！」

他眉毛微挑，說道：「我這是攻其必救，自然一擊而中。」

她嗔道：「你用我要脅阿爹，竟然還得意洋洋，自詡善用兵法。」說著便要將他推開。她既然伸手，他笑著順勢去抓她的手，誰知道她這一推其實是虛晃一招，實則將身子一偏，反手就拿住了他的肩頭。他不由眉頭微微一皺，旋即若無其事，肩膀一沉，避開她這一拿，仍舊雙掌一合，就勢握住了她的手。正待要說什麼，忽然見她臉色大變，他順著她的目光低頭一看，只見肩上鮮血滲出，竟透過了厚重的衣衫，正緩緩洇出來。他心知不妙，正想如何遮掩過去，忽聽她說道：「你把衣服解開，給我看看。」

他不由故作爲難之色，說道：「妳一個姑娘家，叫我解衣服……」她此刻卻是睬也不睬他的插科打諢，只是面沉如水，雙眸如漆，瞬也不瞬地盯著他，問道：「你解不解？你不解我叫人把你捆起來，我親自解！」

他不由笑道：「越說越不成話了，哎，妳該吃藥了，我去拿……」說著就要起身，她伸手便攔。他身形一閃躲避，她左手袖中彈出短刀，右手往下一滑，扯住了他的袖口，李嶷並不敢用足力氣與她動手，又忌憚她還在病中，未免就動作遲緩，落了下風。她左手早就橫刀一劃，立時將他衣衫劃破長長一道口子，右手用力一扯，他背上衣衫立時分作兩半，他還未來得及言語，她早就看見了他滿背密布的鞭痕，橫七豎八，滲著鮮血，皮開肉綻，極是駭人。她不由得倒吸了一口涼氣。他見她怔在了那裡，連忙反手掩上破衣，轉過身來，笑道：「其實這是之前的舊傷……」

她又氣又急，說道：「你還要騙我?!你轉過身來！」

他強自笑道：「衣不蔽體，妳叫我轉什麼身……」她早按捺不住，執意就要繞到他身後，幸得他身形高大，胳膊一橫就攔住了她，他用另一隻手拉著被劃破的衣衫，極力遮掩背上的傷痕，只是勸她：「別看了！」

她眼圈微紅，似是要哭了，問：「阿爹打了你多少鞭？」

他不敢再瞞，說道：「也就三十……」

她卻氣得急了，高聲道：「你是堂堂秦王，難道不會立時端出身分來，令節度使知曉，在你面前應有君臣之分！你口口聲聲說你是鎮西軍中最好的斥候，你就不會拿出本事脫身一走了之，難道他們還眞會追殺你到鎮西軍大營？你怎麼這麼傻？他要打，你就讓他打?!」

他從來沒見過她如此生氣，不由道：「阿螢……妳別生氣了！」

她自欺欺人地扭過臉。「我沒有生氣！」

「那妳氣得臉都紅了？」他反倒轉到她面前來，想要哄她開心，「阿螢，眞的沒什麼，也不怎麼痛……」

她氣咻咻的，將臉轉到另外一邊。「別叫我！我不認識你這麼笨的人！」

他牽著她的手，用手指摩挲著她的手背，十分誠懇地說：「阿螢，妳眞的別生氣。妳想想，將來妳給我生個女兒，百寵千嬌地長大，養得跟明珠似的，忽然有一天，有個臭小子翻牆進來，就在床上抱著咱們女兒，軟玉溫香滿懷，他還敢親吻咱們女兒，妳說，我這個做父親的，是不是恨不得立時拿刀把這臭小子碎屍萬段！只打三十鞭，那眞是太便宜他了……」

她聽到此處，終於狠狠瞪了他一眼。「誰要跟你生女兒?!」

見她話音中略有軟化的樣子，他連忙接話：「兒子也行，兒子也行……我就是跟妳解釋解釋，這事妳別生氣，更不要怪崔伯伯……」她不由又狠狠瞪了他一眼，他連忙改口：「不要怪節度使。」

她不再搭理他，轉身就要往外走。他問道：「妳去哪兒？」

她白了他一眼，方才問：「桃子呢？」

他笑道：「她在給妳煎藥呢。」說著看了看窗前的日頭，說道，「八成該到吃藥的時辰了，想必藥已經煎好了，我這就去拿來給妳。桃子千叮萬囑，讓妳醒了就吃藥，別錯了時辰。」

她說道：「我去問她拿藥。」

他說道：「妳別去了，我去給妳端來得了。」

她恨恨地甩開他的手，說道：「我問她拿傷藥！你背上傷口那麼多，那麼深，皮肉都綻開了，再不上傷藥，只怕明日就會紅腫潰爛。」他聽她如此說，早就忍不住眉開眼笑，說道：「那還是我去問她一併拿來。順便去換件衣裳。」

她看了看他，果然是衣不蔽體的模樣，衣衫被自己一劃，直撕破到腰際。她本來又氣又急，忽然變成了微羞微惱，過得片刻，忽又噗哧一聲，笑出聲來，說道：「算了，還是我去替你拿藥，順便給你拿件衣裳，你這樣子怎麼能出去。」

他見她終於笑了，也忍不住笑了，說道：「那不全都拜妳所賜。」她見夾被扔在地上，便用足尖一挑，伸手一撈，抄在手中，卻是展開來，替他披在肩上，說道：「那你權宜遮掩一下吧，秦王殿下。」

他早就歡喜不禁，問道：「妳拿了傷藥來，待會兒親自幫我塗藥？」她啐道：「呸！你想得倒美！愛塗不塗，像你這般笨得無可救藥，不塗藥痛死你好了！」

話說自阿螢病後，柳承鋒也心中憂慮，時時欲來探視。偏阿螢說道，公子素來體弱，自己這病，只怕眞會過人，因此堅拒不肯，每次他都走到了院外，都被阿螢派桃子攔了回去，縱然如此，他仍舊常常過來。有時候就在院門外站一站，詢問桃子，阿螢今日如何，睡得可好，吃藥可有起色，等等諸般情形。

偏前一晚，爲了拿住李嶷，崔倚調遣親兵，甚至調用重弩，這般動靜，柳承鋒自然也略有察知。待得清早起來，得知乃是節度使爲了捉拿奸細，夜間才有那般動靜，柳承鋒早就心中生疑，什麼奸細，如何就敢，也如何就能，闖到重兵把守的此地所在呢？

因此等不及用朝食，他便帶著阿恕一起，到了阿螢所居的院子之外，果然見桃子在廊下煎藥，一見了他，桃子忙拋了扇子，迎上來，悄聲道：「校尉還睡著呢。」

柳承鋒見桃子眼底滿是血絲，顯是一夜未眠，便問道：「她如何？昨晚聽說有奸細，可驚擾到阿螢？」

「沒有沒有，」桃子不知爲何，神色間隱約有說不出的歡喜，說道，「校尉好著呢，就是才睡著沒多大會兒，等她醒了，我定然告訴她，公子來看過她了。」

柳承鋒心下如冰雪茫茫，冰冷一片，但這如同徹骨寒意般的冰冷，他早就習慣了，於是渾若無事一般，笑著點點頭，說道：「阿螢若是想吃什麼，或是想要什麼，妳立時遣人去告訴我。」

桃子點頭應聲稱是，柳承鋒心裡明明知道，阿螢即使真的想吃什麼，想要什麼，也不會遣人去告訴自己了。是什麼時候，他和她就這般生分了呢？大概是，他一意孤行，奪下並南關之後吧。

他悵然地還想問桃子幾句什麼，忽然崔倚遣人來尋他，他連忙又叮囑了桃子兩句，這才前去。

崔倚本來不拘那些俗禮，何況素來疼這個兒子，一見他進屋，也不等他行禮，便令他坐下說話。

他見崔倚似也是一夜未眠，神色憔悴，眼下一圈青黑，襯得他額前幾縷白髮越發明顯，他心中一動，不由喊了一聲：「阿爹。」心想，阿爹是真的老了，從前永遠覺得阿爹就是書本上的虎將，傳奇一般的戰神，可是如今他竟然也老了。握著自己的那隻手，雖然仍舊溫暖、堅定、粗糙，可是他的語氣是遲疑的。崔倚就那樣握著他的手，有幾分遲疑地說：「鋒兒，我有話跟你說。」

崔倚甚少喚他作鋒兒，從前在人前，崔倚總是和其他崔家人一般，叫他阿琳。阿琳，他也喜歡這個名字，那是屬於她的，也是屬於他的，是他和她，難得共有的一樣的東西。

他不由笑了笑，甚是心酸，說道：「阿爹這樣叫我，我倒一時不慣。」崔倚說道：「自從你重傷落水，阿爹派了很多人尋了你很久，怎麼都尋不到，一度也以為，你遭遇不測。後來阿爹和阿螢一起去你的衣冠塚前祭你，阿爹想了很多。從前，是阿爹太自私了，雖然小時候阿爹也問過你，願不願意做阿爹的兒子，但那個時候你還小，很多事都不懂。」

他微微怔忡，不知道崔倚到底要說什麼，但心中隱隱湧起一種擔憂，只得又叫了一聲：「阿爹……」

崔倚卻下了什麼決心似的，說道：「鋒兒，我已經想好了，以後，你就改回柳承鋒的名字吧，但你，仍舊是阿爹的兒子，阿爹會對所有人說，你是我的義子。」

他如同五雷轟頂一般，過了良久，方才聽見自己的聲音，喃喃地道：「阿爹的意思是，讓我改回姓柳？」

崔倚點了點頭。「是的。」他似乎又下了什麼決心，猶豫了片刻，方才說道：「如今阿螢也大了……」

聽到半含半露的話，柳承鋒心中不禁忽地一輕，又驚又喜，心道阿爹讓我改回姓柳，莫非是……莫非是要將阿螢許配給我，或是要招贅我為婿，所以才叫我改回姓柳，這樣我便可以名正言順娶阿螢。他心中頓時心潮起伏，激蕩難言。

只聽崔倚說道：「你也知道，阿螢十分任性，將來是不用我管的。你從小在我們家裡長大，我是真心將你當兒子看待。我想讓你認祖歸宗，改回姓柳之後，好好讓媒人物色，給你娶一位賢德的娘子，生得幾個孩子，這樣你們柳家，也算是後繼有人。」

他本來歡喜無限，萬萬想不到崔倚竟然說出這番話來，如同從萬丈懸崖失足落下，萬箭穿心亦不過如此。張了張嘴唇，想說什麼，卻發不出任何聲音，過了許久之後，他才發覺自己全身都在微微顫抖，似乎整個人都要支離破碎一般，自己的聲音似乎也在發顫，說的每一個字，都艱難萬分，每一個字都似乎不是從自己唇中吐出。他聽到自己聲音嗡嗡的，像遠在天邊，又像是，怕震碎了什麼似的，他問：「阿爹，這是不要兒子了嗎？」

崔倚卻道：「你雖然改回姓柳，但仍舊是阿爹的兒子。」

他心中冰冷一片，過了良久良久之後，方才勉強笑了笑，說道：「阿爹待我好，我是知道的。」

崔倚其實心下也十分難過，卻也無法安慰他。阿螢與柳承鋒是一起長大的，尤其自己因爲從小將女兒充作男孩養大，後來偏又令柳承鋒頂著崔琳的名字，成了眾人心目中的崔公子、自己唯一的兒子，心中更是複雜難言。幸得阿螢從來不計較這些，她假作公子的侍女，也在軍中行走，因爲足智多謀，生生掙出一個「錦囊女」的名頭。他思前想後，總覺得自己當年如此這般，恐怕耽誤了女兒終身，有一次，忍不住滿懷歉疚地問她：「阿爹從妳剛生下來的時候就報給朝廷，說妳是個男孩子。長大之後，柳承鋒又頂著崔琳的名字，成了我的兒子。妳一個姑娘家，成天鞍前馬後地跟著我們在外頭打仗……將來……將來難道要替妳招贅夫婿？肯入贅的男子，必然有這樣那樣的毛病，莫說妳，阿爹都看不上。」

當時，她兩隻眼睛亮晶晶的，對著他笑，說道：「阿爹，我喜歡打仗，我喜歡這樣子活著。天下男兒那麼多，他們能做的事，我樣樣都能做，我為什麼要嫁人？」那時候，他還是忍不住說，「姑娘家總要嫁人生子……其實……鋒兒也挺好，我看他……」

那是他第一次試探，想問問女兒，願不願意嫁給柳承鋒，畢竟這個兒子，是他親自養大的。雖然身弱，但心性要強，而且文采不錯，也懂得軍事謀略，最要緊的是，柳承鋒必然容得下她，會全力地支援她，讓她繼續在軍中行事。只要她嫁給了柳承鋒，那麼這崔家偌大的基業，這定勝軍，其實仍舊是她的，將來也會是她孩子的。這也是他這個做爹的，一點點私心，誰又不想將家業留給自己的親生骨肉呢，誰又不想將這世上最好的東西，留給自己的孩子呢？

如果她嫁給柳承鋒，那就眞的是兩全其美了，她仍舊可以在定勝軍中，做她想做的事，而且，名正言順。

阿螢聽出了他話中之意，卻十分堅定地搖了搖頭，說道：「天下這麼大，天地這麼遼闊，我還沒有四處看看呢，太多東西我都沒有見識過，嫁人生子如果也算一種見識，那沒有又何妨呢，它不過是成千上萬中的一種罷了。」

他不禁喟嘆。「阿爹總有一天會老，會離開妳，到時候妳孤零零的一個人，我有什麼顏面，去地底下見妳阿娘。」

她卻盈盈一笑，安慰他說：「阿爹，我這輩子過得十分快活。等百年之後你見了我阿娘，就這麼說，難道阿娘還會有什麼不滿意嗎？我過得快活，我阿娘一定覺得，那就是生養了我一場，最圓滿的事。」

確實如此啊，她過得快活，那是父母最爲欣慰之事，也是他和阿敏，眞正的心願圓滿。他不禁又是欣慰，又是悵然地點了點頭。

但那個時候，自己怎麼會知道，天下竟然還有一個少年郎，能令阿螢青眼有加。唉，那個李嶷啊，他還眞是個難得的帥才，更難得的是，他也對阿螢是一片癡心，不然他身爲天子的兒子，位在諸王之上的秦王殿下之尊，爲什麼要跪在自己面前，生生挨那三十鞭子呢？

不就是因爲，他與李嶷都心知肚明，這三十鞭子打完，自己就不能再以他那個秦王的身分，找種種藉口，阻止他和阿螢在一起了。起碼，從此之後，他都要睜隻眼閉隻眼，任由一對小兒女你儂我儂。

他得認！

說到底，他也是眞心對李嶷有幾分欣賞的。意氣風發的少年郎，又極擅用兵，他怎麼不打從心眼裡喜歡呢。若是他是個尋常農家子就好了，甚至，退一萬步講，哪怕他仍是天子的兒子，若他不是秦王李嶷，是個平庸的兒子，也就好了。可他偏偏驚才絕豔，乃是往前數百來年，甚至，往後再數百來年，難得一見的驚世之才。這個人啊，太適合作統兵的元帥了。天下兵馬大元帥，那是太宗爲王時的軍銜，收復兩京，扶社稷於大廈將傾，這也是與太宗才堪可比擬的絕世功勳。

國朝百餘年，再也沒出過如此能統兵的帥才了，也再也沒出過如此功勳的皇子了。他實在是太耀眼了，太能幹了，就像太陽懸在半空中，誰也不能直視，誰也不敢忽視，誰都被這灼熱的陽光籠罩著，所謂如日中天。

以後阿螢與他，可是要走一條艱難的路。他的身分，他的位置，只怕那條路遍布荊棘，還會倒下無數人，會有無數的箭羽朝他射來。那些箭，有些是當胸射來，有些，甚至是背後射來。

想一想，崔倚就覺得心裡直發毛，他不是沒有自己的私心考量，他也知道以自己如今的實力，其實頗有一爭天下之力，甚至，哪怕此刻拔營回到幽州，這天下，也會有一半是定勝軍的，是崔家的。

唾手可得，棄之可惜。

可是當那個年輕人痛快地解開衣裳，端端正正捧著鞭子跪在自己面前的時候，當他那雙熱情又飽滿蓬勃的眼睛看著自己的時候，他只覺得那根鞭子有千鈞重。

他拿起那條鞭子的時候，想的是什麼呢？是自己的妻子，武烈夫人賀敏。他的阿敏，也有一雙熱情的眸子，永遠含情脈脈地看著自己，永遠在對他說：「阿倚，你往哪裡去，我就往哪裡去。」

他的阿敏已經死了。有一度，他心灰得也想要去死，生不同衾死同穴，阿敏死了，他活著還有什麼意思呢，再大的功業，再大的官銜，再多的地盤，他活著還有什麼意思呢。

若不是有女兒，若不是有阿螢，自己也早就活不下去了吧，或許在哪場仗中，他就毫不顧惜地將自己葬送了。將軍難免陣上亡，甚至，都不會有任何人，會對他的死有絲毫的疑心。

但是還有阿螢啊，他和阿敏唯一的孩子，阿敏視作心尖一般的女兒。他的阿螢，軟軟的，小小的胳膊摟著他，叫他阿爹，跟他說：「娘叫我活下去，活下去才知道阿娘爲什麼會死，活下去好救更多的人。」

他和女兒相依爲命。是的，女兒是他唯一的指望，他又何嘗不知，自己也是女兒最爲心疼最爲尊重最爲敬愛的那個人。他的話在阿螢面前，當然是有分量的，如果自己不肯點頭，阿螢她八成也沒有法子，眞的執意要跟面前這臭小子在一起，但是阿螢她就是……喜歡眼前這臭小子，那又有什麼法子呢？

崔倚拿起鞭子，狠狠地抽出一鞭，打得面前跪著的那個人，皮開肉綻。這個人是皇帝的兒子，背上卻也有好幾道舊傷，傷痕雖早就癒合，但崔倚是久經沙場之人，如何看不出，那人背上那些舊傷都是戰場上被兵器所傷，這人也如同自己一樣，曾經是一個毫不顧惜自己性命的拚殺之人啊。

他又狠狠抽出一鞭，心裡很盼跪在自己面前的那個人，叫痛出聲，這樣自己就可以不打了，可以將鞭子一扔，扶起這位尊貴的秦王殿下，口稱恕罪，然後恭恭敬敬地親自護送他回江對岸的鎮西軍大營，從此之後，他就莫要再肖想自己的女兒，自己心尖上的明珠。但明知道不會的，那人挨著鞭子，眼皮都沒抬一下，跪得仍舊絲毫未動，就好像不是鞭子打在他身上，而是清風吹在他身上一樣。

他可眞倔強啊，眞像年輕時候的自己。他手上用力，一鞭一鞭地抽打著，血四濺開來，那人脊背上的皮肉漸漸被打爛了，血痕縱橫交錯，那人並沒有顫抖，崔倚卻覺得自己彷彿在發抖。他心裡卻是欣慰的，阿敏啊，妳看到了沒有，女兒還是有眼光的，她選了這世上最好的一個人，這世上最驕傲的一個人，這世上最愛她的一個人。

三十鞭子打完，崔倚徹底地脫了力，長鞭無力地從他手中垂下，鞭梢滴著殷紅的血，那人背上血肉模糊，早就不能看了，卻十分利索地起身，彎腰拾起那根長鞭，扶著崔倚在椅中坐下，然後仍舊十分從容，也十分恭敬地問：「崔伯伯，這條鞭子就送我了吧，我想留著，將來有用。」

那時候自己在想什麼呢，崔倚有點茫然地看著面前的年輕人。還是年輕好啊，他自問一點也沒留餘力，狠狠抽了他三十鞭，打得他皮開肉綻，地上他跪的地方，都洇了一大灘血，但他還是像沒事人一般，想要拿走那條鞭子。

崔倚心裡知道，只怕李嶷要留著這鞭子，將來好教訓他的女婿——也就是自己的外孫女婿。傻，他在心裡輕蔑地想，阿螢已經這麼聰明了，你這臭小子雖然討人厭，人卻不蠢，你們兩個如若眞生個女兒，那只怕要上九天攬月，下五洋捉鱉，那我這寶貝外孫女看上的郎君，絕不會蠢到讓你有機會動這條鞭子。

但出於即將成爲岳父的微妙自尊，他也懶得跟這位秦王殿下，未來的嬌婿，分說這等幽微之處。他點了點頭，說道：「既然你要，你就拿走吧。」

李嶷歡天喜地地拿走了崔倚用了好多年的那條長鞭，笑容滿面，讓崔倚深悔，最後幾鞭自己還是心軟了，到底怕打壞了他，只怕女兒要不依不饒。早知道他這沒事人一般，就該眞使出全力，狠狠地打他啊。

李嶷走了，崔倚再也沒能闔眼，他躺在床上，睜著眼睛到天明，思來想去。一會兒想，自己得回趟營州，在阿敏的墓前，告訴她這件大事，自己已經擅自作主，將女兒的終身默許出去了；一會兒想，還是得讓女兒認祖歸宗，做回崔琳，這樣即使將來她爲秦王妃，朝中也無人敢輕易小覷了她。一會兒又想，還是不能令女兒做回崔琳，只怕朝中因此要用定勝軍脅迫女兒。

但最後，他還是下了決心，既然阿螢不喜歡柳承鋒，那得令柳承鋒知道，因爲鋒兒還是喜歡阿螢的啊，只怕他心裡存了萬一的指望，還是早早把話說清楚，他們兄妹兩個，莫生了嫌隙才好。

因此思前想後，崔倚才把柳承鋒叫來，半含半露，說了那樣一番話。他仔細留意柳承鋒的神情，果然他十分傷心，但到了最後，他還是似乎接受了這樣一件事。這孩子畢竟也是他當作親生兒子一般養大，崔倚並不忍心令他痛苦，只盼這次快刀斬亂麻，也許他從此能覓得眞正的意中人，那豈不是兩全其美。

柳承鋒從崔倚屋中出來，渾渾噩噩，也不知道自己身在何處，又要往哪何處去，只是阿恕不作聲跟在他後頭，主僕二人，似乎漫步隨意走著。

這天是春日裡難得的好天氣，日頭極好，照在身上暖洋洋的。他心下茫然，一路行來，抬頭忽見簷下的辛夷花，已經花蕾鼓鼓的，含苞待吐。在營州，是沒有這種花的，西長京城外的辛夷花，倒是頗有些名頭，常見於文人的詩賦之中。長州的春天，本來就比西長京來得要早半旬，更比營州要早數旬，營州此刻，仍舊是一片冰天雪地。若想要這般和暖，這般春花欲放，只怕還要兩個月後呢。

但是回不去營州了，或者說，是不會再見到營州的春天了，即使能見到，如果營州的春天裡，沒有阿螢，那還有什麼意思呢？他的心就像營州之北，極寒之地，永遠不化的冰土似的，又冷，又硬，再也不會有什麼破土而出了，那裡冰封三尺，永生永世下著雪，也永生永世地凍著。

不知過了多久，柳承鋒終於走回了自己的屋子，不等他吩咐任何話，阿恕就轉身離開了片刻。待得阿恕回來，他正在屋子中臨碑帖，阿恕悄無聲息地立在他身後，身上的氣息也是冷的，像是他心底的寒意一般，縷縷不絕。

他慢慢凝神聚氣，寫完了字，案上的大字神氣完足，出鋒極是漂亮。他甚是滿意，他擱下筆，問阿恕道：「藥取來了嗎？」

阿恕果然深知他的心意，適才就是去取藥了，聽他這麼問，阿恕上前一步，從袖中取出一個小小的木筒，裡面剜空了，裝著一丸藥，木筒用布塞得極緊，似乎怕走了藥性。柳承鋒晃了晃那個木筒，藥丸在中空的木筒裡滾動，空空的聲音，他覺得自己心上似乎也空了一個大洞，但是沒有關係，會有血肉能把那洞填滿的，會有他想要的一切，將那個空洞填滿的。

阿恕小心地道：「公子……開弓沒有回頭箭，咱們眞的要如此嗎？」

他不禁在嘴角露出一個冰冷的笑。開弓沒有回頭箭，在自己命阿恕給阿螢下毒的時候，實質上就已經開弓沒有回頭箭了。他知道唯有阿螢病了，才可能引李嶷來此，雖然前日已經將解藥摻在阿螢的飲食中給她解毒，這毒藥也並不會令阿螢身體眞正受到損傷，但若是從前，他絕不忍心令阿螢如此受折磨。

雖然春日暖陽，也深深地照進這間屋子，可是柳承鋒本就穿著一襲素衣。他練字的時候披散著頭髮，長髮如漆，黑得又像九天玄夜之色，他的聲音也如同九天玄冰一般，散發著奇寒刻骨：「阿恕，你不是早就替我選過了嗎？如今，咱們還有得選嗎？」

阿恕不由深深地打了個寒噤，但旋即，他立時就抬起頭來，說道：「公子，您恨我怨我，我絕沒有半句怨言，您就算在此時想要我死，只需要您吩咐一聲，我絕不會讓您髒了手，我會悄悄地出府自盡。」

柳承鋒卻笑了笑，輕描淡寫地說道：「什麼死呀活呀，你和我，都是死過一遍的人了，難道如今還怕活著嗎？」他轉動著眼睛，望著爐鼎中嫋嫋升起的香煙，森然說道：「再說了，現在總該輪到別人去死一死了。」他將那只竹筒重新遞還給阿恕，說道：「你親自去辦，如果出了任何紕漏，都不用再回來見我了。」

阿恕柔順地低下頭，說：「是。」

等阿恕再次離去，柳承鋒親自又研了一硯濃濃的釅墨，這次，他沒有再臨碑帖，而是就在素絹上，寫了兩行字：「嗟佳人之信修兮，羌習禮而明詩。抗瓊珶以和予兮，指潛淵而爲期。執眷眷之款實兮，懼斯靈之我欺。」這是曹子建《洛神賦》中的句子，他寫到最後一個「欺」字，忽然慘然一笑，就此擱筆。絹上墨跡猶未乾透，他拿起那素絹，端詳片刻，終於打開鼎蓋，就手將那素絹摺在燃著沉香的鼎中。那素絹沾了香灰明火，迅速即燃，火苗舔舐，不過剎那之間，整幅素絹便已經燃成了灰燼。他似乎嘆了口氣，那素絹的灰燼極輕，被他這一嘆，就四散飛起，被窗外春風一吹，盡皆化爲烏有。

第十一章　花朝

南地春早，剛進了二月，繁花皆已次第開放。春梅早謝，春柳和風，杏花微雨，一時江水兩岸，皆是一簇簇的嫩綠淺紅，那是夾岸的依依垂柳，與春堤下的一樹樹杏花，配上朦朧的細雨，墟里人家的炊煙嫋嫋，更是如詩如畫。

如此春光大好，裴源卻無心遊冶賞玩，固然是因爲大軍駐此，朝中旨意奏疏往來不斷，軍中更有各項雜務，自要處置決斷。最要緊的是，李嶷竟然拋下大軍，孤身逗留在長州城中。

裴源一開始聽謝長耳說道，李嶷要獨自在長州勾留幾日，便覺得五雷轟頂一般，待問得明白，頓時氣急敗壞。只因謝長耳不是個會撒謊的人，被裴源盤問幾句，只得支支吾吾，說出實情，原來李嶷竟然失手，被崔倚扣下了。這下子裴源方寸大亂，只在心裡想，自己這是作了什麼孽，竟有這樣的現世報，待得李嶷回來，自己一定要卸甲不幹了，拚著回京後被父親活活打死，也不要再過這般油鍋裡煎熬的日子。

幸而第二天李嶷就從長州城裡送出信來，不僅報了平安，還指明了要送范醫正過江。裴源雖然萬般腹誹，但還是安排人馬，護送范醫正至長州，幸好李嶷親自迎出來相見，明顯也沒有受到崔倚的囚禁苛待，裴源這才稍稍放心。

送去西長京給朝廷的軍報裡，裴源自然將此事瞞得滴水不漏，只說李嶷正在與崔倚周旋，並擇機出兵云云。

話說那范醫正，不愧是世代行醫的杏林國手，被送到長州城中，也並不如何驚惶。待被請入都護府給何校尉診脈，見她雖作軍中打扮，但明顯乃是個女兒家，又見李嶷就在其側，想起這位秦王殿下在京裡提到親眷之疾時的種種憂心煩惱，頓時明白過來，當下打起十二萬分的精神，給何校尉診脈，又細細看過她的舌苔。待得出來外間，桃子早預備了水盆與他淨手，他洗完了手，這才朝李嶷拱一拱手，說道：「殿下，以在下這點淺見，這並不是肺癆。」

李嶷聽說不是肺癆，頓時鬆了一大口氣。范醫正又道：「這似是血熱之症，又不十分像。按理說，她身體健旺，並不該有此症，脈象中診不出來，似乎之前吃了許多藥，幸得誤打誤撞，那些藥都算是對症。」

桃子此刻插話道：「校尉一直是我替她診脈，偶有小疾，也是吃我配的藥，從小到大，她都沒病得這麼厲害過。」

范醫正點點頭，說道：「我先開方子，吃一劑試試。」

這范醫正醫術果然十分高明，吃了他開的方子，一連兩天，何校尉都沒再咯血，夜裡也睡得安穩了，桃子歡喜不禁，李嶷也頗爲高興。

何校尉漸漸好起來，李嶷背上的傷口，也漸漸好起來，只是傷處癒合，皮肉結痂，新生的肉總是隱隱發癢。這天他肩背傷處癢得厲害，范醫正又再三叮囑，絕不要用手去撓，只得百般隱忍。幸好何校尉的病勢已經頗見起色，他哄著她吃完藥，正待要同她一起用飯時，剛拿起筷子，忽然背上一陣奇癢，他愁眉苦臉，卻又不能伸手去撓，微一動彈，衣料蹭到傷處，更癢了，只覺得苦不堪言。

她見他臉色有異，略想一想，就明白了是怎麼回事，便調侃道：「我們營州，水土豐茂，秋冬時節，有一種狍子，最不怕人，見著人來，反倒挨挨擠擠，湊上前來。要是伸手去摸，牠卻掉頭就跑，但如果去追，牠反倒停下來，想要看看你到底做什麼。若是追得太狠了，牠就往雪地裡一倒，也不動彈，有時候竟能就這樣把狍子撿回去了。所以在營州，那些獵戶都叫狍子是傻狍子。每年春天的時候，這狍子總要用自己的額頭去蹭樹皮，有時候甚至把額頭都蹭得流血。我小時候瞧著，實在不明白，就忍不住問，那傻狍子在做什麼呢，為什麼要蹭樹皮？」李嶷聽她娓娓道來，一時竟聽入神了，不由也問：「狍子為什麼要蹭樹皮？」

只聽她說道：「為什麼要蹭樹皮，當然是因為那傻狍子癢啊。」

她癢字一出口，他已經驀地明白過來，放下筷子就去捏她的臉。「罵我傻狍子……編了這麼長一篇閒話，就是為了罵我是傻狍子……」她一邊躲閃就一邊用胳膊擋著臉。「君子動口不動手……」她忽地想起昔日趕著牛車行在道上，他暗戳戳罵自己一肚子稻草，自己惱了打他的後腦杓，他就曾說君子動口不動手，那時候自己理直氣壯地答：「我又不是君子，我是淑女。」她想到此處，不由得心中一甜。他顯然也想起那段往事，臉上亦浮起笑意，忽然攬住她的腰，就在她臉上吻了一下，低聲說道：「我也不是君子，我是傻狍子。」

她瞟了他一眼，正想要說話，忽然聽到似是桃子的聲音，在門外咳嗽兩聲，緊接著又在門上輕輕叩了數下，叫了一聲：「校尉。」

她連忙推開李嶷，重新坐好，理了理鬢髮，方才揚聲叫桃子進來。原來是崔倚遣人來，讓李嶷前去內堂，二人不由得對望一眼。李嶷見她眼中隱隱有擔憂之色，便安慰道：「節度使想必是有事與我商議，妳放心吧，我不會與他起爭執的。」

她嘴上不說，心裡卻在想，李嶷率大軍來此，朝中必是想要回長州的。這等緊要之地，朝廷確實不會輕易讓給崔家定勝軍，因著地勢，這長州扼守安南，不然孫靖叛軍也不會在這裡與朝中平叛之軍反覆拉鋸。若是長州被崔家占了，只怕天子都要睡不安枕。她點一點頭，說道：「我知道，你去吧。」

李嶷來到後堂，果然崔倚就是要與他商議長州之事。這兩日李嶷忙著給阿螢延醫吃藥，自己也在養傷。崔倚自打了他三十鞭子，也就默許他在府中行走，自己裝聾作啞，不聞不問，但是鎮西大軍就在一江之隔，裴源又殷勤，每天都遣人來，送些時新的瓜果蔬菜等物，說是給節度使、大將軍崔倚問安，其實就是不放心李嶷罷了。

崔倚又氣又好笑，覺得堂堂秦王，鎮西軍的主帥，又是天子的兒子，偏在自己這定勝軍中流連不去。這若是讓人知道了，確實閒話難聽，因此估摸著李嶷傷也好得差不多了，便令人請了他來，想聊一聊正事，趕緊打發這秦王殿下回到江對岸的大營裡去，免得裴源每天牽腸掛肚，進退維谷，好像唯恐他一刀把秦王殺了似的。

等李嶷來了，崔倚十分客氣，親自起身相迎，以節度使見秦王的禮節，朝李嶷拱了拱手。李嶷也十分恭敬地回禮，方才分賓主坐下。崔倚說了兩句閒話，正要說到正事，忽然一陣頭暈目眩，李嶷見他臉色不對，連忙起身，崔倚還要掙扎著說話，但一張口，竟噴出一口鮮血來，旋即頭一歪，就此昏死過去。

驟逢此變，李嶷也不由吃了一驚，他們說話事關機密，早就摒退了左右，李嶷伸手摸他脈搏，十分微弱。他心中發急，扶著崔倚，心念如閃電一般，明白這不是舊傷發作，只怕是突然生了急病，或是中了毒。若是急病倒也罷了，范醫正還在此處，但若是中毒那可就麻煩了。

他將崔倚斜靠在椅中，手中還摸著崔倚的腕脈，心想得趕緊令阿螢得知，正思忖間，忽然窗外有人高聲道：「節度使！北邊有要緊的軍情。」他猛然一驚，旋即門被人推開，一名親衛徑直走到堂中，一見堂中這般情形，不由得驚呼一聲，旋即大叫：「快來人啊！」門外侍奉的定勝軍親衛一擁而入，爲首的正是崔倚素日親信的幾名中郎將。他們素來敬重崔倚，一見崔倚如此，早有人搶上去扶住崔倚，連聲喚節度使，只見崔倚面如金紙，昏死不醒，連呼吸都漸漸微弱了，頓時有人急得當場都要哭出聲來。不知是誰指著李嶷嚷了一聲：「此人乃是秦王，別放走了這賊子，定是他害了節度使！」

李嶷早在眾人一擁而入時，就主動往後退了兩步，讓眾人去照看崔倚，此時聽到有人這般說，屋中眾人不由得皆抽出兵刃來。李嶷心想打倒眾人，脫身而去倒是容易，但是崔倚猝然倒下，生死未卜，原因不明，若自己抽身而走，一來怕急壞了阿螢，二來眞的就要背上殺人心虛的罪名了。

他見屋中眾人皆對自己怒目而視，便只道：「節度使身體要緊，快去請醫士來。」眾人仍舊警惕萬分地盯著他的一舉一動，唯恐他逃走，幸得片刻之後，宋殊便趕到了。他是崔倚最爲信重之人，在定勝軍中，極有威望。宋殊至堂上一見這般情形，便猜到了幾分，揚聲道：「秦王殿下乃是節度使請來商議要事的貴客，莫要對貴客無禮，秦王殿下也不會謀害節度使的。」

眾人聽了宋殊這般說，半信半疑，李嶷向宋殊點頭致意，正待要說話，忽聽門外有人冷冷地道：「誰說秦王不會謀害節度使？」

圍在堂前的眾人紛紛讓出一條路來，柳承鋒帶著阿恕，跨進了門檻。他一見倒在椅中的崔倚，搶上前去，連聲喚著「阿爹」，但崔倚昏迷不醒，氣息微弱，又哪裡是他喚得醒的。柳承鋒又喚了兩聲，怔怔地幾乎要落下淚來，驟然起身，轉身指著李嶷，咬牙切齒地道：「將這謀害節度使的賊子殺了！」

眾人轟然相應，他素來爲定勝軍的副帥，又是崔倚唯一的兒子，眼下崔倚昏迷不醒，眾人早就將他視作主帥。他既一聲令下，堂中眾人頓時眼睛都紅了，紛紛拔出兵刃，就要朝李嶷刺去。眼見堂中劍拔弩張，李嶷不由得退了半步，手中扣住袖底的匕首，心想既然柳承鋒如此，今日之事絕有蹊蹺，眼下唯有出其不意挾持柳承鋒，逼退眾人，然後將柳承鋒挾至鎮西軍營中，才好慢慢查證此事。

他心念既動，便在心中默默思忖自己與柳承鋒之間的距離，務求一擊必中。柳承鋒似早就隱約猜到幾分他的對策，略一示意，左右就有親衛身披重甲，舉著盾牌上前，窗外院中亦有異響，李嶷耳目聰慧，且久在軍中，已經聽出乃是重弩上弦的聲音，不由得神色微變。他知道定勝軍中配得好重弩，機括強勁，上弦的時候要以腳蹬弩床才行，這種弩弓據說能射穿一頭牛，聽這上弦聲就在窗下，這麼近的距離，只怕連牆磚都能射得粉碎。這柳承鋒，顯然早就安排下了埋伏，且毫不顧惜堂中眾人的性命。

柳承鋒也聽到了重弩上弦的聲音，直到此刻，才微微鬆了口氣，心想今日哪怕死掉這堂中一半的人，也要將李嶷射殺在當場，他心中恨意勃發，卻退了半步。宋殊聽見重弩上弦，不由不動聲色，瞇起眼睛來，看了柳承鋒一眼。

柳承鋒知宋殊素來心細，且定勝軍中，知道阿螢眞正身分的，不過寥寥數人。這宋殊亦是知情者，他心下早就有了計較，叫了一聲：「宋叔叔，」紅著眼圈，指著李嶷道，「這人率大軍就在江對岸，潛入我定勝軍大營中，害得節度使如此，今日定然不能走脫了他。」

宋殊點了點頭，對李嶷道：「殿下，今日到底如何情形，節度使爲何如此，你也須得向我們分說明白了……」

一語未了，忽聞堂前喧嘩聲大起，原來是阿螢終於聞訊趕來了，她連衣裳都沒來得及換，鞋也未及穿，卻是匆匆奔向了此處。桃子跟在後頭，拿著她的鞋一路追過來，到得堂外。柳承鋒早預先安排了心腹，專爲阻攔她，卻又如何攔得住，被她三下兩下打倒，待闖到堂前，看到院中皆是已經上弦的重弩，更是驚怒交加。桃子這時候也已經闖了進來，眾人攔阻不及，就在院中與桃子動起手來，阿螢趁亂闖入堂中。

她一進來，柳承鋒便不由得心下一沉。她素來機警，一見堂中這般情形，就猜到了七八分，但是心急如焚，什麼都顧不上了，撲到崔倚面前，用顫抖的手試了試他的脈搏，聲音卻哽在喉嚨裡，什麼話都說不出來。宋殊見她如此，連忙上前，柳承鋒也搶上一步，想去扶起她來，不想柳承鋒剛剛伸出手，她突然回身一甩，數枚金針脫手而出，直向柳承鋒刺去。這下子驟起突然，堂中眾人皆愣住了，都來不及阻止，唯有阿恕相距極近，拔刀揮擋，只聽「叮叮」數聲，那些金針都撞在刀上，紛紛落地。李嶷等的就是此刻，適才阿螢進來，兩人四目一對，他便明白了她的打算，所以等她金針突襲，李嶷飛起一腳便踹開窗子，借這一踹之勢，他手在窗台上一撐，整個人也飛身而起，眼見就要騰出窗外。

柳承鋒見他就要從堂中脫身，如何還忍耐得住，大聲喝令：「放箭！」不想阿螢身形一晃，人已經衝向了窗子，窗外控制弩機的兵卒聽到柳承鋒的喝令，已經撥動機括，弩箭脫弦，破空而出。李嶷機變極快，人還在半空，已經騰空翻轉半圈，這一箭幾乎是擦著他的耳朵射過去，「嚓」一聲將窗台邊的青磚射得粉碎，濺起無數碎屑，院中弩機紛紛撥動，箭羽破空之聲連連。阿螢此刻已經撲到了窗前，柳承鋒心下大急，連聲喝止：「別放箭！別放了！」

饒是如此，還是來不及了，仍有數枝弩箭脫弦破空而來，柳承鋒一邊喊，一邊也朝窗口撲去，阿恕與宋殊亦是雙雙撲出。阿恕只來得及叫了一聲：「公子！」宋殊卻離窗口更近，眼看有數枝箭朝阿螢射來，她勉力躲開其中一枝，又揮動金錯刀，擋格開一枝，只震得自己雙臂發麻，仍有一枝弩箭，直朝她面門射來。她心知萬難倖免，心下一橫，金錯刀揮起，只想死也死得壯烈。金錯刀雖然斬在那弩箭之上，奈何只是削出一道火星，並沒有打掉弩箭，那弩箭被這一斬，不過移動了分毫，直射向她頸中。電光石火的瞬間，宋殊已經合身撲過來，用肩膀將她撞開去，她被撞得跌在地上，只聽宋殊似是哼了一聲，她連忙翻身爬起，宋殊已經被那弩箭穿透胸口，倒在了地上。

血蜿蜒地從他身下流了出來，沿著青磚地，慢慢地四散洇開，阿恕也已經將柳承鋒撲倒，最後一枝弩箭射入窗內，深深地釘入青磚地中，足足有半尺之深，只將那連在一起的三塊磚都射得粉碎。濺起的碎屑刺破阿螢的臉頰、手臂，她也渾然顧不上，只是撲過去，想要扶起宋殊。

只一眼，她便知道不成了，宋殊怒目圓睜，早已經氣絕，竟是死不瞑目。她心下悲痛萬分，只哽咽著叫了一聲：「宋叔叔。」

眾人擁上來，七手八腳，扶起柳承鋒，又去看宋殊，有人似是想將她從宋殊身邊拉開。她死命地抓著宋殊的手，並不肯放開，有人試圖想要掰開她的手指，掰得她生疼，其實也並不覺得，她只覺得剜心一般地痛，比手指疼多了。有人大聲喝止，大約是柳承鋒，他親自想要扶她起來，但她覺得他的手好冰冷，他身上有一股奇怪的氣息，那是血的氣息。

她漸漸鎮定下來。還有阿爹，阿爹還一息尚存，今天這一切，明顯是一個精心謀劃布局的圈套，她中了圈套，不，這場戲不是做給她看的，是做給定勝軍上下，所有人看的。

她要救阿爹，她不能死，也不能莽撞，她一定能想出法子。可惜她救不了宋叔叔，她被扶掖著，被半抱半拖著，從宋殊身邊帶離，他的體溫似乎還留在她的指尖。宋殊躺在地上，身下的血還在汩汩流著，他的眼睛圓睜著。她想起小時候，這位宋叔叔跟著阿爹，跑死了兩匹馬，終於趕了回來，奪回了營州城，也是他帶著人，從她藏身的汙渠裡，把她給尋回來。當時他跳下汙渠，把她從又臭又爛的汙泥中撈出來，他用粗礪的手指將她臉上的汙泥抹去，叫著她的乳名：「阿螢，別怕別怕，我是宋叔叔啊，是我，我帶妳去見妳阿爹。」

宋叔叔的妻子，也是娘子軍中的人，他有一個兒子一個女兒。那年一個十二歲，一個十三歲，跟他的妻子一起，拿著刀戰死，最後被砍了頭顱，就掛在營州的城牆上。從此之後，宋叔叔就將她視作自己的女兒了。除了爹爹，他也是這世上最疼她的人。

她心裡像被扎了一萬枝箭那樣的痛，但是她不能哭，她拚命地昂起頭。見著娘親屍首的那天，她曾經痛哭號啕，那時候爹爹就摸著她的頭髮，對她說：「哭吧，從此之後，不要再哭了，我們崔家的兒郎，流血不流淚，我們再不以眼淚祭奠親人，我們只用敵人的血來祭奠親人。」

是的，她是崔家的女兒，也是崔家的兒郎，爹爹說得對，不要用眼淚祭奠親人，只用敵人的血來祭奠親人。

她仍舊被送回了自己平時所居之處，桃子也被一起送了回來。李嶷定然是走脫了，沒有重弩，絕對留不下他。她在心裡從頭到尾，又將事情思忖了一遍，桃子縱然急得團團轉，卻也不敢打擾她，只坐在她身旁，不時擔憂地瞧一瞧她。

她伸出手，手指上還有宋殊的血，她努力地去回想父親的脈搏，很微弱，很奇怪，不像是病。她當時還是亂了方寸，應該第一時間讓桃子去替父親診脈。現在自己被關在這院子裡，柳承鋒定然是要將她與父親隔離開來。

這個局，只可能是柳承鋒做的，沒有旁人，旁人也沒有這般本事。但是為什麼呢？她苦思冥想，為什麼公子會如此？難道就為了殺死李嶷？

她想了很多很多，又想了很久很久，屋子裡漸漸暗下來，窗外暮色漸起。這窗外原本有一株杏花，開得燦如雲霞，向晚時分，淅淅瀝瀝又下起雨來，杏花在雨聲中，花瓣漸漸落了一地。

桃子小心地點了燈來，就放在她旁邊的案几上，她倒了一盞熱水，溫聲勸道：「校尉，喝口水吧。」其實外間有人送了飲食來，但桃子並不想讓她吃那些東西，桃子有她自己的思量。公子今日如同發瘋了一樣，差點失手殺了校尉，還害得宋郎將枉死，天知道他派人送來的飲食，會不會有什麼蹊蹺？幸好因為這一陣子何校尉病著，這院中本就有爐火等物，之前亦存有不少食材，可惜這院子裡沒有井，但還好，廂房水缸裡還有大半缸水，夠她倆飲用一些時日。因此桃子自己用小爐子煮了水來，還想著做些吃的，但阿螢不食不飲，一直坐到此刻，還是搖了搖頭，說道：「我不餓。」頓了頓，又道，

「桃子，有椿事情，我想不通。」

桃子說道：「校尉，妳這麼聰明，再想一會兒，一定能想明白的。」

她卻淒然地搖了搖頭，聲音中充滿了疲憊，也充滿了悲傷，她低聲喃喃道：「桃子，我或許早就想明白了，只是不願意相信罷了。」

是的，這一切都是柳承鋒的布局，至於為什麼，或許僅僅只是為了她，又或許是，他是為了成為真正的崔公子。父親將他如同親生兒子一般養到如今，但是他偏生並不是父親的親生兒子。可他是同她一起長大的兄長啊，她視作手足的兄長，他怎麼會如此呢，他怎麼能如此呢？

屋子裡燈火通明，崔倚仰面躺在床上，周圍都是聞訊趕來的定勝軍各部將領。柳承鋒半跪在床前，輕輕握著崔倚的手，似乎在虔誠地期望他能醒來。軍中的醫士、長州城裡的郎中，都被尋來了，診脈過後，沒人說得出個所以然。有說是發急痧的，有說是腦卒中的，還有人說是心疾，亦有人說是中毒，卻無從救治，崔倚氣息越來越弱，卻是顯而易見。

眾人心中惶恐，越發相信逃脫的李嶷乃是謀害崔倚的真凶。尤其宋殊被弩箭誤殺，枉送了性命之後，柳承鋒更是傷心欲絕，不僅令人要大辦喪事，厚殮宋殊，還要派人回營州去尋宋殊的族人親眷，意欲照拂宋家族人。宋殊自己，是早沒了妻子，孤身一人在這定勝軍中。他素來為崔倚的心腹，跟著他征戰到如今，平時對定勝軍中諸人，皆多關照，因此每個人想到宋殊之死，便忍不住熱淚盈眶，也因此，更加痛恨李嶷，若不是他，宋殊又怎麼會中箭呢？

堂中眾人早就一口咬定，就是因為李嶷想要逃脫，宋殊追捕，卻不幸為弩箭誤中。至於何校尉，眾人皆知那是公子最為寵愛的侍女，她在堂中忽然以金針刺向公子，後來又撲向窗台，顯然是想助李嶷逃走，公子失望之餘，更是灰心，卻並沒有責罰何氏，只是令人將她好生看管起來，幽閉院中，這是公子的內帷之事，事涉女眷，眾人自然閉口不言。

更何況如今崔倚昏迷不醒，崔琳作為他唯一的兒子，又早早參與軍事，此時此刻，自然早就成為定勝軍的主心骨，眾人皆唯他馬首是瞻。

夜已漸深，柳承鋒還欲衣不解帶，親自侍疾。崔倚帳前最得用的幾名大將商議了一番，推了一名叫作竇炘的將軍來勸解他道：「公子，如今節度使不能理事，軍中上下安危，皆繫於公子一身。鎮西軍早就紮下大營，與我軍隔江相望，虎視眈眈，今日既然走脫了秦王，來日必有大戰，公子且還是歇息，節度使此處，便由我們幾個，輪流侍疾。」

柳承鋒本來不肯，但竇炘勸說再三，又搬出崔倚從前的教誨來，因為柳承鋒體弱，崔倚素來令他愛惜身體，軍中上下皆是知道的，柳承鋒這才勉強答應，但仍留下阿恕。若是崔倚蘇醒，或是崔倚病情有什麼變化，好立時就報與自己得知。

他回到自己房中，卻是踏踏實實，睡了一個好覺，竟然一夜無夢，甚是香甜。等他醒來，阿恕也已經回來了，柳承鋒正在家僮的服侍下盥洗，見阿恕回來，便接過布巾，擦一擦手，揮手令眾人退下。

阿恕待眾人退出屋子，方才低聲道：「公子請放心，那些將軍們，並未起疑心。」

柳承鋒沉默了片刻，說道：「軍中還有何人知道阿螢的身分？」

阿恕道：「史昭去年已經死了，還有程瑙，但他遠在營州，派去的人，估計也快得手了。」

柳承鋒並沒有再說話，他只是看著銅鏡中的自己。他的生父柳安，原是邊地有名的富賈，他的生母卻是馬夫的女兒，並非柳安明媒正娶之妻，甚至連個妾都算不上，後來更被柳安典賣給了胡人，從此不知所蹤。他因為自幼生得聰明伶俐，柳安按照家族中的排輩，給他取了個名字叫柳承鋒，但在柳家，主母對他也是非打即罵，恨不得將他逐出家去。後來揭碩來襲，柳家闔家被殺，只有他因年幼逃過一劫，之後陰差陽錯，被阿螢救了，兩個孩子年紀相仿，在荒野裡躲了三天三夜。他本來受了傷，發著高熱，是阿螢細心，給他找吃的，照料他，敵人來襲的時候，拖著他藏在汙渠裡，他才能活下來。

那時候他就想，雖然她全身同自己一樣汙糟糟的，但她的眼睛真亮，就像是精靈，不，像天上的小仙子。自己被她救了，要用這一生去報答她。

所以後來崔倚問他，願不願意代替她，做自己兒子的時候，他毫不猶豫就答應了。哪怕後來他被揭碩人下毒，從此不能習武，常常纏綿病榻，他心裡還是歡喜的，畢竟，揭碩人原本是衝著她來的啊，如果不是他中毒，那就該當是她了。中毒之後如同萬蟻咬噬，難受得他死去活來，每到秋冬，更是咳喘得痛苦萬分，但他是心甘情願的。如果這般痛苦是他承受，他甘之如飴，畢竟，他不能想，換作是她中毒，承受這一切，自己大約會更痛苦更難受千倍萬倍吧。

他也曾偷偷幻想，等到她嫁給他的時候，那時候，一定是這世上最幸福的日子了，哪怕只要過一天，他也覺得死而無憾。

他自嘲地笑笑，心想，只怕此時此刻，阿螢恨他入骨，畢竟她是那樣聰明啊，好些事，她想一想，只怕就會猜出來了。

但是，無所謂了，他前所未有地輕鬆，也前所未有地滿意，反正如今他是要與她成親的了，她哪怕惱他恨他，等到成親之後，他再好好待她就是了，畢竟自己才是這世上最愛她的人，唯有自己，才能令她過得幸福。

柳承鋒整理好衣衫，先去看了崔倚，他仍舊是昏迷不醒。這種毒藥，極其酷烈。現在崔倚還暫時不能死，他還沒有親眼看著自己與阿螢拜堂成親呢，再說如果他此時就死了，自己就要守孝三年，那就要等三年後才能與阿螢成親了。三年，實在是太久了，他等不及了。

柳承鋒跪在崔倚榻前，親自拿細軟的布巾，替崔倚擦了臉，又接過湯藥，慢慢一勺一勺，餵崔倚吃藥。崔倚已經不知吞嚥，所以只能用筷子撬開牙關，然後再慢慢餵進去。但是柳承鋒做這些事情的時候，無比愉悅，也無比歡欣，這一切都按照他計畫好的那般，一步步實施。只是可惜，沒能弄死李嶷，不過也沒關係，現在定勝軍上下，都認定是李嶷下毒，害得崔倚如此，如果李嶷敢來攻城，軍中上下，必定會與他決一死戰的。

等餵崔倚吃過藥，又與諸將商議過一些軍事，他這才從崔倚院中出來。剛走到幾丈遠，遠遠只見阿恕迎上來，低聲告訴他：「璃公子知道節度使病了，率著人馬直奔長州來了，說是要探病。」

他不禁冷笑一聲，崔璃？這個堂兄，一貫蠢蠢欲動，不知道有沒有聽到什麼關於自己身世的風聲。現在得知崔倚病了，只怕探病是假，想來拉攏人心，甚至，想趁亂渾水摸魚，取自己而代之，也不一定。

他整了整衣袖，衣袖上還有濃烈的藥味，是適才給崔倚餵藥的時候，不小心灑上去的。他素性愛潔，很多衣服哪怕略有汙漬，便要脫下來換洗，甚至就拋卻不要了。崔倚素來寵他，何況節度使皆是持節封疆的大吏，實質上的一方諸侯，不做出種種奢靡之態，朝中只怕會更爲忌憚，所以他的作派，從來是一等一的富貴潑天，但今天，他只覺得袖上的藥味賞心悅目。

他漫不經心地對阿恕說道：「那個蠢材，既然他要來，就讓他來吧。」

阿恕輕聲應了一聲是，柳承鋒舉頭望了望，辛夷花已經開得敗了，紫紅色的花瓣幾經風雨，如一盞盞殘破的小燈籠；杏花開得正盛，如雲如霞。他記得阿螢的院子裡，是有一樹杏花的，杏花疏影裡，吹笛到天明[9]，多麼美的春天啊。他有一管玉笛，本是從營州帶出來的，不知收到了何處。從前這些細務，都是陳醒管著的。想到陳醒，他的心情有幾分陰鬱。在黑水灘的時候，他一度眞的以爲自己已經死了，已經在陰曹地府，但是並沒有。黑水灘之戰，死了千千萬萬的人，包括對他忠心耿耿的陳醒，但是他還是活了過來。

等再過些時日，他心裡十分遺憾地想，畢竟如今崔倚病著，自己也還沒與阿螢成親，不過沒關係，他可以命人先將那管玉笛找出來，等再過些時日，再在杏花樹下，吹奏玉笛給阿螢聽。她極擅撫琴，其實琴棋書畫，她都是學過的，而且學得極好。如果自己吹笛，阿螢撫琴，相奏相和，夫唱婦隨，那可眞是再和美不過，再溫馨不過，也再圓滿不過。只是可惜，還要再等些時日，就怕那時候，杏花就已經謝了呢，不過，杏花謝了還有桃花，桃花樹下，撫琴吹笛，也是極美的。

他愉悅地想。

何校尉這幾日，過得十分煎熬。她思前想後，雖將事情猜測出了七七八八，心中

9 出自宋・陳與義《臨江仙》。

卻極為難受，更不知為何，咳嗽之疾又漸漸發作，最終又開始咯血，桃子憂心如焚，卻毫無辦法。范醫正本來住在都護府中，每日診脈，替阿螢精心調養，那病勢已經去了七七八八，但驟起生變，不知道柳承鋒有沒有將范醫正殺死，或是將他驅走。桃子覺得公子像是中了魔，變成了另外一個人，她也不敢告訴公子讓范醫正來替校尉診脈，唯恐公子以此來脅迫校尉。

阿螢雖然生著病，但是總是極力地多吃飲食，她知道自己此刻絕不能再病倒，所以強自支撐。桃子又心疼又著急，但是毫無辦法，氣得大罵：「好個秦王，不是帶來千軍萬馬，怎麼不攻城了？便是打上一仗，也是痛快。」

阿螢道：「他此刻反倒不能攻城。若是攻城，公子將我挾上城樓，刀橫在我脖子裡，那他是攻，還是退？豈不正中公子下懷。」

桃子一想也是，不由又將柳承鋒罵了幾百遍，又說道：「校尉妳還叫他公子，他如此待妳，他根本就不是公子了，他一定是中了邪，不，是被鬼怪奪舍，反正他不是我從小認得的公子了，他不是。」

阿螢倒是心平氣和，說道：「節度使如今昏迷不醒，定勝軍上下，只知道他是父親唯一的兒子，所有人都知道他是公子，我是不是稱他為公子，他都是名正言順的崔公子。」

「就是這個可惱啊！」桃子恨恨地踢了一腳虛空，不知道是在踢什麼，只咬牙切齒地說，「他這麼幹，咱們又不能出去告訴所有人，他不是公子，妳才是節度使唯一的女兒，就算咱們能出去說，也沒人會相信啊。」

阿螢微蹙著眉頭，說道：「我倒有些擔心……」

桃子嘴快，問道：「擔心什麼？」

阿螢道：「我擔心程將軍的安危。」桃子愣了一下，才想到她說的是程瑙。程瑙是崔倚最爲親信的大將，雖是崔倚親衛出身，如今已經做到了從三品的懷化將軍，此番從洛陽出兵，崔倚命程瑙折返營州鎮守。桃子不知道爲什麼她會忽然想到程瑙，於是問：「好好的，妳怎麼擔心起程將軍了？」

「從前父親的舊屬，只有三個人知道我和公子的眞實身分，一個是宋叔叔……」提到宋殊，阿螢臉上不禁浮起哀傷之色，「還有兩個知情人就是史昭將軍和程瑙將軍。史將軍去年病逝，如今宋叔叔已死，就只剩了程將軍，只怕公子要殺他滅口。」

桃子喃喃地說：「公子……公子他眞的會嗎？」

「現在想想，史將軍的死，也有蹊蹺。」阿螢的聲音裡漸漸透出幾分寒意，「史將軍素來身體健旺，在場上能耍一百多斤的石鎖，平時能吃兩個豬肘，怎麼忽然一病不起，藥石罔靈，拖了數日就去了。阿爹當時很傷心，以爲史將軍是因爲跟著他征戰多年，身上大大小小好些舊傷，才會如此猝然不治。但是……桃子，現在想來，是去年公子回來之後不久，史將軍就突然病了是不是？」

桃子不禁打了個寒噤，爲她話語中的猜測，和這猜測背後可能的眞相。這眞相太駭人了，只要想一想，桃子都覺得自己背上的寒毛都豎起來了。

桃子道：「如果……如果史將軍的死眞的跟公子有關係……」她囁嚅，因爲害怕，也因爲百味陳雜的心情，她難以說出那句話。

何校尉卻比她冷靜得多，也直接得多，她接著桃子的話說下去：「如果史將軍的死眞的跟公子有關係，那公子，不，那柳承鋒從去年開始，就已經在爲今天布局。他既然害死了史將軍，那就是爲了滅口。如今他謀害阿爹，只怕還會將遠在營州的程瑙殺了滅口。」她停了停，還有一句話並沒有說出口，那就是自己也病得古怪，說不好是不是中毒了。

明明是春光明媚的白天，桃子卻覺得毛骨悚然起來。

何校尉說道：「咱們一定要想個法子，向程將軍預警，只盼能來得及。」

一連下了數日的雨，這日終於放晴，長州春暖，一晴就特別暖和，晌午之時，甚至連夾衣都穿不住了，春光明媚之時，枝上鳥雀歡叫撲騰，只震得花枝之上，不斷有花瓣飄落。

崔璃本來就身形魁梧胖大，又因爲全身著甲，步履更加沉重。偏前幾日連綿春雨，地上泥濘，不過三五步，靴子底下就糊了厚厚的一層泥，越發黏膩難行，好容易走到堂前，額頭上早就出了一層薄汗。待踏上堂前青磚漫鋪的地，他低頭一看，不由得皺眉，因爲腳上那靴子已經一場糊塗，簡直沒法看了。有個機靈的親衛連忙去折了一根樹枝來，幫他刮去靴上的泥。正忙碌時，阿恕已經從堂中迎了出來，對著崔璃叉手行禮：「璃公子，公子在堂中等您。」

崔璃問：「不是先去見過伯父嗎？」

阿恕道：「節度使仍舊昏迷不醒，王將軍薦了位良醫，每天這個時辰，都要施以金針，不能招風，亦不便見人，所以等您見過公子，再去拜望節度使。」

崔璃跟著阿恕向堂中走去，只見兩隊奴僕正從堂中退出，捧著各種器物，有禮器，有妝奩，有帳幔，更有各色提盒，裡面裝滿了不知什麼用物，盒外皆覆著紅帛，更有喜服、喜帕、喜扇等等，形形色色，似是人家成親用的整套的家什。見阿恕陪著崔璃進來，這些奴僕忙拿著東西避在一旁。

崔璃心中奇怪，心道不知崔琳爲何忽然弄來這些東西，難道要給崔倚沖喜嗎？但崔倚病成這樣，崔琳又一直沒議親，倉促之下，他打算上哪兒找個新娘子來娶了沖喜？

待進得堂中，只見崔琳坐在椅中。他雖在軍中，卻並未著甲，只是穿了一件素色的圓領袍子，越發顯得面如冠玉，仍舊是一派翩翩公子的斯文模樣。崔璃雖然居長，但在軍中職位比他低，所以依禮上前，叉手行禮，口稱：「見過公子。」

柳承鋒點一點頭，說道：「兄長遠來辛苦。」

當下崔璃自然問起崔倚病情，如何發病，吃了何種藥，柳承鋒也問了問他這一路行軍前來的情形。他們二人雖是堂兄弟，但素來沒什麼家常話可以說，說過這些公事之後，再略坐一坐，奴僕來稟報崔倚那邊已經施完金針，柳承鋒便讓崔璃去看望崔倚。

話說崔璃的心腹小校寇渚，是個十分機靈的人，待崔璃探望了崔倚，從都護府出來，寇渚親自帶著馬匹隨從，一直候在府外。一見了崔璃，便朝他遞了個眼色，崔璃知道他有話要說，待得出了都護府，從城中大路拐進小路，寇渚打馬上前，隨從們都知道他定有要緊話說，都遠遠跟在後面，讓他與崔璃說話。

寇渚問：「公子可見著了節度使？」

崔璃不由嘆了口氣，說道：「見是見到了，但節度使人事不知，看著不大好，眞是沒想到……伯父竟然一病至此，聽說這幾天軍中各將想了各種法子，但都沒什麼用。最後是新請的這位良醫診出來，說節度使是中毒了，此毒極其難解，只怕是好幾種毒藥調配而成，只能施以金針，看看能不能阻止毒性侵入心脈，但要想康復蘇醒，只怕……還要看上天的緣法。」

寇渚道：「我在外頭聽人說，是秦王李嶷潛入府中，投毒行刺節度使？」

崔璃說道：「那些將軍們也這樣說，他們說得氣憤，只是鎭西軍大營就在江對岸，如今節度使又不省人事，眞要打起來，只怕勝負難料，想必也正是因爲如此，崔琳才一力約束，不令各部出城接戰。」

寇渚道：「公子，當此非常之時，必要行非常之事。」

崔璃哦了一聲，不由得看了寇渚一眼，說道：「如何行非常之事？」

寇渚說道：「節度使既不能蘇醒，這毒又難解，只怕再拖些時日，節度使萬一不治，崔琳占了天時地利，又是名正言順的少主，咱們只有兵出險著，方可有一爭之地。」

崔璃心裡深以爲然。他其實是崔倚唯一嫡親弟弟崔偌的兒子，崔偌素乏軍事之才，偏崔倚又是一代名將，國朝三傑，兩廂一襯，難免顯得十分平庸。崔偌雖然資質平庸，但早早就娶親生子，一口氣生了七八個孩子，人丁興旺。崔倚成婚後一直無子，崔偌數次想將自己的次子崔瑭過繼給崔倚，崔倚一直沒答應；後來崔倚夫人賀氏終於生下崔琳，此事自然作罷。而崔璃是崔偌幼子，與崔琳年歲相仿。崔家的族規，男丁九歲就要去軍伍中操練，所以崔璃是與崔琳同年進定勝軍，後來又都在崔倚帳前，自然熟稔些。後來崔偌中伏戰死，崔倚自然對這個親侄子有幾分憐愛。崔璃別的本事沒有，隱忍藏拙卻是會的，尤其近年來，他見崔琳病弱，未免有些活絡心思，但他知道崔倚厲害，這位堂弟也非等閒人物，所以一直未曾輕舉妄動，但眼下這情形，若是再不動，就什麼機會都沒有了。

等到了當晚，崔璃便私下設宴，邀約素日與自己交情不錯的幾位將軍。因是私宴，眾人說話也無甚拘束，說到崔倚中毒之事，眾人自是唏噓，提到江對岸的秦王，不免人人咬牙切齒。崔璃見眾人如此，便裝作不經意地問道：「今日我去都護府探伯父的病，卻看到許多辦喜事的家什，這是爲何？難道是要沖一沖？」

一名叫作張剬的將軍不由拍了一下大腿，說道：「可不是要辦喜事，這事，公子辦得有些糊塗。」眾人本來就有了幾分酒意，頓時七嘴八舌地議論起來。原來崔琳眞的有意此時成親，而且壓根就沒選中什麼名門淑女，而是要娶何校尉。

「什麼？何校尉？」崔璃不由吃了一驚，問，「就是那個錦囊女何氏？」

「除了她，還有哪個何校尉。」一名將軍滿腹牢騷，「何氏也不是不好，她一直都在公子身邊，咱們都知道她是個難得的，也沒有什麼女娘的嬌氣。偏節度使病得這樣，公子卻急著要辦婚事，雖然民間有沖喜一說，但這事，不妥。」

「我聽說，還有一樁事，公子此時急著辦婚事，倒也不是為了沖喜。」另一名將軍壓低了喉嚨，說道，「聽說這次秦王行刺節度使，公子原本帶人圍住了他，結果何氏出來，放走了秦王。」

席間眾人都是第一次聽說這樁事，不由得倒吸了一口涼氣。

那張剴急問：「此事當眞？」

「怎麼不眞？」那將軍聲音壓得更低了，「當時節度使出事之後，好些人都在堂中看著吶。」當下說了兩個人的名字，說道，「這都是我過命交情的兄弟，他們說的，我能不信？」

張剴張了張嘴，似乎想說什麼話，但最終什麼也沒說，直憋得滿臉通紅，最後「嗐」了一聲，端起酒碗，咕咚咕咚將那一碗酒都喝了，這才長長地嘆了口氣。

「璃公子，要不你去勸勸公子？」張剴轉頭看著崔璃，黝黑的臉上滿是期待。

崔璃本來想搖頭，但不知為何，他忽然改了主意，也嘆了口氣，說道：「諸位也知道，我這位堂弟，從小就極有主意，除了節度使，他又聽得進誰勸他？不過當此非常之時，我一定勉力一試。」

眾人見他答允，都紛紛舉起酒碗來，又敬了他一碗酒。

畢竟惦記第二日點卯，還沒等起更，眾人就散了。崔璃飲得總有四五分醉意，他在長州臨時的下處距離都護府不遠，剛睡下不久，忽然聽到熟悉的「咚咚咚」連聲，正是軍中的羯鼓。他雖然飲了酒，但畢竟自幼就在軍中，一聽到這個聲音，頓時就驚醒了，一骨碌從床榻上翻下來，匆匆忙忙穿了靴子，也來不及擐甲，只慌裡慌張穿好了外裳就出了屋子。親兵早就將馬牽了出來，他認鐙上馬，被夜風一吹，頓時清醒了許多，心想伯父中毒未醒，這三更半夜，不知為何突然擂鼓聚將，難道是伯父竟……竟出了什麼事嗎？

待行到半路，才知道原來是鎮西軍趁夜突襲，幸好被城上守軍發現。鎮西軍自是悍勇，定勝軍藉著城牆，居高臨下而戰，攻守爭奪極是激烈，崔琳已經親自至城樓督戰。崔璃聽說如此，忙掉轉馬頭，到了城樓上。

只見城樓上星星點點，全是火把，而鎮西軍預備了雲梯等物，雙方箭如雨發，戰至正酣。崔琳身著銀甲，佇立在城牆之上。他稟氣柔弱，並不類崔家其他子弟那般魁梧，偏此刻炬火高照，他身上銀甲粼粼，更襯得面沉如水，周身似有寒意一般。崔璃快步走到他身邊，只見城樓下兵如蟻聚，密密麻麻，而不遠處的江面，亦有似漫天繁星一般的燈火，崔璃知道那不是漁火，而是鎮西軍大隊正在渡江。

沒想到以江河天險，竟然也沒攔住李嶷，而且夜渡橫江，這需要主帥有極大的決心，士卒亦得有極高的士氣。崔琳顯然早已經看到了渡江的那些動靜，只是雙目沉沉，看不出絲毫情緒。

張剬雖是一身酒氣，但此時已經雙目炯炯，抱拳上前行禮，道：「公子，鎮西軍夜半渡江，隊形必亂，我帶著人過去，在河灘上先布下弓弩，射他們一射。」

崔琳看了看江上星星點點的燈火，沉聲道：「你去西邊的河灘。」又對崔璃道，「東邊的淺灘水勢要緩，只怕鎮西軍從那處搶渡更多，兄長且去守住東灘。」

崔璃忙叉手應是，轉身下樓，心裡未免牢騷。自己剛到長州，就把守灘這樣吃力不討巧的差事交給自己。寇渚等人早就迎了上來，當下點齊了人馬，就出城去東灘。

春夜凌晨，正是一天之中最冷的時候，所謂東風臨夜冷於秋，崔璃晚間飲多了酒，口乾舌燥，被那春寒料峭的江風一吹，越發顯得焦躁。但軍令如山，崔琳既下令他守灘，他就奮力疾馳，帶隊趕到淺灘上，還沒有排好陣形，忽聞殺聲震天，原來鎮西軍一大隊人馬早就已經搶渡此處，卻不動聲色，就在淺灘這裡埋伏，排了一個口袋陣，等他率隊趕到，正好就被鎮西軍嚴嚴實實圍上。只廝殺了片刻，崔璃就知道不妙，這些鎮西軍不僅訓練有素，而且陣法變幻，每次自己都差一點要突出去了，卻被對方再次重重纏上來封堵住，顯然對方是有大將臨陣指揮。崔璃親自帶隊衝了幾次，竟然絲毫無法衝出對方的包圍，反倒身邊的人馬被分割包抄，一點一點，被對方蠶食殆盡。又混戰了片刻，崔璃發現自己和親衛都被衝散，身邊只餘十來騎，周圍皆是喊殺聲，也不知道是敵是友，只是藉著朦朧的星光苦戰，他不由得有幾分發慌。忽然斜刺裡衝出一騎，那人手持長槍，手腕一抖，槍尖如蛇，便向他刺來，三招兩式之後，就一槍將他挑下馬。他重重摔在地上，只覺得肩胛劇痛，整個人便兩眼一黑，心中閃念，這便死了嗎？

也不知過了多久，他又覺肩胛處劇痛，這一痛之下，立時悠悠醒轉，只覺得肩胛痛楚全消，抬手已經活動自如，身旁有人說道：「好了。」原來自己肩胛處脫臼，被人重新又正骨安好了。

他半倚半靠在一棵樹上，並沒被綁束，耳中聽得嗶嗶剝剝的柴火燃著的聲音，他定神細看，原來數步開外燃著熊熊一堆火，而火旁有一人正藉著火光，瞧著自己。那人全身著甲，神氣凜然，竟然是裴源。裴源見了他醒來，示意左右送上水囊，他接過水囊，咕咚咕咚一口氣喝了大半，這才抹了抹嘴，沉默不言。

裴源道：「璃公子，今日是我們唐突了。」

崔璃見他說話客氣，心中驚疑不定，但仍舊沉默不言，裴源卻笑道：「我們以為帶兵前來的，說不得只是位郎將，哪知璃公子親至，但幸而也沒有傷到璃公子，這卻是天上掉下來的緣分了。」

崔璃以為他是在嘲諷自己，忍不住冷笑。「你如今將我捉住，自然可以說這樣的風涼話。」裴源卻正色道：「璃公子，有幾句肺腑之言，一直未得機會與你面談，今日恰可一談，所以才說是難得的緣分。」

崔璃聞言，不由得一怔。裴源當下揮退左右，與他促膝密談。原來裴源早就知道定勝軍軍紀，像崔璃這般，奉令守灘，若失了灘頭，又折損若多人馬，只怕回去之後，就要受到重罰，輕則領軍棍，被杖八十，重則就要從此之後失去帶兵之權，貶去邊遠苦寒之地養馬。

裴源說得十分坦率，崔璃所領的人馬，皆被鎮西軍圍在淺灘上，迄今未能突圍，如果崔璃願意與鎮西軍攜手，鎮西軍可以佯敗退走，完他顏面，絕不令他回去受罰。

崔璃聽到此處，仍舊驚疑未定，不由問：「與鎮西軍聯手，如何做法？」

裴源一笑，卻說道：「我們殿下，最討厭的就是崔琳。」

崔璃知道他口中的殿下，必然是指秦王李嶷，他是知道李嶷與何氏素有情意的，又想到崔琳就要與何氏成親了，而這次崔琳口口聲聲，說秦王行刺節度使，給節度使下毒，但何氏偏又放走了秦王，這中間必有彎彎繞繞，自己不知道的古怪。但要說到秦王與崔琳，那還用說嘛，情敵相見，分外眼紅，那也是可想而知。

裴源從容不迫地道：「只要璃公子能幫我們殺了崔琳，我可代殿下答應公子任何條件。」他咬字的重音，卻在「任何條件」四個字上。

崔璃心中一動，但仍舊板著面孔，說道：「阿琳是我的手足，你不要妄想挑撥我們兄弟鬩牆。」

裴源一笑，說道：「璃公子視崔琳爲手足，那崔琳又視璃公子爲何呢？如今節度使命在垂危，崔琳素來待璃公子涼薄，便是我這個外人看著，也替璃公子心感不平，只怕等崔琳上位之後，璃公子的日子，未必會有在節度使帳前好過吧。」

崔璃沉默不言。崔琳確實目無下塵，也確實對待自己並無多少手足之情，甚至，隱隱有提防之意。

裴源見他不說話，便說道：「璃公子，我知道你有為難之處，但你只需要暗中幫我們一把就行。」當下將計策源源本本說出，原來只要誘得崔琳出城，鎭西軍必有法子設下陷阱，殺掉崔琳。只要崔琳一死，崔璃就可以正大光明放棄長州，帶餘下的部眾退回營州。

「從此之後，定勝軍主帥，便是璃公子您了。」裴源十分輕鬆地說道，「哪怕為了服眾，璃公子想要做出替崔琳報仇的姿態，我們鎭西軍便再佯敗上一仗，又有何妨？只要公子您答應這些，秦王殿下一定會在朝中主張停戰，並讓您接任盧龍節度使。」

崔璃在心裡飛快地想了一遍，心想李嶷果然恨崔琳入骨，一定要殺了他，自己所要做的，不過是誘使崔琳出城。如果崔琳眞的死了，那自然上上大吉，即使萬一鎭西軍殺不掉崔琳，經此大敗，崔琳必然也再無從前的氣焰，重要的是，自己乾乾淨淨，絕不會受到任何牽連，也無人會知曉自己在其中做了什麼。使巧勁而獲大利，這非常打動他，但是他還是猶豫片刻，說道：「那如果崔琳死活不肯出城呢？」

裴源笑道：「他不肯出城，那是他的運道，我們鎭西軍也就認了白忙一場，難道我會派人去跟崔琳說，璃公子您今天其實是敗了，被我們放回城的嗎？那對我們鎭西軍，焉有任何好處？」

崔璃仔細一想，確實哪怕崔琳不肯出城，鎭西軍也不會因此給自己找麻煩，當下他便點了點頭，說道：「我會勉力一試！」

裴源笑道：「那就靜候璃公子的佳音。」

當下命人將崔璃重新送回戰場。淺灘之上，本來鎮西軍將定勝軍重重圍住，不令他們突圍，卻也沒有認眞剿滅，只是圍而不攻罷了。待崔璃被連人帶馬放在一處隱蔽的蘆葦叢中，崔璃定了定神，拔出佩刀，策馬從蘆葦叢中一躍而出，高喊：「定勝軍的兒郎，隨我衝出去！」

定勝軍的士卒被圍已久，本來亂作一團，忽見崔璃躍馬衝出，連忙追隨上去，跟著廝殺，士氣大振。戰得片刻，竟然情勢扭轉，鎮西軍的包圍被撕出一道口子，崔璃突圍而出，卻格外英勇，返身而戰，又過了片刻，鎮西軍漸漸不敵，只得向西狼狽退走。

此時天已經朦朧欲曙，鎮西軍大部已經陸續渡河。崔琳在城中見敵軍眾多，遣快馬來令崔璃退守城中，崔璃這才領命退兵，及至到了城中，方知道西邊河灘上的戰況亦是激烈。鎮西軍數次衝灘，張剬身先士卒，奮勇殺敵，最後卻是在混戰中受傷，被部屬搶回城內，幸得傷得不重，只是膝蓋上被箭羽擦過，血流得駭人，敷了傷藥後用布帶束住，難免行動不便。

因著張剬脾氣率直莽撞，這一傷之下，不由開口閉口，罵起鎮西軍的祖宗十八代。罵了一會兒，又道，秦王好大的名頭，夜間搶灘，卻功敗垂成，可見也是徒有虛名。堂上諸將正在議論紛紛，忽然有急報傳來：「秦王在城外叫陣了。」

諸將相顧驚駭，崔琳還算鎮定，帶著眾人登上城樓一看，只見太陽方升起一稈高，金色晨曦中，李疑身著玄甲，騎著高頭大馬，背著長弓，只帶了十餘騎，就在城下叫陣。

「拿箭射他一射。」不知是誰說了一句，話語之中，躍躍欲試。

「秦王的箭法厲害，這麼遠，尋常弓箭射不到他，但他的箭卻是可以射上來的。」另一位將軍說道，「還是拿盾牌來，護在公子面前。」

眾人皆扭頭去看崔琳，他仍舊不露悲喜，反倒上前了一步。李嶷似也辨出了城牆上的人，他控了控轡繩，胯下那黑駒長嘶一聲，人立而起，他卻從容不迫地用長弓指一指城牆上的崔琳，說道：「姓崔的，你口口聲聲，說我害了你父親，你可敢出城與我一戰？」

柳承鋒緊閉著嘴唇，張剆卻嗤之以鼻，說道：「公子，要不我帶支人馬出去，殺一殺他的銳氣。」

柳承鋒臉色陰沉，倒是十分沉得住氣。「當初他就如此這般，單槍匹馬打著旗幟在雀鼠谷外誘敵入谷，二進二出，最後殺得段兗十萬大軍一潰千里，不要小覷了他。」

張剆十分不服氣，說道：「在灘頭接戰的時候，我也算見識過了，鎮西軍衝陣的時候確實十分厲害，但只要抗過了前兩次，第三次的時候，自然勢頭就沒了。」

柳承鋒搖了搖頭，薄薄的唇中吐出的話語，帶著堅定不可動搖的意思：「不用理睬，任他作態。」

他說這話，就是軍令了，眾將只得齊齊躬身稱是，柳承鋒也不再看，只是轉身下樓而去。

等到了第二天，李嶷不曾再來叫陣，這次卻換了老鮑，他是個何等憊懶的人，就站在馬背上，痛快地叫罵，連縮頭烏龜這種話都罵了出來。城上守軍哪裡忍耐得住，早就將羽箭紛紛對準了射下去，偏那老鮑刁鑽，算準了就站在箭力所及之外，那些羽箭到他身前兩丈許，就紛紛勢盡跌落於地。老鮑還拍著胸口，朝城中豎起小拇指，說道：「有種你朝爺爺這胸口來射，就怕你們這群黃口小兒，連尿都要撒在自己腳背上，哪有勁拉弓射你爺爺。」

別人尚忍得住，唯有張剬，跳起來與老鮑叫罵，老鮑一看城上居然敢回嘴，於是將手一揮，黃有義等人湧上前來。他們是早就排練好的，二話不說，帶著士卒，來往穿梭，隊形變化。城上張剬心下奇怪，心想這麼稀稀拉拉幾十個人，能列出什麼陣仗來，但是片刻之後，他就知道不是排兵布陣了，因爲這些人站定不動，從城樓遠遠看去，就是一個巨大的烏龜。黃有義又將手一揮，鎭西軍眾人齊聲大喊：「定勝軍，縮頭龜！定勝軍，縮頭龜……」聲音整齊，十分洪亮，一直傳到城頭上來。兩軍士卒之中，識字的人都不多，但城下那個巨大的烏龜，卻是明晃晃誰都能看懂的，鎭西軍眾人的叫罵，也是聲聲入耳的。張剬哪裡能受這種氣，領頭就衝城下亂罵，汙言穢語，十分不堪。

鎭西軍雖然各種叫陣，定勝軍閉城不出。兩軍皆是驕兵悍將，定勝軍眾將心中憋著一口氣，在那崔公子面前，不由得人人請戰，都說這般窩囊，必要叫鎭西軍嘗嘗厲害，群情激憤，又說節度使如果醒來，自然會出城殺他個片甲不留，哪裡用受這等鳥氣。

柳承鋒自幼被崔倚帶在軍中，從小耳濡目染，大將風範還是有的，也知道這種時候，眾將若是被壓得太狠，也會動搖軍心，所以連日派了遊騎斥候出城，漸漸哨探到各種鎮西軍的軍情，林林總總，彙集起來，這才召集了眾人商議軍事。

原來李嶷自渡江以來，就在江南一側重新安營紮寨。因爲長州城北近水，江南這一側地形便十分狹長，李嶷所率部眾甚多，大營便也依地勢紮寨，卻像是一條鯉魚一般，橫在江側。這鯉魚背脊如魚鰭處，卻有一座不大不小的山坡，被本地人喚作燎火坡。這個地方居高臨下，極有地勢，如果能突襲燎火坡，拿下這處高地，騎兵只要一衝之勢，就可以將鎮西軍的大營截成兩段，使其首尾不能相顧。

柳承鋒皺眉道：「李嶷素來精明，所以守在燎火坡的，是裴源所率的精銳。」

裴源雖然剛打了敗仗，十分狼狽地被定勝軍所救，但定勝軍諸將心知肚明，那不是裴源無能，而是被朝中種種給坑了。

崔璃心中一動，說道：「再難總是事在人爲，總要勉力一試，何況伯父爲他所害，這麼多天，李嶷又在城外公然叫陣，羞辱我定勝軍，若不去殺殺他的氣焰，那我也枉爲崔家的子弟了，公子，便由我帶人去奪這燎火坡吧。」

柳承鋒看了崔璃一眼，說道：「那就有賴兄長了。」崔璃心裡一突，正想這算不算搬起石頭砸了自己的腳，忽然又聽到他冷冷清清的聲音說道：「奪燎火坡，李嶷知道厲害，定然會全力救援，不令燎火坡有失，到那時候，他的側翼必然露出破綻，我親自帶人，從這裡……」他指了指沙盤上的一側，「推過去，不論是不是能奪下燎火坡，李嶷的大營，必然會被衝成兩段。」

眾將細看推演，無不撫手稱妙，贊成公子的好計策。

待議完軍事，柳承鋒從堂中出來，臉上微有倦色。回到後堂，看視過崔倚，見他仍舊昏迷不醒，又親自跪在床前，替崔倚餵藥餵水，這才起身出來，回到自己所居的院中。

他見院中一樹杏花已經全都落了，樹梢長出了嫩葉，只怕過不多時，就要綠葉成蔭子滿枝，他心中感慨，喚過阿恕，問道：「都預備好了嗎？」

阿恕點了點頭，說道：「都在廂房裡。」柳承鋒便轉身走進廂房裡，原來這裡一列長長的衣架，上面掛著各色新娘所穿的喜服，竟然形形色色，有二十餘件之多。他看了一回，心情愉悅，對阿恕道：「帶上這些衣服，隨我去看阿螢。」

阿恕不免有些遲疑。這幾日來，何校尉與桃子閉門不出，他派人送去的飲食，皆原封不動，被扔了出來，若是公子前去，以何校尉的脾氣，只怕會做出什麼激烈的事情來。他忐忑不安地說道：「公子，要不還是先派人將衣裳送過去，然後看看校尉喜歡哪一套，再奏與公子，留下便是。」

柳承鋒卻異樣堅持，說道：「選喜服這麼要緊的事，當然是她當面親口告訴我。」

阿恕無奈，只得喚進人來，將那些喜服全都搬了出來，浩浩蕩蕩，跟在柳承鋒的後面，一起來到了何校尉所居的院子。她這個住所，距離柳承鋒住的院子不遠，但是自從崔倚出事以來，柳承鋒就再也沒踏入過這個院子。今日他來了，卻顯得十分從容，只見這院中也有一株極大的杏花，此刻花已經飄零殆盡，樹上的新葉，卻還稀少。簷前石階下，積滿了淺緋色的花瓣，因連日多雨，已經漸漸漚爛成泥。

他生性愛潔，知道她也喜歡潔淨，但這院子裡無人灑掃，所以才會如此情狀。當下他微微皺了皺眉，但是也並沒有說話，只是拾階而上，親自上前叩門，喚了兩聲「阿螢」。自然無人應他，他就手一推，門竟然從裡面上了閂，這倒也難不住他，阿恕上前，抽刀出鞘，正要從門縫裡插進去，忽然「吱呀」一聲，門被從裡面打開了，桃子沒好氣地狠狠瞪了阿恕一眼，轉身走開。

柳承鋒回頭示意，那些抬著衣架的人連忙魚貫而入，將衣架上展開的喜服一起，整整齊齊，都放在了屋中，然後盡皆垂手退走，唯有阿恕留下來，侍立一旁。

柳承鋒一看，阿螢坐在東窗之下，正冷冷地望著自己，他不由得心中一喜，說道：「阿螢，妳瞧瞧，我帶了許多喜服來，妳看看喜歡哪一件？」

她不言不語，只是坐在那裡。柳承鋒走到她面前，卻是柔聲道：「阿螢，我知道妳正在想，能不能趁機挾持我，然後脫身出城，但是我知道妳是不會的，畢竟阿爹還病著，妳說是不是？」

她眉眼都並沒有動一動，似乎對他的話無動於衷。桃子卻忍不住叫起來：「你竟然用節度使來威脅校尉！」

柳承鋒仍舊是溫柔地笑著，說道：「阿螢，阿爹出事之前，曾經和我談起，說到想讓我認祖歸宗，重新改回柳承鋒這個名字，還說，即使我改回姓柳，也仍舊是他的兒子。我當時心裡很傷心，以為阿爹不想要我做他的兒子了。後來他又說，要把妳許配給我，我才明白阿爹的一片苦心。阿螢，眼下阿爹還病著，我暫且不能改回姓柳，不然，只怕阿爹耗費幾十年心血，練成的這支定勝軍，這偌大的基業，就要毀於一旦了。不過妳放心，等將來咱們成親之後，若是能生得幾個孩子，長子當然跟我姓柳，其他的孩子就姓崔，這樣不僅柳家後續有人，崔家也有了。阿螢，阿爹一心一意為咱們打算，只可惜他老人家還沒將此事安排妥當，就被李嶷暗算了。」

他伸出手去，試圖去握阿螢的手，但她面若嚴霜，目光更如冰刃一般，他的手就不由停在了半空中。過了片刻，他輕輕地笑了一聲，說道：「阿螢，我們拜堂成親吧。這樣妳就成了我的妻子，妳放走李嶷的事，自然不會再有人說三道四，而且咱們成親之後，妳就可以名正言順地去照顧阿爹。再說了，咱們辦喜事沖一沖，也許阿爹一高興，就能好起來呢？」

她終於冷冷地瞥了他一眼，說道：「柳承鋒，你別做這樣的夢了，我就算死，也不會與你拜堂成親的。」

他恍若未聞，又輕輕地笑了一聲，說道：「阿螢，妳日夜憂心阿爹的身體，憂心得都傻了，連歡喜的話都不知道說了。阿螢，妳放心吧，婚事我會好好安排，妳就等著做新娘子就好。」他指了指滿屋子的喜服，說道：「這裡的每一件，妳穿上都十分好看，可是我還是希望妳自己選一件，等妳選好了就告訴我，咱們就在阿爹面前，拜堂成親。」

他走了這麼一遭，志得意滿，十分欣然，也不管自己還未踏出院門，那些喜服就被桃子連撕帶啐，從窗子扔到院子裡，反正阿螢是要跟自己成親了，他愉快地想。

待得晚上，二更之後，眾將聚集，按照部署，悄然出城，銜枚而行。崔璃領了數千人去夜襲燎火坡，而柳承鋒親自領了一隊騎兵，出城之後，就與崔璃分道而行。

崔璃心中有數，等到了燎火坡，率隊直衝過去。果然裴源依照約定好的，連拒馬都沒有設，大剌剌就只疏疏布了兩道防線。崔璃一到，直衝營中，不料營房之中空空蕩蕩。寇渚是知情的人，不由對崔璃道：「公子，會不會事情有變？」

崔璃心裡也直發毛，此刻突然隱隱聽見喊殺聲起，正是從東南側傳來，崔璃與寇渚對望一眼，知道裴源大約是傾盡全力，去埋伏崔琳了，所以此處未免防線空虛。

崔璃精神大振，對寇渚道：「打起來了！咱們也用力衝一衝！把聲勢衝出來。」

且不說崔璃在這裡作戲，柳承鋒那處卻是正經的苦戰。他雖有重騎，但撞上的是鎮西軍最精銳的一部，從前裴獻的親衛，後來秦王的典軍，個個都是身經百戰，浴血沙場出來的健卒，如龍似虎，驍勇異常。

柳承鋒苦戰良久，幸而燎火坡很快燃起熊熊大火，暗夜之中，極是醒目。定勝軍大旗招展，顯然崔璃搶奪這一有利地勢就要成功了，這一部正與他們作戰的鎮西軍精銳見狀，回身就走，似要去支援奪回燎火坡。柳承鋒自然不肯放過這等良機，一邊追一邊派出騎兵，兩側包抄，決意要將鎮西軍最精銳的這一支斬殺當場，消滅殆盡。

重騎在黑夜中行得不快，但所有的一切都在重騎前無法成為阻擋，軍陣、營帳、輕騎、弓弩……皆不能，定勝軍的重騎就如同一道黑色的潮水，緩緩推進，淹沒一切。眼看燎火坡的火光越來越近，鎮西軍的陣腳已亂，因為被重騎踐踏，已經有步卒忍不住回身想逃走……誰不害怕被踩成肉泥呢？

柳承鋒知道勝局已定，只要穿過最後這一點距離，與燎火坡的崔璃合在一起，那鎮西軍就再也無力回天，但是很快，他覺察到了不對。鎮西軍雖然陣形散亂，似在逃走，但重騎實在是行進得太快，太過輕易了；而且，李嶷一直沒有露面，他不應該只有這一點本事。柳承鋒敏銳地覺察到了一點不對，但來不及了，大地震動，旋即，重騎像無聲潮水撞上了一堵牆一樣，被砸散，被濺開，也被迫不得不停了下來。

裴源與李嶷的旗幟同時出現，鎮西軍像是從地下忽然冒出來似的，將重騎分割包抄。重騎在這種情形下，完全不能衝鋒，優勢全無，而燎火坡雖然近在咫尺，卻變成了可望不可及。

鎮西軍龐大的包圍圈像一個巨大的網，重騎就像被切碎的餅，零零星星，這裡一簇，那裡一堆，再不能連成一氣，又像是撞進蛛網的昆蟲，怎麼也掙脫不了束縛。

又戰了片刻，柳承鋒明白過來，自己中了圈套，李嶷棋高一著，誤導了自己。李嶷是特意選了這塊地方做營地，因為燎火坡太顯眼了，於是李嶷順勢就將它做成了一個誘餌，一個陷阱。

喊殺聲越來越近，定勝軍被割得七零八落，然後被鎮西軍一一絞殺。裴源像個幽靈一樣，他的旗號越來越近，李嶷的旗號卻是不緊不慢，步步緊逼，十分從容。

柳承鋒毫不猶豫拋棄了崔璃和燎火坡，轉頭向東突圍。裴源也並沒有理睬燎火坡，只是帶著輕騎縱橫穿插。柳承鋒距離脫困似乎只差一口氣，但是每戰一刻，鎮西軍的包圍就再小一圈，如此這般，到了最後，雙方已經力戰到肉搏。一片混戰中，突然有一支定勝軍衝進來，原來正是張剬，他一見到柳承鋒，不由得大喜，說道：「公子快走，我在這裡攔他們一攔。」

話音未落，鎮西軍黑壓壓的玄甲已經壓上來，只一衝，就已經將張剬所部衝了個七零八落。張剬不由罵道：「個娘的，這些個鎮西的軍漢，前兩天在灘頭上還像軟腳蟹，今天突然成了猛虎下山。」柳承鋒見他悍勇，也就再次往東闖去，不想一面燦然繡金的大旗忽然出現在東側，松明火炬映得旗幟上偌大一個「秦」字熠熠生輝，彷彿算好了他的退路，正是李嶷的秦王旗號。

柳承鋒所部被這一輪輪鏖戰消磨殆盡，裴源也終於甩脫了張剬，慢慢壓了過來，醒目的「裴」字大旗，與「秦」字大旗遙相呼應，終於如同面皮包餡似的，將柳承鋒完全包在其中。

裴源精神一振，親自領人直衝過去，張弓就射，頓時箭矢如雨，鋪天蓋地。

崔璃站在燎火坡上，看著戰場上的戰局。雖是暗夜，但簇簇火光，他又居高臨下，還是能看得很清楚，眼看鎮西軍已經鋪天蓋地般壓上去，崔琳已經斷絕了最後一條生路，忽然不知道爲何，裴源的陣腳竟然亂了，就像是一把刀，分開潮水，又像是利刃斬開紙張，像是有一支勁旅突然冒出來，射住了陣腳，也擋住了裴源的攻勢，崔璃不由得扭頭問寇渚：「那是誰？」

寇渚搖頭，定勝軍各部的位置，他們看得清清楚楚，再不會有援軍來，更何況這樣像是突然從戰場上冒出來的。崔璃倒是很快做了決定。「咱們衝過去，看看到底怎麼回事，要是崔琳眞能突出去，咱們也跟著突出去一起回城，不然，只怕崔琳會生疑。要是崔琳逃不掉，咱們遠遠看一眼，回頭說起來，我們也是想救公子的。」

寇渚深以爲然，立時就傳令，糾集了人馬一起朝那處穿過去。在亂戰中穿行，自然不易，但好在他們本就與鎮西軍有默契，很快，就來到了交戰的邊緣。

崔琳眞的突圍出來了，不知道他是怎麼辦到的，他身邊有一小隊人馬，弓箭十分厲害，護衛著他衝出重圍，裴源一時竟然都沒能堵住口子。崔璃見勢不妙，大叫：「護衛公子！」就率隊衝了上去，崔琳卻是頭也不回，在那隊厲害的弓箭手的保護之下，穿過陣隙，徑直奔回長州城。

崔璃緊隨其後，定勝軍各部亦被收攏，齊齊退回長州。

崔璃臉上都是汙糟的痕跡，那是被火炬熏的，但他心情更沉重，因爲這一場突襲，功敗垂成。一是定勝軍折損人馬，卻未能打擊到鎮西軍，二來麼，自然是崔琳，他竟然還留有一隊精銳，安然返回城中，幸好自己不曾輕舉妄動。

寇渚拉了拉他的衣角，將一個硬硬的東西塞進他手裡，他瞇著眼睛看了一眼那東西，頓時吃驚得差點從馬上掉下來。

「這是哪裡來的？」他大聲質問，絲毫不顧忌周圍還有無數兵卒。

寇渚一副殺雞抹脖子的樣子，崔璃定了定神，才將那東西趕緊塞進袖子裡。待一到城中僻靜之處，他再也忍不住，拉過寇渚，十分嚴肅地問：「那是從哪裡來的？」

寇渚道：「公子，你得沉住氣，這是我從陣上撿的。」

崔璃驚疑不定，過了好一會兒，他方才喃喃地道：「這是白日見鬼了……不，不可能……」

寇渚知道他是在說什麼不可能，他也不敢置信，要不是正巧瞧見，拿起來看了一眼，當時他就像掉進了冰窟裡，不，比冰窟更可怕。那是揭碩人的箭鏃。揭碩人用的箭枝，與中原完全不同，他們箭法甚好，但中原的箭，他們不會射，也射不好。

定勝軍與鎮西軍混戰，但是戰場上卻有揭碩人的箭，而揭碩，明明被攔在營州之北，如何會突然出現在這數千里之外的南境？這是不可能的。

寇渚聽見自己的聲音，像夢遊一般，他說道：「公子，你覺不覺得，這次公子回來之後，他身子似乎康健了許多，這時節，他都沒有犯過舊疾。」

他這句話沒頭沒腦，還說了兩個公子，但是崔璃聽懂了，崔琳從前身子一直孱弱，是因爲幼時中過揭碩人的毒，後來極力調養，也總是在秋冬之時，常犯嗽疾。但是自從崔琳落水，眾人以爲他身死，最後他卻奇蹟般回來後，雖然身體仍舊羸弱，卻是不曾再犯過這舊疾。

寇渚說道：「都說節度使是被秦王害了，良醫也說他是中毒了；秦王眞要害節度使，爲什麼不一刀將他殺了，偏給他下毒？」

崔璃不由得又是一怔，這倒是他沒有想過的。人人皆知朝廷想奪回長州，也正因此故，秦王才率鎭西軍至此，但他爲何孤身潛入府中，給崔倚下毒，這確實有點古怪。

「說起來，當初節度使與鎭西軍一同去克復西長京，節度使還說秦王善戰，是個難得的帥才。彼時末將還跟公子您說起，節度使難得誇人，既然誇秦王，那是眞的覺得他有本事。」

崔璃只覺得腦瓜子嗡嗡的，一片混亂。戰場上竟然有揭碩人的箭，那麼一定是有揭碩的奸細混了進來，難道秦王竟然勾結揭碩，不不，這天下都是他們李家的，秦王勾結揭碩能有什麼好處？那……難道是……

他頭痛得更厲害了，耳朵裡也嗡嗡響，實在是不願意信，不敢信，也……不想信。

寇渚見他臉色變幻莫測，一咬牙，對他說道：「公子，這是個機會。哪怕沒有，咱們也得把它做實了，何況如今有。」

崔璃卻有些猶豫，說道：「我想不通，阿琳……」他又猶豫了片刻，才說，「我們崔家的人，斷不會與揭碩有任何勾連。」

確實，揭碩是崔家的死敵，崔家世鎭朔北，跟揭碩有血海深仇，任何一個崔家的人，都不可能與揭碩有勾連。一代一代，崔家有無數血親子弟，死在與揭碩的交戰中，旁的不說，崔璃的父親崔偌，就是被羯碩人設伏而死的。

寇渚道：「誰能信呢，但咱們得萬般留意，如果是公子身邊的人，被羯碩摻了沙子，那……那節度使或許就是被奸細所害。就算公子不知情，但羯碩的箭竟然能出現在戰場上，那說不定已經在暗處蟄伏已久，說不定還想暗算更多。」

崔璃點了點頭，還沒有說話，忽然有一騎匆匆而來，遠遠就大喊：「璃公子，公子召你議事。」

崔璃與寇渚對望一眼，匆忙之間，寇渚也只能以目光示意，崔璃點一點頭，按了按腰間的短刀，掉轉馬頭，隨著來人，匆匆而去。

他是崔倚的子侄，素來出入後堂不禁，所以在都護府前下了馬，也就徑直被引入崔琳所居的宅院。崔琳已經卸下盔甲，半夜的廝殺令他臉色蒼白而疲倦。他明顯是梳洗過了，頭髮還未乾，所以沒有完全束起來，穿著一領素色的圓領袍子，仍舊是十分文弱的樣子，坐在案前，若有所思。

崔璃上前叉手行禮，他略欠一欠身，說道：「兄長辛苦了。」

崔璃十分謹慎地道：「殺敵爲應爲之事，有何辛苦可言。」

柳承鋒卻笑了笑，淡淡地說：「今晚兄長衝上燎火坡，難道不覺得事情有異嗎？」

崔璃不由得一驚，但旋即鎮定下來，說道：「燎火坡處確實遇敵不甚多，但我怕有詐，所以也沒敢掉以輕心。」

柳承鋒點了點頭，說道：「兄長素來是個謹慎的人，所以直到我被圍危殆，才帶隊過來，若是我身死，自然抽身就走，若我未敗，也可以伺機行事。」

崔璃之前本有幾分心虛，此刻見他如此詢問，竟然猜了個八九不離十，不由得心念急轉，正想如何辯解搪塞，忽見他坐在案前，手指中卻捏著一枚硬物，似是鐵器，從指間只露出一點，彷彿只有銅錢大小，就在指間不斷翻滾旋轉，一下一下扣著桌子，發出「得得」的聲音。

崔璃不由得心中起疑，柳承鋒沿著他的目光看去，見他盯著自己的指端，不由得一笑。他忽然屈指將那硬物捏進手心，握成拳頭，伸到崔璃面前，說道：「兄長不妨猜上一猜，這是什麼？」

崔璃驚疑不定，見他唇角微出一絲淺笑，似是頑童一般，猶豫片刻，方才搖頭道：「我猜不到。」柳承鋒又是微微一笑，攤開手掌，手心裡赫然正是一枚箭鏃，那箭鏃與國朝軍伍之箭完全不同，形狀極小，兩側卻微向內鉤，並有深深的血槽。崔璃一眼就認出，跟適才寇渚塞給自己的那枚箭鏃一樣，是揭碩人的箭。

崔璃張了張嘴，正想要說話，忽然覺得背心裡一涼，他本能地低下頭，只看見一柄鋒利的長劍從自己胸口透出兩寸許。他不可思議地看著那劍鋒，血正沿著劍鋒一點一點地滲出來。

阿恕不知何時已經站在他身後，手中緊緊地握著劍柄。

柳承鋒微微一笑，起身走到崔璃面前。「兄長幫我最後一個忙吧，今晚混戰，千鈞一髮的時候，爲了救我性命，那些揭碩人不小心將箭鏃留在了戰場上，我們定勝軍與揭碩作戰多年，說不定會有人認出這些箭鏃的。」

崔璃大口大口地喘著氣，他只覺得眼前一陣陣發黑，每一口氣都帶著劇痛。

「我想了想，只能是兄長眼見我父帥中毒，想要趁機奪取兵權，因此勾結揭碩，想要謀害我，這樣說起來，挺合情合理的是不是？」

崔璃耳朵中嗡嗡巨響，他拚盡全力，喊出一句話：「我不會勾結揭碩！崔家人……都不會！你……你不是崔琳……你不姓崔……」

柳承鋒無所謂地笑笑。「是啊，我不是崔琳，我不姓崔。」

崔璃本來只是垂死掙扎地亂喊，沒想到他竟然這樣說，不由得瞪大了眼睛，看著柳承鋒。

柳承鋒卻是哈哈大笑，一直笑出了眼淚。「我是柳承鋒，不是崔琳，更不是崔倚的兒子。崔倚只有一個女兒，她的名字叫崔琳。過去十幾年，我都被人當作是崔琳，所有人都以爲我是崔倚唯一的兒子，崔家軍未來的主帥，我自己都差一點以爲自己是崔琳了。可惜突然崔倚就跟我說，我不是崔琳，我是柳承鋒……我不是崔琳，我就是一個可憐的影子。我眞正的名字柳承鋒，都被我自己忘記了好久，我差點都忘記了我到底是誰！可笑不可笑，滑稽不滑稽？」

他伸出手，用冰冷的手指彈了彈崔璃胸口透出的劍鋒。劍鋒顫震，崔璃的呼吸越來越急促，他喉嚨裡呵呵有聲，似乎是想說話，但是已經說不出來。

柳承鋒收回手指，嫌棄地用素絹仔細擦拭著，說道：「我替你說了吧，崔家世鎭營州，多年來死於與揭碩交戰的崔家子弟不下百人。到了這一代，你的父親崔偌也死於揭碩人之手，崔倚窮盡半生之力，終於將揭碩王帳逐出千里，揭碩人都不敢踏過拒以山放牧。由此崔家軍號稱定勝軍，崔倚也被稱爲國朝三傑，所以，我當然不是崔琳，不是他的兒子，不然，我怎麼會跟揭碩有勾結呢？」

崔璃眼中爆起血絲，手指徒勞地想要抓住什麼，但什麼也抓不住。柳承鋒看著他，像看著一個俳優，目光中充滿嘲弄。

「但是，現在與揭碩勾結的人，是你了，崔璃。」

崔璃用盡全部的力氣，猛然向前一掙，竟然掙脫了長劍的刀鋒，他撲向柳承鋒，袖底藏著的短刀被他用盡最後的力氣擲出，可惜只擲出尺許，就被阿恕揮劍斬落。阿恕還想給崔璃補上一劍，但被柳承鋒抬手阻止。崔璃撲倒在地，臉上是青灰的死氣，他十指緊緊扣著磚縫，血從他身下滲出來，他拚盡最後的力氣，用嘶啞的聲音含糊低吼：「我崔家子弟，絕不……」說到絕不兩個字，最終頭一歪，氣絕而死。

柳承鋒注視著他，幽幽長嘆一聲。每個崔家的子弟，九歲入軍伍之時，牢牢記得的第一句話就是：「我崔家子弟，絕不降於揭碩。」

被阿恕斬落於地的短刀他也認得，那是崔偌送給兒子的，刀柄上鏨著一個璃字。他悵然地想起來，自己也有一把這樣的短刀，刀柄上鏨著一個琳字，是他九歲的時候，崔倚十分鄭重賜給他的。

這把短刀，是崔家子弟用來防身的，也是爲了在戰場上，戰至最後一刻，若是被揭碩圍住，這短刀，便是用來自盡的，因爲崔家的子弟，絕不降於揭碩。

當年崔偌中伏被圍之後，箭枝射完，乾糧吃盡，吞著雪熬了七天七夜，最後也是用這樣一把短刀自盡而死的。

柳承鋒注視著崔璃，他的心情百味陳雜，在這麼一瞬間，他甚至有點羨慕崔璃了。雖然從小到大，他一直瞧不上崔璃，崔璃蠢笨又膽小，怯懦又無能，偏又志大才疏，連謀算都謀算得破綻百出，可是這一刹那，他忽然羨慕起崔璃了。起碼在最後一刻，他真正像個崔家的子弟，像他父親的兒子，甚至，像崔倚的侄子。

窗外漸漸泛起白光，天就要亮了，但是柳承鋒清清楚楚地知道，自己永生永世都會陷在無際的長夜裡。

他面無表情。崔璃雖然已經氣絕，但他身下的血，還在緩緩地流著，一直漸漸地洇開來。阿恕道：「公子，要不要去別室暫歇，我喚人進來，將這裡收拾一下。」

柳承鋒搖了搖頭，說道：「就叫他們進來收拾吧，我不覺得髒。」

怎麼會髒呢？血是這世上最溫暖的東西，他愉快地想，已經圓滿地解決了此事，明日，明日就可以與阿螢拜堂成親了。

都護府裡張燈結綵，布置得喜氣洋洋，就連院子裡凋零殆盡的杏花樹上，都綁上了無數粉色絲帛製作的花朵，被日頭一映，灼灼照人眼，彷彿那一樹本來零落成泥碾作塵的鮮花，又重新回到枝頭，還陽綻放似的。

喜娘已經進來了三次，每一次都送來了柳承鋒寫的催妝詩。他素有文采，詩也寫得不錯，尤其這幾首催妝詩，更是含情脈脈，深情繾綣。但每次喜娘一送進來，桃子就看也不看，拿過去撕個粉碎。

奴僕們神色恭敬，捧著妝奩、胭脂水粉、各種珠釵寶石，金碧錯雜，光彩陸離，並有一把錯金鏤玉的喜扇，原是給新婦障面用的。柳承鋒最後到底親自挑選了一套喜服，並內裡外裳，還有一雙泥金鴛鴦圖案的喜鞋，一併令人送到阿螢面前。桃子照例是要掀出去的，但緊接著，喜娘又用托盤送進來一樣東西，桃子猶未如何，阿螢已經忍不住站起來。原來送來的不再是催妝詩，而是一縷頭髮，那頭髮花白了一半，根根堅硬，用細繩繫好，阿螢一眼就認出來了，那是崔倚的頭髮。

喜娘彎著腰，依舊是恭敬萬分的語氣，跟前幾次說著一模一樣的話：「郎君說，請新婦盡快梳妝，莫要錯過吉時才好。」

阿螢抿著嘴，一聲不吭。桃子瞪大了眼睛，看看那一綹頭髮，又看看阿螢，想說什麼話，又覺得徒勞。喜娘膽子大了些，從奴僕手中接過妝奩，笑著說道：「新婦生得如此好容貌，原不打扮也使得，但今天這樣的好日子，還是略施脂粉，添添喜氣吧。」

悠揚的絲竹奏著，院子裡裡外外，粉飾一新，尤其是收拾作新房的這間屋子，早就披紅掛綠。柳承鋒身穿喜服，目光從屋子裡各種布置上巡睃了一遍，覺得略有遺憾，不能盡善盡美，但畢竟長州地僻，又這麼倉促，採買布置的人也盡力了。

反正回到營州的家裡，可以慢慢地、更周到地，按照他和阿螢的喜好，再重新添置起來。

這天雖然沒有太陽，好在也沒有下雨，是南境春日裡特有的陰天。都護府早就騰出最廣闊的大堂，用來辦喜宴，將軍們對此薄有微詞，只是覺得他成婚的日子選得太倉促了些，旁的倒也沒有什麼。畢竟他是崔倚唯一的兒子，眼下崔倚病勢沉重，他早日成婚生子，也算是了卻節度使一樁心願吧。

所以將軍們還是喜氣洋洋地早早就來恭賀，並送上各色賀禮。營州依照古禮，黃昏時分迎親，夜裡才拜堂，但這天一大早，眾人就忙碌開了。今日難得鎮西軍也識趣，前晚的夜襲似乎讓鎮西軍吃了悶虧，今日並沒有出擊或叫陣，饒是如此，柳承鋒還是謹慎地安排了人馬，更加強了城牆的防守。

喜娘喜滋滋地走近，先朝他施了一禮，道：「恭喜郎君，新婦已經開始梳妝打扮了。」

送去三首催妝詩之後，他失了耐心，派人去絞了一綹崔倚的頭髮，想是如此，阿螢終於想明白了，所以開始梳妝了。他有點雀躍，也有點迫不及待，想看到她盛裝的樣子，他夢寐以求了多年，她終於穿上了喜服，就要嫁給他了。

黃昏時分起風了，吹得院中錦幄起伏不定，按照營州舊俗，院子裡用青布搭了青廬，以作新人拜禮所用。為了壓住帷幕的簾角，又墜上了些金鈴，風吹來，吹得那些金鈴搖動，叮叮啷啷，十分清脆好聽，和著悠揚的絲竹聲，更顯得悅耳。

定勝軍在長州的將軍們都已經來了，唯獨缺了張劌，他在前夜撤退的時候，因爲膝蓋有傷行動不便，不幸落馬，在混亂中下落不明，也不知道是被鎮西軍俘走了，還是如何，這兩日崔公子遣人四處搜救，仍無消息。

往好了想，或許只是在混戰中掉隊了，暫時藏身民間，過幾日就能想法子回來。

眾人都是沙戰宿將，過的是征戰四方的日子，對這種事，早司空見慣，心中只願張劌安然脫險罷了。只是有人嘀咕了一句，公子成婚，要是張劌在這裡可就更熱鬧了，他最善飲，喝兩斤酒，跳起胡旋來，還像陀螺一樣，旋得飛快。

柳承鋒見天色已暗，院中燃起了松明火炬，青廬裡也點上燈，便讓人將崔倚請出來。說是請，其實是用軟榻將仍舊昏迷不醒的崔倚抬出來罷了。院中諸將早已經屏息靜氣，他們都是從早些年就跟著崔倚征戰的舊人，有很多還是從士卒開始，一步步被崔倚提拔起來的。崔倚對他們而言，不僅僅是節度使，更是可靠的兄長，甚至，是仁慈的父親。

見軟榻上的崔倚雖然面如金紙，但呼吸還算平穩，一名站在前排踮腳勾頭張望的將軍，不由得微鬆了口氣。看著崔倚被平穩地抬著，送入青廬，待會兒一對新人，還要對崔倚拜禮，畢竟賀夫人故去多年，崔琳又是崔倚唯一的兒子，他娶了新婦，節度使一定會很欣慰吧。眾人都在心中唏噓感嘆，如果此刻節度使康健如常，能親眼得見新人拜禮，那該有多好啊。

柳承鋒見崔倚到了，便迎上去，親自扶著軟榻，一直將崔倚送進青廬安頓好。正要整理衣衫，去親自迎新婦出來，忽然門外一陣喧嘩，旋即有人進院子通報，說道：「張將軍回來了！」

院中同袍正兀自記掛他，聽聞他平安歸來，無不大喜。只見兩名親衛扶著張劏一瘸一拐地走進來，雖然模樣狼狽，但好在安然無恙，當下早就哄然迎上去，親親熱熱地架著、扶著他走進院子裡。

一個相熟的將軍便笑道：「張五，你可算是回來了，可沒錯過公子的喜酒。」

張劏排行第五，素來在家中被喚作張五郎，此時咧開嘴笑了笑，問道：「公子在何處？」眾人頓時讓出一條路來，正好讓他一眼看見一身喜服，佇立在青廬前的柳承鋒。張劏忙甩開那些扶著自己的手，一瘸一拐走過去，叉手行了軍禮。「見過公子。」

柳承鋒不過含笑點了點頭，說道：「回來就好。」張劏耿直善戰，在定勝軍中也頗受同袍的敬重喜歡，何況今日辦喜事，柳承鋒覺得這兆頭很好。

張劏笑道：「今日是公子大喜的日子，末將有一樣薄禮，想要獻給公子。」

柳承鋒聽了此話，不以爲意，只是微笑道：「好。」

張劏並沒有上前一步，反倒後退了半步，旋即從懷裡取出一樣東西來，高高地舉過頭頂。天色雖然已經暗下來，但這庭院之中，掛滿了燈籠，簷下又燃著一排火盆，各席之間，更有松明火炬，照得亮堂堂如同白晝，因此他指尖的東西雖然不大，但在火光映襯下，令院中諸人都看得清清楚楚。所有人幾乎都騰地站了起來，還有人脫口問：

「張五，你這是什麼意思？」

原來張剠手中所持，竟然是一枚揭碩的箭鏃，在座眾將都出自定勝軍，與揭碩多年交戰，因此一眼就認出來了此爲何物。

張剠大聲道：「前夜在戰場上，咱們定勝軍差點吃了大虧，我湊巧衝到了公子身邊，但也並沒能助公子脫困，只恨那裴源纏得惱人，幸好最後公子還是脫困而去，但是這箭鏃……」他目光炯炯，盯著柳承鋒，「公子，咱們定勝軍與鎮西軍交戰，爲何戰場之上，卻有揭碩人在放冷箭？」

庭院中的將軍們不由得交頭接耳，嗡嗡地議論起來。柳承鋒泰然自若地注視著張剠，張剠也緊緊盯著柳承鋒，說道：「公子，咱們定勝軍裡面，有揭碩的奸細。」

有人忍不住道：「放屁，咱們定勝軍跟揭碩不共戴天，怎麼會有揭碩的奸細？」

也有一人應聲道：「就是，倒是鎮西軍沒準兒……」話說到一半，忽想起鎮西軍的主帥是誰，何況鎮西軍素來駐守西北，跟揭碩相距萬里，頓時覺得鎮西軍跟揭碩有勾結這事實在是匪夷所思，當下就將後半句話又嚥了回去。

柳承鋒淡淡一笑，說道：「本來今日辦喜事，父帥又還在病中，是想過幾日再與諸位說到此事，但既然張將軍有疑惑，那還是當著大家的面，把此事說清楚才好。」

當下便將崔璃因爲崔倚中毒，覬覦節度使之位，想要趁機奪權，因此竟與揭碩勾結，幸得自己覺察有異，暗中探查，人證物證俱全，崔璃羞愧之餘，舉刀自盡云云，從頭到尾講了一遍。

院中諸將聽了這樣一番話，皆怔忡難言，一時鴉雀無聲，只聽風吹得松明火炬，火苗呼呼直響，偶爾那火盆之中，炭火爆開，劈啪一聲。

柳承鋒道：「此乃我崔氏的不肖子孫，本來家醜不令外揚，何況他已經身死，是想等父帥身體稍好些，喜事辦完之後，再與諸公說道此事，但今日既然張將軍見問，那還是當眾解說一二，免得誤會。」又令阿恕取來崔璃所用的短刀，傳示眾人。眾將皆知，崔家子弟都有這樣一柄短刀，自九歲之後，從不離身，除非身死，所以看到刀柄上鏨著的「璃」字，不由得盡皆默然。

張剬似也沒料到柳承鋒竟然說出這樣一番話來，怔在了當地。眾人嗡嗡議論一番，就有一將上前，說道：「公子，我們都知道張將軍素來率直，也正因如此，才會看到箭鏃心中疑惑，歸來就問公子。」

柳承鋒點一點頭，說道：「我不會見怪張將軍。」

張剬似是愧然，張了張嘴，但最後什麼話都沒有說，只是往後退了半步，垂下了頭。眾將見他甚是羞愧的樣子，何況今日又是這般大喜的日子，當下七嘴八舌，趕緊亂以他語，說道吉時到了，快請公子去迎新婦。柳承鋒見張剬站在眾人身後，一直低垂著腦袋，似是羞愧難言，不敢抬頭再看他似的，於是微微一笑，心想待過了這陣子，尋個由頭將張剬調得遠遠的，再將他殺了，須得不留痕跡才好。

當下庭中的鼓樂重新又奏起來，早有奴僕鋪好紅氈，又將崔倚抬到青廬前。柳承鋒迎上前去，緩步走到崔倚榻前，跪在紅氈之上，阿恕捧著小小的托盤上前，柳承鋒伸出手，拿起那杯酒。

那酒聞著甚是香甜，他穩穩地端著那杯酒，望著崔倚，他已經昏迷了多日，雖然各種用藥、施針，但毫無起色。柳承鋒原本心裡是略有怨氣的，但此時此刻，似也心平氣和了。

他在心裡默默地想，做了這麼多年你的兒子，你確實對我不錯，視如己出，可是最後你也不肯答應將阿螢嫁給我。你不肯讓我做你的女婿，又不肯讓我做你的兒子，到了最後，你終究還要拋棄我。你養了我這麼多年，讓我似乎擁有了一切，我也拚盡了全力，想要做好你的兒子，想要成爲你的兒子崔琳，爲此，我幾乎連性命都可以捨去，但你最後竟然還是要拋棄我？

在這一刻，他似乎又變回了那個只有五六歲的自己，一個平時受盡冷眼，受盡虐待的小小孩童。在那個殺聲沖天、火光四起的夜晚，自己的親生父親柳安，還有他的妻子，那個平時總是打罵自己的夫人，帶著他的孩子們，逃進早就準備好的密室中。平時他們把家中財帛等貴重什物都放在那裡，等到揭碩人突然襲城殺進來的時候，他的父親柳安也利索地帶著妻兒老小，全都藏進了密室中，只除了他。他徹底地被遺忘了，也徹底地被拋棄了。火光沖天，凶惡的揭碩人衝進來，他慌不擇路想要逃走，卻被人一把抓起，像提一隻小羊羔一樣倒提了起來。

那些揭碩人嘰哩咕嚕地講著揭碩話。他從小在邊陲長大，也聽得懂，但他緊緊閉著嘴，直到冰冷的刀子架在他的脖子上，他終於開口說話了，哆哆嗦嗦地，用揭碩話，告訴那群凶神惡煞的人，說自己知道這家裡值錢的東西都在哪兒。

揭碩人眼裡放著光，他把密室的位置指給了揭碩人。那個密室建得十分巧妙，如果沒有人指點，揭碩人是絕找不到的。揭碩人用刀子撬開了密室的門，看到了大箱的黃金，還有年輕的女子，興高采烈地衝了去，他被人像扔草卷一樣扔在了一旁，直摔得頭昏腦脹。他滾進了溝裡，然後像一隻老鼠一樣，順著溝爬了出去。身後一直傳來淒厲的慘叫聲，也許是那個總是打罵自己的夫人，也許是那個總是欺負自己的異母姊姊，但是他頭也不回，飛快地爬著，從溝裡鑽出來。他一直跑，一直跑，沒有人管他這個骯髒狼狽的小孩，他赤腳一直跑出了好遠好遠，才筋疲力盡地倒下。

在此後漫長的歲月裡，那一夜發生的事情變成了唯有他自己知道的祕密，柳家所有人都死了，密室被翻檢一空，柳家積累的財富全都被揭碩人掠走，他成了一個孤兒。沒有人知道那天晚上發生了什麼，他也把那個夜晚永遠藏在了心底，藏到連自己都彷彿忘記了，藏到絕不願意再想起。

但是此時此刻，他端著這杯酒，忽然就想起那個夜晚了，當他指出密室的位置的時候，就像現在這樣，帶著一種痛快。他微微仰起臉，對著昏迷不醒的崔倚，綻開一抹欣然的笑容，他從容不迫地說道：「父帥，這杯喜酒，兒子敬你。您喝了這杯酒，我就要和阿螢拜堂成親了。」

說著，他抬起酒杯，一直送到崔倚的唇邊。這酒裡的毒，是揭碩特意送來的，不會讓人立時氣絕，只會令人慢慢地虛弱下去，拖個十天半個月，就會絕脈而亡，而且壓根就看不出來是因何而死。

他覺得挺好的，庭中這麼多人看著，卻沒有人知道他就要灌崔倚一杯毒酒，這可太好了，他甚至想要笑出聲來，畢竟崔倚養了自己這麼多年，雖然最後他要拋棄自己，但自己還是應該親手為他送終。

阿恕已經撬開了崔倚的牙關，就像平時一樣，他也將杯沿慢慢湊近崔倚的唇邊，只要手腕微微用力一傾，這杯酒就會傾入崔倚喉中。

就在他手腕即將抬起的瞬間，突然似有一道青光從眼前閃過，旋即他手腕劇痛，只聽噹啷一聲，酒杯已經跌落於地。

庭中眾人不由驚呼，只見屋頂上似大鵬展翅一般，掠下一人，那人手執長劍，面沉如水，擋在柳承鋒面前，護住崔倚，正是李嶷。柳承鋒萬萬沒想到他會突然出現，但也並不如何慌張，倒是庭中諸將一見竟是李嶷，紛紛就要去尋兵刃，更有人操起凳子，要與李嶷肉搏。

就在此刻，忽然有人大喝一聲：「住手！」旋即從外面大踏步走進來，正是崔倚的心腹大將程瑙。他素來在定勝軍中極有威望，本來數月前就奉命折返營州，眾人沒料到他竟會突然出現，一時喜出望外，紛紛與他見禮。

柳承鋒見程瑙出現，不由得心裡一沉。數日前他就接到密報，說程瑙中毒已死，沒想到他竟然沒死，甚至突然來到了長州。程瑙大步走到他面前，卻大聲質問：「柳承鋒，這麼多年來，節度使待你如同親子，你如何竟敢對節度使下毒？」

這下子庭中頓時譁然，眾人驚疑不定，不知為何程瑙忽出此言。柳承鋒不斷冷笑，說道：「程將軍這是老糊塗了，快來人，將程將軍請下去，稍作歇息。」

庭中諸人猶豫不決，程瑙上前一步，指著柳承鋒，大聲道：「你派人去營州殺我，幸得我逃過一死。」

原來柳承鋒密遣出人給程瑙投毒，不想陰差陽錯，程瑙聞說崔倚出事，立時啓程南下，投毒的人撲了個空。恰好阿螢和桃子設法傳出的信又到了，程瑙這才躲過一劫，但既知有人暗中想要謀害自己，程瑙這才將計就計，假作中毒身亡，令部屬大舉發喪，還向洛陽、營州、長州等地各派出快馬報喪，實際上程瑙改頭換面，日夜兼程，喬裝而行，從濱水南下，順水放舟日行千里，反倒趕在報喪的人前面，終於在今日趕到了長州。

程瑙就在眾人面前，逐一揭破。他是當年的知情之人，當下便清清楚楚說出，柳承鋒並非崔倚之子崔琳，而真正的崔琳，其實是何校尉。

阿螢早已經換了衣裳，只不過不是新婦的喜服，而是一身的戎裝，她持劍緩步走入庭中，兩目清冷如刃，直直地望著柳承鋒。

事已至此，柳承鋒並無慌張之色，他甚至笑了笑，指了指李嶷，又指了指程瑙，笑道：「阿螢，妳就是為了維護這個李嶷，無視他害了節度使，顛倒黑白，收買了程瑙，編出這樣一篇彌天大謊來？」

阿螢不悲不喜，兩丸眸子澄澈如水晶一般，定定地看了他一眼，說道：「柳承鋒，今日你交出能救阿爹的解藥，我就留你一條性命。」

柳承鋒仰天大笑，指著李嶷，說道：「就憑他？」又指了指程瑙，傲然質問，「程將軍，你到底收了什麼樣的好處，趁著父帥病篤，跑到這裡來，說這樣一篇胡話。」他提高了聲音，「我是阿爹的兒子！我是崔琳！阿爹被人害了……」他用手一指李嶷，聲音裡透著森冷的恨意，「阿爹是被秦王！是被他，是被李嶷害了！」他直直地盯著程瑙，「你被李嶷收買了，秦王許了你什麼好處？讓你在這裡胡言亂語，想要連我都殺了，你以爲咱們定勝軍的同袍們會相信你這些鬼話嗎？」

庭中眾人聞言，亦猶豫起來，畢竟眼前這崔公子確實是崔倚親自扶掖著長大，而且一直以來，父子親密，從來沒有聽說這崔公子不是節度使的兒子，怎麼程瑙突然就出來說他不是崔琳，更不是節度使的兒子呢？難道這一切眞的是程瑙和秦王一起別有用心，構陷公子？

眾人正驚疑不定時，桃子早帶著人進來，她撿起地上潑灑的酒盞，用銀針試過，針尖瞬間變黑。她高高舉起銀針，說道：「他想給節度使喝的酒裡有毒！」

眾人嗡的一聲，像炸了鍋一樣，有人拔出了兵刃，還有人猶豫不決，看著柳承鋒。而張劌忽然站出來，說道：「公子，我適才問你揭碩箭鏃的事，你說是崔璃與揭碩人勾結，最後羞愧自盡。」

他黝黑的臉色沉沉的，看不出什麼喜怒，但是忽然雙掌一擊，數名兵卒抬著崔璃的屍首進來，就放在庭院正中。柳承鋒不由得心一沉，他早令阿恕將崔璃的屍身處理，不知張剽竟從何處，尋得崔璃的屍首。張剽上前，解開崔璃的衣裳，手指那傷口，說道：「公子，你說崔璃是羞愧自盡，可咱們都是軍伍之人，這傷口明明是被人從背後刺穿……」他眼睛緊緊盯著柳承鋒。「公子，咱們定勝軍與揭碩，有著血海深仇，爲什麼揭碩的奸細能混進來……爲什麼前夜戰陣之中，最後竟是揭碩的射手護著你撤走……公子，爲什麼……」他每問一個爲什麼，就上前一步，一直走到柳承鋒面前，憤然道：「公子，我們視你爲少主，不僅僅是因爲你是節度使的兒子，是因爲這麼多年來，你也曾經身先士卒，你也曾經領著我們與揭碩而戰。出幽州的時候，你對我們說，我們定勝軍要南下勤王，平息叛亂，讓天下百姓都過上好日子。公子，節度使說過，咱們行伍打仗，不認得字也不要緊，但一定要明白，爲何而戰……」他全身顫抖，似用盡全身的力氣在嘶吼：「爲家國而戰，爲血親而戰，爲同袍而戰！咱們定勝軍，爲了將揭碩人攔在北邊，不讓他們踏入國境半步，流過多少血？死過多少同袍兄弟？你爲什麼要跟揭碩勾結！你爲什麼？你不是節度使的兒子！你不是崔琳！」

庭中一時鴉雀無聲，只過得片刻，又有一人高聲叫起來：「如果你跟揭碩勾結，那你就不是節度使的兒子，你不是崔琳！」

更多人叫起來：「如果你跟揭碩勾結，那你就不是節度使的兒子，你不是崔琳！」所有人怒吼起來，還有人緊握著拳頭，似要衝上來。阿恕不由得上前一步，低哨一聲，這古怪的哨音之後，庭院裡忽然多了許多幽靈一般的人，他們青布蒙面，手持弓箭，對準了院中諸人。

「是揭碩人！」有人高聲叫起來，定勝軍常年與揭碩交戰，這些人手腕上的刺青，手持的弓箭，一看便知道是揭碩人。院中眾人猝不及防，何況都是來赴婚宴的，都沒攜帶兵刃，但即使是赤手空拳，也怒目而視，要跟這些揭碩人拚命。

眞是一著不愼，滿盤皆輸啊，柳承鋒漠然地想。他看了一眼阿螢，說道：「阿螢，輸給妳，我是甘心的。」他轉過頭，又看了一眼李嶷，說道：「阿螢說，只要我交出給節度使的解藥，就放我走，你怎麼說？」

李嶷道：「她說的話，就是我說的話。」

柳承鋒嗤笑了一聲，反倒就勢在崔倚的軟榻邊坐下。他望了一望崔倚，說道：「阿爹，沒想到最後還是你給我留了條活路。」

「不要叫他阿爹，」阿螢冷冷地道，「你不配。」

當下阿恕上前，要求給予馬匹，城內定勝軍，城外鎭西軍皆不得阻攔等等種種條件，並如何交出解藥等等種種細節。

阿螢卻問：「我怎麼知道，最後眞放你走了，你給的解藥會是眞的？」

柳承鋒輕笑一聲，說道：「阿螢，妳跟我一起走吧，妳身上也中了毒，如今餘毒未消，不解除乾淨，只怕於身體有損。妳跟我走，我替妳解毒，還會派人送還給阿爹的解藥，若是解藥是眞的，妳就放我走，若是解藥是假的，妳就一劍殺了我便是。」

阿螢沒想到自己確實中毒了，不由微微一怔。

李嶷已經道：「給她解毒，我跟你走。」

柳承鋒笑道：「那可眞是白饒，替阿螢解毒倒也罷了，但我一定給節度使假的解藥，然後再把你殺了。殺一個節度使，再陪上一個秦王，那我也忒划算了。」

阿螢略一思量，說道：「放你走，我不會跟你走的，你到了船上，就把解藥扔下來。我擔保，定勝軍與鎮西軍，在十二個時辰裡，絕不去追蹤你，阻攔你，但是過了十二個時辰，你就自求多福吧。」

他怔怔地看了她片刻，方才道：「阿螢，妳還是相信我的。」

她卻並不理睬他，只是用點漆一般的眸子緊緊盯著他，說：「如何？」

他散漫地站起身來，說道：「剛才那人說……」他用手指了指李嶷，似是不願從自己口中說出他的名字，「他說，妳說的話，就是他說的話，我聽著挺不樂意的，但是阿螢，妳既然這樣相信我，那我當然要說，不論妳說什麼，我都願意聽妳的話。」他微笑著注視著她，「我上船，就會把給節度使的解藥扔下來，但是此刻，妳要先服解藥。」

她點一點頭，阿恕上前，送上一瓶藥粉，阿螢毫不猶豫，接過去服下，不再與他說話，只是吩咐桃子，立時按照阿恕的要求，替他們預備船隻、馬匹、乾糧等物。李嶷本來心中擔憂，見她面色如常，氣息穩定，這才漸漸放下心來。

程瑫站在她身側，她每說一句話，程瑫就大聲重複一遍，務必令庭中諸人聽得清清楚楚。庭中諸人見程瑫如此，已經有七成信了其實她才是節度使的女兒，更兼她素日亦在軍中行走，人人都是與她甚爲熟稔的，只是做夢也沒想過她會有這一層身分罷了。

當下一切諸物預備停當。李嶷唯恐有變，與阿螢一起，率人將柳承鋒、阿恕等人送至碼頭，阿恕率人檢查了船隻，這才解開纜繩，緩緩離開碼頭。

柳承鋒立在船頭，只見李嶷與阿螢並肩站在碼頭上，李嶷緊緊牽著阿螢的手，另一隻手裡卻仍舊執劍，似是害怕他突然撲過來，或是搶走阿螢似的。船隻緩緩離開碼頭，阿螢的身形也漸漸遠離，起初不過丈許，旋即變成了兩丈，漸漸更遠，更寬。他心中酸楚，知道此後山長水闊，再相見時，不知又是何種情形。阿螢卻只是緊緊盯著他，直到船隻越來越遠，幾乎已經快要到三丈，她才揚聲喝道：「柳承鋒！解藥！」

她還從來沒有這樣叫過自己的名字呢，他無限悵然地想，終於略抬一抬手。阿恕會意，朝著碼頭上扔出一個小小的瓷瓶，李嶷早就緊緊盯著他的一舉一動，一見瓷瓶擲出，立時飛身躍起，長劍一抄，就將那瓷瓶抄在劍鋒上，一收回劍，拿起那小小的瓷瓶，裡面果然是一顆藥丸。

阿螢再不多言，李嶷亦是如此，兩人雙雙掉轉馬頭，回身策馬就走，彷彿不屑一顧似的，渾不再理睬那漸行漸遠，漸至江心的船隻。

柳承鋒無限悵然地望著那漸漸馳遠的兩人。阿螢還是相信他的，他在心裡思量，說不出是苦是甜。其實，她並不是相信他，只是豪賭而已，她賭他不願意與她做殺父仇人，她賭他還希望有朝一日，能與她相見。其實，她還是賭對了啊，她就是這樣篤定。他心裡無限酸楚，他這一生，全盤皆錯，也全盤皆輸，因爲他確實不願意做她的殺父仇人，他確實還希冀著有朝一日，可以再次相見。

江風獵獵，片刻後下起雨來，兩岸的一切都被籠罩在這綿綿的春雨中，他恍惚地舉起手來，這才發現自己還穿著紅色的喜服。

杏花都已經落盡，哪怕他令人用絲帛做了花朵再黏上去，黏出了一整棵花樹，那也不過是自欺欺人罷了。

阿螢與李嶷快馬馳回府中，桃子早已經與范醫正一起，悉心替崔倚診脈，只是這毒十分詭奇，兩人商議了半晌，也不敢說有把握如何解毒。等阿螢拿回來柳承鋒給的解藥，桃子與范醫正又想試一試那解藥，但只一顆，也無從下手，最後還是阿螢拍板，說道：「給阿爹吃。」

桃子一咬牙一跺腳，撬開崔倚的牙關，拿了一盞清水，就將那丸藥給崔倚灌下去。眾人提心吊膽，都守在榻前。過了大半個時辰，崔倚眞的幽幽醒轉了，他慢慢睜開眼睛，只見眾人都圍在自己面前，尤其阿螢，兩隻眼睛裡滿是殷切。他勉力伸手，阿螢忙握住他的手，將他的手貼在自己臉上，輕輕喚了聲：「阿爹……」

他轉動眼珠，看到了李嶷，含糊地說了一句什麼，阿螢忙將耳朵貼上去，只聽他說的是：「秦王……是不是……欺負妳了……」

阿螢忙道：「才沒有！」

崔倚閉了閉眼睛，力氣似乎更足了些，說話也漸漸有了中氣：「那妳爲什麼一副要哭的樣子？」

阿螢想笑，但心裡直發酸，捧著崔倚的手，說道：「他才不敢欺負我，他若是敢，阿爹再拿鞭子，抽他一頓！」

崔倚在桃子和范醫正的精心調養之下，一天比一天好起來，又過了數日，崔倚終於康復如常，便在都護府中，大宴同袍。等所有將軍都到了，崔倚神采奕奕，牽著阿螢的手，一起站在了諸人面前。

崔倚道：「昔日朝中以我無子，非要另賜我一位夫人。我與拙荊鶼鰈情深，所以生得這個女兒後，不願朝中再賜婚，便上奏說生了個兒子，並給她取名崔琳。後來朝中時局變幻，就一直沒有對諸同袍直言相告，崔琳其實是我的獨女。」

這些話，程瑙其實那日已經說過一遍了，但由崔倚親口對著眾人說出來，分量自又不同。眾人對望一眼，也明白崔倚今日為何攜著女兒，宴請諸人。當下程瑙已經上前一步，叉手對阿螢行軍禮，說道：「大小姐託名何校尉，在軍中行走，所立功勳是我們都知道的，也是親眼看見的，往後大小姐就是我程瑙的少主，我必視大小姐與節度使一般無二！」

諸將轟然附和，紛紛上前行禮。他們之前就知道何校尉足智多謀，公子的許多戰略都是她從旁協助，心裡其實是十分欽佩的。節度使雖然沒有兒子，但有這樣一個女兒，又與兒子何異？

當下眾人開懷暢飲不提。

酒至半酣，阿螢卻忽然發現少了一個人，她便也離席出來，四下一望，從簷角攀上屋頂，果然李嶷正坐在屋頂喝酒。

她笑道：「你爲何在這裡？」

他說道：「這裡高啊，看得清楚，也聽得清楚。」

她不由得一怔，只聽敞開的廳堂裡，傳來眾人飲宴歡笑，說話聲，果然聽得清清楚楚。只聽一個極豪氣的聲音，似是張劌，正在高聲說話：「眞是沒想到，公子竟然不是節度使的兒子，校尉卻是節度使的女兒，這可眞是……比話本還有意思呢！說實話，我被鎮西軍的人俘了去，他們把揭碩人的箭鏃拿出來，告訴我定勝軍中有揭碩奸細的時候，我差點跳起來，要跟鎮西軍拚命！我可眞沒想到，咱們定勝軍會有揭碩的奸細，這怎麼可能，一定是鎮西軍想要誣陷咱們……給咱們潑髒水。可是後來小裴將軍又親自帶著我，走到戰場上細看，我翻來覆去，又想到我衝到公子身邊之後的情形。說實話，那會兒我眞有點不想活了……我眞不願意相信公子會和揭碩有什麼勾結，咱們定勝軍，不就是生來要跟揭碩打仗的嗎？如果節度使的兒子，都是揭碩的奸細了，那我們這仗還怎麼打？這不是被人從後頭刺了一刀？不，當時我那心裡，比千刀萬剮還難受吶。」

屋子裡忽然靜下來，過了片刻之後，方才有個聲音問道：「所以你才回來問公子？」

「對！」張劌高聲說，「我說我要回來親口問一問公子，小裴將軍給我出主意來著，叫我怎麼問，還說會派人來幫我。最後派了一隊人，穿著咱們定勝軍的衣服，送我回來，還去幫我將崔璃的屍身找出來。我可眞沒想到，派的這隊人裡頭，竟然有秦王。嘿，說起來，被鎭西軍捉了俘虜，可眞丟臉，但是被秦王殿下親自護送回來，似乎又找回點面子。」

眾人不由得哄堂大笑，拍得桌子凳子都在響。

還有人問：「張五，你不是見過秦王嗎？怎麼都沒認出來？」

張剬挺不好意思似的，話音都低下去了幾分：「那不是，他在城外叫陣，身穿玄甲，騎那麼高大的黑駒，手持銀槍，好不威風。我在城樓上看著，嘴上不說，心想眞不愧是秦王。誰知道他混在送我回來的人裡頭時，貼了一臉鬍子，看著畏畏縮縮，就像個新兵蛋子，眞的就是另外一個人，哪裡能讓我想到秦王殿下？」

眾人又哄笑了一陣。

有人又道：「秦王雖厲害，但咱們大小姐，更是厲害啊，不愧是咱們節度使的女兒！從前咱們都不知道她的身分，但都知道，每次出陣之前，都是她在給公子出謀劃策，就憑這個，我就服氣！」又有一人說道：「不論是節度使的兒子還是女兒，只要是節度使的血脈，我就服她！她像個崔家兒郎的樣子，有血性！」

眾人嘆了一回何校尉，喔不，是崔琳，眞正的崔琳。忽有一人道：「咱們大小姐文武兼備，又是咱們節度使的女兒，你說，得什麼人，才配得上咱們大小姐？」

張剬忽道：「我覺得秦王就不錯！想想自起兵勤王，秦王領著鎭西軍，所向披靡，別的不說，就雀鼠谷那一戰，那眞是，嘖嘖……」

又有人道：「秦王雖人才出眾，可惜他是皇帝的兒子，我們家大小姐，還是坐堂招夫的好！」眾人頓時拊掌附和，無不言說：「對！對！坐堂招夫才好！」

屋瓦之上的兩個人聽到此處，不由得相視一笑。

李嶷不無得意，說道：「聽見沒有，他們都覺得，只有我才配得上妳。」

阿螢斜睨了他一眼，說道：「我只聽到他們說，希望我坐堂招夫。殿下身爲皇子，願意入贅我們崔家嗎？」

李嶷一骨碌翻身坐起，對她說：「什麼皇子不皇子，秦王不秦王的，我都不想當，也都不在乎。要不，咱們回牢蘭關去，就在牢蘭關拜堂成親，生七八個娃娃，一半跟妳姓，一半跟我姓。不嫁不娶，不招不贅，可好？」

她不由得伸出纖指，在他額上戳了一下，嗔道：「你想得倒美！誰要跟你生七八個娃娃！」他舉起四根手指，說道：「四個，最少四個，兩個姓崔，兩個姓李，總可以了吧，不能再少了！」她啐道：「呸！你再胡說八道，我可要撕你的嘴！」說著便彎腰作勢，似要發出袖中弩箭，李嶷手一抬，就握住她的手腕。她用力抽手，不料他其實卻並未使力，反倒順勢擁住了她，兩人四目相對，他忍不住低頭，俯身吻在她的唇上。

月亮漸漸向西沉去，夜風溫柔，不知從何處傳來陣陣花香，中人欲醉。這一天恰是花朝節，百花盛開，月亮也又大又圓，更襯出花影幢幢，月色也照著屋瓦上相偎依的兩人。正是一春時節，最爲美好的晚上，所謂良辰美景，舉世無雙。

（下之一冊完，故事未完）

國家圖書館出版品預行編目資料

樂遊原 / 匪我思存著. -- 初版. -- 臺北市：春光出版，城邦文化事業股份有限公司出版：英屬蓋曼群島商家庭傳媒股份有限公司城邦分公司發行, 2023.12
面；　公分. --

ISBN 978-626-7282-23-6（下之一：平裝）

857.7　　112009499

樂遊原・下之一

原著書名／樂游原
作　　者／匪我思存
企劃選書人／王雪莉
責任編輯／何寧

版權行政暨數位業務專員／陳玉鈴
資深版權專員／許儀盈
行銷企劃／陳姿億
行銷業務經理／李振東
總　編　輯／王雪莉
發　行　人／何飛鵬
法律顧問／元禾法律事務所　王子文律師
出　　版／春光出版
臺北市 104 中山區民生東路二段 141 號 8 樓
電話：（02）2500-7008　傳真：（02）2502-7676
部落格：http://stareast.pixnet.net/blog　E-mail：stareast_service@cite.com.tw
發　　行／英屬蓋曼群島商家庭傳媒股份有限公司城邦分公司
臺北市中山區民生東路二段 141 號11 樓
書虫客服服務專線：（02）2500-7718 /（02）2500-7719
24小時傳真服務：（02）2500-1990 /（02）2500-1991
服務時間：週一至週五上午9:30～12:00，下午13:30～17:00
郵撥帳號：19863813　戶名：書虫股份有限公司
讀者服務信箱E-mail: service@readingclub.com.tw
歡迎光臨城邦讀書花園 網址：www.cite.com.tw
香港發行所／城邦（香港）出版集團有限公司
香港九龍九龍城土瓜灣道86號順聯工業大廈6樓A室
電話：（852）2508-6231　傳真：（852）2578-9337
E-mail : hkcite@biznetvigator.com
馬新發行所／城邦（馬新）出版集團【Cite (M) Sdn Bhd】
41, Jalan Radin Anum, Bandar Baru Sri Petaling,
57000 Kuala Lumpur, Malaysia.
Tel:（603）90563833 Fax:（603）90576622 E-mail:cite@cite.com.my

封面設計／蔡佩紋
封面插畫／辰露
內頁排版／芯澤有限公司
印　　刷／高典印刷有限公司

■ 2023 年 12 月 26 日初版一刷
Printed in Taiwan

售價／380元

城邦讀書花園
www.cite.com.tw

ISBN 978-626-7282-23-6

廣	告	回	函
北區郵政管理登記證			
臺北廣字第000791號			
郵資已付，免貼郵票			

104 臺北市民生東路二段 141 號 11 樓

英屬蓋曼群島商家庭傳媒股份有限公司
城邦分公司

請沿虛線對折，謝謝！

愛情・生活・心靈
閱讀春光，生命從此神采飛揚

春光出版

書號：OF0095	書名：樂遊原・下之一

請於此處用膠水黏貼

讀者回函卡

謝您購買我們出版的書籍！請費心填寫此回函卡，我們將不定期寄上城邦集
最新的出版訊息。亦可掃描 QR CODE，填寫電子版回函卡。

姓名：________________

性別：□男　□女

生日：西元________年________月________日

地址：________________

聯絡電話：________________ 傳真：________________

E-mail：________________

職業：□ 1. 學生 □ 2. 軍公教 □ 3. 服務 □ 4. 金融 □ 5. 製造 □ 6. 資訊

□ 7. 傳播 □ 8. 自由業 □ 9. 農漁牧 □ 10. 家管 □ 11. 退休

□ 12. 其他 ________________

您從何種方式得知本書消息？

□ 1. 書店 □ 2. 網路 □ 3. 報紙 □ 4. 雜誌 □ 5. 廣播 □ 6. 電視

□ 7. 親友推薦 □ 8. 其他 ________________

您通常以何種方式購書？

□ 1. 書店 □ 2. 網路 □ 3. 傳真訂購 □ 4. 郵局劃撥 □ 5. 其他 ______

您喜歡閱讀哪些類別的書籍？

□ 1. 財經商業 □ 2. 自然科學 □ 3. 歷史 □ 4. 法律 □ 5. 文學

□ 6. 休閒旅遊 □ 7. 小說 □ 8. 人物傳記 □ 9. 生活、勵志

□ 10. 其他 ________________

請於此處用膠水黏貼